Inhalt

Dem Andenken
meines Vaters

Vorbemerkung

Die deutsch-jüdische Dichterin Else Lasker-Schüler starb Anfang 1945 in Jerusalem. Der Ort und das Jahr ihres Todes sind symbolisch: die tragisch verwickelte Existenz des jüdischen Volkes in Deutschland, der Else Lasker-Schüler in ihren Werken Ausdruck gab, brach im Jahre 1945 gewaltsam ab; und Jerusalem war der Ort, an dem die Geschichte dieses Volkes nach der Katastrophe ihre Fortsetzung fand.

Das Scheidejahr 1945 macht daher eine doppelte Darstellung der Dichterin notwendig. Was im ersten Drittel des 20. Jahrhunderts in unlösbarer Symbiose miteinander verflochten schien, ist durch die Ereignisse der Geschichte getrennt worden, und als man die 1933 geflohene Dichterin nach dem Fall des Dritten Reiches wieder zu lesen begann, fanden die deutschen und die jüdischen Elemente ihres Werkes nicht mehr zusammen.

Die Interpreten mythisierten Else Lasker-Schülers Judentum oder unterschlugen es als Teil einer unbewältigten Vergangenheit. Werner Kraft scheute sich, ihr Judentum aus der historischen Wirklichkeit ihrer deutsch-jüdischen Existenz abzuleiten und zog es vor, ihm in Martin Bubers Philosophie eine romantische Grundlage zu geben. Ernst Ginsberg stellte die Jüdin in eine Nähe zum Christentum, die zwar den kulturpolitischen Tendenzen in der Nachkriegszeit entgegenkam, sich aber kaum mit den geschichtlichen Tatsachen deckte. Als Dieter Bänsch dann in den sechziger Jahren mit der Dichterin und ihren Lesern ins Gericht ging, fiel schon das erstaunliche Maß der Unkenntnis auf, das er ihrem Judentum entgegenbrachte. Und auch in dem umfassenden Buch, das Sigrid Bauschinger im Jahre 1980 über die Dichterin vorlegte, hat sich daran nichts mehr geändert; was dort über die Jüdin Else Lasker-Schüler steht, trägt wenig bei zu dem Verständnis ihrer Lebenstragödie.

Eine in Jerusalem entstehende Darstellung Else Lasker-Schülers konzentriert sich zwangsläufig auf diesen vernachläßigten Teil ihres Bildes. Sie arbeitet heraus, was erst in der späteren Perspektive der jüdisch-nationalen Renaissance im neugegründeten Staate Israel deutlich werden konnte: Else Lasker-Schüler, und mit ihr viele ande-

9

re Juden in der deutschen Literatur, reflektiert in ihren Werken nicht nur eine deutsche, sondern auch eine jüdische Wirklichkeit, die vor 1933 durch Assimilation, nach 1945 durch die Verdrängungsmechanismen der Restauration verdeckt wurde.

Das Judentum, das im Werke Else Lasker-Schülers seinen Niederschlag findet, wird nicht nur aus Bequemlichkeit vermieden. Dieses Ausweichen ist eine späte Folge der antisemitischen Indoktrinierung, der der deutsche Geist in den letzten Generationen ausgesetzt war. Ziel der Indoktrinierung war es, den zeitgenössischen, im täglichen Leben anzutreffenden jüdischen Mitbürger hinter einem zum Klischee erstarrten Feindbild unsichtbar werden zu lassen.

Der physischen Vernichtung des Juden ging seine geistige Abtötung voraus und machte sie vielleicht erst möglich: der Jude mußte seines Menschentums beraubt werden, ehe man ihn als Untermenschen behandeln konnte. Noch bevor die Juden in den Gaskammern starben, gab es im deutschen Bewußtsein schon keine jüdischen Menschen mehr. Sie waren hinter der Maske der Entfremdung verschwunden, die die antisemitische Hetze in Generationen geschaffen hatte.

Auch nach 1945 ist diese Maske des Stereotyps, die zwischen Deutschen und Juden steht, nicht gefallen. In den ersten Nachkriegsjahren wurde das Feindbild durch das Bild des leidenden und zu bedauernden Juden ersetzt, der doch eigentlich nichts verbrochen hätte; und vollen Ausdruck gaben der Ironie der Geschichte dann jüngere, von Schuldgefühlen schon nicht mehr belastete deutsche Intellektuelle in beiden Teilen des ehemaligen Reiches: mit dem Begriff der 'Ideologiekritik' verliehen sie alten Aggressionen einen neuen Namen, fanden aber in dem unter dem Ersatzwort 'Zionist' wieder zum Feindbild erstarrten Juden schnell ein altes Ziel.

Solche Haltungen tragen wenig zu einem Verständnis der Jüdin Else Lasker-Schüler bei. Hier werden deshalb altneue Stereotypen aufgebrochen, um die geistige Welt des deutschen Judentums wieder lebendig werden zu lassen, der Else Lasker-Schüler entstammt und aus der ihr dichterisches Werk zu verstehen ist.

Es ist sein geistiger Hintergrund, der Menschliches sichtbar macht. Geschichte als Abriß kollektiver Entwicklungen setzt sich immer auch aus den vielen Geschichten zusammen, die den Leben einzelner Menschen zugrundeliegen, und nur in ihnen wird sie verständlich für uns. Eine dieser Geschichten, die das kollektive Unglück des deutschen Judentums spiegelt, soll hier erzählt werden: die Geschichte Else Lasker-Schülers.

Mein Dank gilt Herrn Manfred Sturmann, der in Jerusalem den Nachlaß der Dichterin verwaltet und hier ein großes, hilfreiches Archiv aufgebaut hat. Und er gilt Frau Dr. Margarete Kupper, ohne deren langjährige Forschungen zu Leben und Werk der Dichterin dieses Buch nicht möglich gewesen wäre — wie auch vieles andere nicht, das sich heute sinnvoll über Else Lasker-Schüler sagen läßt.

Jerusalem, im April 1985   Jakob Hessing

Einleitung

Assimilation und Absonderung des deutschen Judentums

Im fünfzehnten Buch seiner Autobiographie *Dichtung und Wahrheit* erwähnt Goethe ein frühes Gedicht, „Prometheus". Es sei, schreibt er, „in der deutschen Literatur bedeutend geworden, weil, dadurch veranlaßt, Lessing über wichtige Punkte des Denkens und Empfindens sich gegen Jacobi erklärte. Es diente zum Zündkraut einer Explosion, welche die geheimsten Verhältnisse würdiger Männer aufdeckte und zur Sprache brachte: Verhältnisse, die, ihnen selbst unbewußt, in einer sonst höchst aufgeklärten Gesellschaft schlummerten. Der Riß war so gewaltig, daß wir darüber, bei eintretenden Zufälligkeiten, einen unserer würdigsten Männer, Mendelssohn, verloren."

Die Sätze berühren ein tiefes Dilemma, das die Geschichte der deutschen Juden im folgenden Jahrhundert begleiten sollte. Der Freundschaft zwischen Lessing und Moses Mendelssohn (1729-1786), dem Vorkämpfer der geistigen Emanzipation der Juden in Deutschland, verdankt die Weltliteratur das Drama der religiösen Toleranz, *Nathan der Weise;* „Prometheus" aber, Goethes Gedicht vom Aufstand gegen die Götter, hatte Lessing zu dem Geständnis gebracht, daß er in der Gottesfrage wie Baruch Spinoza dachte: wie jener jüdische, von den Rabbinern mit dem Bannfluch belegte Philosoph des 17. Jahrhunderts, der die Existenz Gottes rational in der Natur, nicht aber in den Offenbarungen historischer Religionen begründet sah. An das logische Ende dieses Rationalismus gedacht, verlor die Ringparabel des Nathan damit ihren Sinn — ein in der Natur zu erkennender Gott bedurfte keiner positiven Religionen, und die Ringe, echt oder unecht, waren überflüssig geworden.

Das war die Erkenntnis, deren Schatten über Moses Mendelssohns letzte Lebensjahre fiel: die angestrebte Emanzipation konnte auch der erste Schritt auf dem Wege zur Auflösung des Judentums sein. Die von religiösen Dogmen unbelastete Aufklärung würde die

Juden vielleicht aus ihrer Pariastellung am Rande der europäischen Gesellschaft befreien, aber nicht als Juden, sondern als Weltbürger; und die Halachah, das Ritualgesetz, das die jüdische Glaubensge meinschaft kennzeichnete und dem Mendelssohn als frommer Jude die Treue bewahren wollte, müßte zuletzt auf dem Altar der Vernunftsreligion geopfert werden.

Die mit Mendelssohns Namen verbundene Emanzipation war nicht der einzige Versuch, den das jüdische Volk in den Generationen vor der Französischen Revolution unternahm, um einen Ausweg aus der Notlage des Exils zu finden. Auch Spinozas (1632-1677) rationalistischer, allem Judentum abgewandter Gottesbegriff muß schon als ein solcher Versuch gewertet werden; in weitaus größerem Maße aber gilt das noch für die religiöse Bewegung, die Spinozas Zeitgenosse Schabtai Zwi (1626-1676) ins Leben rief – dieser aus Smyrna gebürtige Kaufmannssohn gab sich als der Messias aus und wurde in vielen jüdischen Gemeinden als Erlöser gefeiert, selbst als er im Jahre 1666 bereits zum Islam übergetreten war.

Auch das 18. Jahrhundert, Moses Mendelssohns aufgeklärtes Zeitalter, hatte seine messianische Bewegung. Der neue Erlöser hieß Jacob Frank (1726-1791), und ein Vergleich zwischen Schabtai Zwi und ihm ist aufschlußreich. War Schabtai Zwi zum Islam übergetreten, so nahm Jacob Frank 1759 das Christentum an; und während der Weg des Schabtai Zwi in den Grenzen des Osmanenreiches endete, verbrachte Jacob Frank seinen Lebensabend in Offenbach.

Deutlich tritt die geographische Westverschiebung zutage, die die Geschichte des jüdischen Volkes in der Neuzeit kennzeichnet. Hatten die Judenvertreibungen aus den christlichen Zentren des Mittelalters zur Flucht nach Osten geführt, so setzte jetzt die Gegenbewegung ein, die am Ende des 19. Jahrhunderts die Entstehung der großen Diaspora in den Vereinigten Staaten zur Folge haben sollte.

Als Wendepunkt der jüdischen Geschichte müssen die Jahre 1648-1656 gelten. In dieser Zeit brachten die gegen die Polen kämpfenden Kosakenhorden Bogdan Chmelnickijs 300.000 osteuropäische Juden um, vernichteten 700 Gemeinden, setzten den nach Westen drängenden Flüchtlingsstrom in Bewegung und schufen die Katastrophenstimmung, auf deren Hintergrund die Wirkung Schabtai Zwis und Jacob Franks zu verstehen ist.

Die Erschütterungen waren überall in der jüdischen Welt zu spüren. Jenseits der preußischen Ostgrenze begann im 18. Jahrhundert die unter dem Namen 'Chassidismus' bekannt gewordene religiöse Erweckungsbewegung der verarmten jüdischen Unterschichten, auch sie eine der vielen Versuche des Judentums, seiner Misere zu entrinnen – und nur wenige Kilometer weiter westlich, im Berlin Friedrichs des Großen, unternahm fast gleichzeitig Moses Mendelssohn seinen eigenen Rettungsversuch des jüdischen Volkes: im Namen der Haskalah, der jüdischen Aufklärung, wollte er ihm angesichts der aus dem Osten drohenden Gefahr den Anschluß an den zivilisierten Westen sichern.

Wir wissen heute, aus der historischen Perspektive, wohin dieser Versuch geführt hat. Doch auch wenn wir es nicht wüßten: schon der zeitgenössische Hintergrund der in Lessings *Nathan* verherrlichten Annäherung der Juden an ihre Umwelt läßt ein Element der Verzweiflung erkennen, das diesem Emanzipationsversuch zugrundelag.

Goethe bezeugt es: auch Mendelssohn selbst hat in seinen letzten Lebensjahren dieses Element der Verzweiflung erkannt. Der von ihm befürchtete Abfall vom Judentum ist nach seinem Tode dann schnell eingetreten, unter anderem an einer Stelle, an der er es am wenigsten erwartet hätte – in seiner eigenen Familie. Dorothea, die erst zum Luthertum, später zum Katholizismus übergetretene Frau Friedrich Schlegels, war Mendelssohns älteste Tochter; und sein Enkel, der Komponist Felix Mendelssohn (1809-1847), Sohn seines dem Judentum entfremdeten Sohnes Abraham, wuchs als Protestant auf. Er war schon kein Jude mehr, er war nur noch jüdischer Abstammung.

Dem Eintritt in das deutsche Geistesleben folgte in vielen Fällen die Taufe der emanzipierten Juden; auch Henriette Herz und Rachel Varnhagen, die im aufgeklärten Berlin ihre jüdischen Salons unterhielten, traten schließlich zum Christentum über. Wichtig ist das vor allem als der soziale Aspekt einer geistigen Entwicklung, die nach Mendelssohns Tod deutlich wurde: die deutsche Aufklärung, durch die Französische Revolution radikalisiert, trat nun mit einem politischen Totalitätsanspruch auf, der den Widerstand eines traditionellen Judentums nicht duldete. Schon im Jahre 1793 bezeichnete der Philosoph Johann Gottlieb Fichte in einer Schrift zur Verteidigung der Französischen Revolution die Juden als 'Staat in einem Staate', und im historischen Rückblick ist die ominöse Bedeutung dieser Worte nicht zu verkennen. Bald darauf sollte Fichte zum Philosophen des deutschen Nationalstaatsgedankens werden, in dem das Judentum als historischer Fremdkörper keinen Platz mehr fand.

In Moses Mendelssohns Tagen hatte die Vernunft noch über den Dogmen der Religionen gestanden; aber schon in den folgenden Jahrzehnten erwies sich die jüdische Annäherung an die deutsche Kultur als eine Falle, in der die Juden den irrationalen Mechanismen der Geschichte ausgesetzt waren. Im Kampf gegen Napoleon mußte das entstehende deutsche Nationalbewußtsein auf traditionelle Elemente zurückgreifen, die mit dem ursprünglich gegen diese Traditionen gerichteten Rationalismus der Aufklärung unvereinbar waren.

Als die Reaktion über Napoleon gesiegt hatte, errichtete sie auch sofort das Bollwerk ihrer antirationalistischen Tradition; in der 'Heiligen Allianz' verbanden sich Preußens Protestantismus, Österreichs Katholizismus und Rußlands Orthodoxie, um die Illusion einer von der Revolution geheilten Welt zu schaffen, in der selbst die historischen Schismen des Christentums überwunden zu sein schienen.

Die Falle hatte sich geschlossen. Deutschlands eben noch emanzipierte Juden sahen sich von einer Mauer umringt, die im Westen wie im Osten vor ihnen errichtet wurde, und nun trat teilweise ein, was in den weltbürgerlichen Prämissen ihrer geistigen Emanzipation bereits angelegt war: die Atomisierung des deutschen Judentums. Als vereinzelte, weltanschaulich neutralisierte Personen wurden seine Mitglieder akzeptiert, nicht aber als Vertreter ihres Volkes.

Und das Beste war es natürlich, im christlichen Preußen der Heiligen Allianz zum Protestantismus überzutreten. Wie weit man es auf diesem Wege bringen konnte, zeigt das kuriose Beispiel Friedrich Julius Stahls (1802-1861). Im Jahre 1819, zu Beginn seines Studiums, ließ dieser in einem orthodoxen Hause aufgewachsene Jude sich taufen, entwickelte später als Universitätsprofessor eine Philosophie des Rechts, die Friedrich Wilhelm IV. in den vierziger Jahren die Grundlage für eine Monarchie von Gottes Gnaden lieferte und avancierte zum Chefideologen der preußisch-konservativen Partei. Mit dem Eifer des Apostaten schuf der ehemalige Jude dem christlichen König von Preußen die Begründung der Theokratie, die sich ein König David nicht besser hätte wünschen können.

In der Generation nach Moses Mendelssohns Tod ist auch Stahls Zeitgenosse Heinrich Heine (1797-1856) geboren, der erste Jude vielleicht, der die deutsche Literatur entscheidend beeinflußt hat. Es ist kein Wunder, daß sein Werk ein unverkennbares Merkmal trägt: die Ironie.

Zu Beginn der zwanziger Jahre, noch bevor auch Heine sich taufen ließ — bevor er sein 'Entreebillet zur europäischen Kultur' erwarb, wie er es nannte — nahm er in Berlin an der Tätigkeit des im Jahre 1819 gegründeten 'Vereins für Cultur und Wissenschaft der Juden' teil.

Der Name des Vereins und das Jahr seiner Entstehung deuten die dialektische Spannung an, die in seiner Gründung Ausdruck findet. 'Kultur' und 'Wissenschaft' waren Schlüsselworte der Haskalah, der jüdischen Aufklärung, in deren Rahmen Mendelssohn die Emanzipation angestrebt hatte; im Jahre 1819 aber setzte mit den Karlsbader Beschlüssen eine Zeit der reaktionären Beschränkungen ein, die der Emanzipation mit der geistigen und politischen Freiheit ihre Voraussetzung nahm.

Die Gründung des Vereins muß als Reaktion auf die Ablehnung gedeutet werden, der die Juden nun überall begegneten. Dabei läßt sich eine Phasenverschiebung beobachten, die die Tragik des jüdischen Emanzipationsversuches beleuchtet. Die von Mendelssohn zunächst nur programmatisch gedachte Annäherung der Juden an die deutsche Kultur bedurfte entsprechender Veränderungen im Erziehungswesen, erst mußte eine junge jüdische Generation durch die nach einem neuen Konzept errichteten Schulen gehen. Doch als es dann so weit war, als die neuen Juden aus den neuen Schulen kamen, war es schon zu spät. Die Reaktion hatte eingesetzt.

Die Gründer des Vereins sind in der Generation nach Mendelssohns Tod geboren: Leopold Zunz 1794, Moses Moser 1796, Eduard Gans 1798. Aber diese Generation kam erst im Vormärz zur Reife. Als der Jurist Gans an der Berliner Universität einen Lehrposten antreten wollte, mußte er sich im Jahre 1825 taufen lassen; und als der bereits getaufte Schriftsteller Heine seine politischen Meinungen äußern wollte, blieb ihm nichts anderes übrig, als im Jahre 1831 nach Paris umzusiedeln.

Der Verein hat sich nicht lange gehalten, und schon im Jahre 1824 ist er aufgelöst worden. Aber er hat eine Publikation herausgebracht, deren Titel nicht uninteressant ist — sie hieß *Zeitschrift für die Wissenschaft des Judentums.*

So, als 'Wissenschaft des Judentums', ist fortan die geistige Aufarbeitung jüdischer Traditionen bezeichnet worden, der der kurzlebige Verein ihren ersten Impuls gegeben hat. Der Name ist aufschlußreich: aus 'Cultur und Wissenschaft der *Juden'* war nun die 'Wissenschaft des *Judentums'* geworden; der Versuch, über 'Kultur' und 'Wissenschaft' näher an das deutsche Gastvolk heranzukommen, hatte unversehens seine Richtung gewechselt – die Wissenschaft wandte sich jetzt dem Judentum zu, und wo die Emanzipation ursprünglich nach außen gerichtet war, kehrte die neue Bewegung sich eher nach innen.

Es wird deutlich, was eine pauschale Betrachtung deutsch-jüdischer Beziehungen im 19. Jahrhundert zu verdecken pflegt: schon früh macht sich neben der hier dargestellten Assimilation der emanzipierten Juden auch eine Dissimilation bemerkbar, eine gegenläufige Tendenz zur geistigen Absonderung, in der die tragische Geschichte des jüdischen Volkes in Deutschland mitbegründet ist. Ursprünglich eine Folge des Rückgriffes auf christliche Traditionen im Preußen der Heiligen Allianz, hat diese Absonderung das Feuer des Antisemitismus geschürt, das später in den Gründerjahren des Bismarckreiches offen ausbrach.

Im Zuge der Emanzipation war ein assimilationsfreudiges Reformjudentum entstanden, das die überkommenen Ritualgesetze der Halachah einer ständigen Revision unterwarf, um sie den religiösen Sitten der Umwelt anzupassen. Dieser Reformbewegung trat nun nicht nur die dogmatische Orthodoxie entgegen, sondern auch eine konservative Richtung, die die zeitgemäße Entwicklung des Judentums als Evolution deutete, nicht aber als Revolution – als ein Fortschreiten der jüdischen Geschichte, nicht als ihren Abbruch.

Wie der deutsche Konservatismus entwickelte auch der jüdische Konservatismus seine historische Schule. Ihr bedeutendster Vertreter war Heinrich Graetz (1817-1891), der es zum erstenmal unternahm, in einem elfbändigen Monumentalwerk, seiner *Geschichte der Juden von den ältesten Zeiten bis zur Gegenwart* (1853-1876), die Entwicklung des jüdischen Volkes als eine in sich geschlossene Einheit darzustellen.

Was die Geschichte dieses in der ganzen Welt zerstreuten Volkes zu einer solchen Einheit machte, legte er schon 1846 in einem kurzen, programmatischen Aufsatz dar, den er „Die Konstruktion der jüdischen Geschichte" nannte. Graetz sah im Judentum ein geistiges

17

Prinzip, dessen über den Gesetzen der Natur stehender Monotheismus die Naturgebundenheit des Heidentums überwunden hätte; zugleich verkörperte sich im Judentum für Graetz auch die historische Wirklichkeit eines Volkes, dessen politische und soziale Organisation aus diesem Monotheismus erwachse und ihn reflektiere: eine Nation, deren staatliche Existenz im Idealfall eine Theokratie wäre.

Dieser Idealfall aber sei in der jüdischen Geschichte noch nicht eingetreten. Immer wieder seien die staatlichen und die geistigen Elemente des Judentums auseinandergebrochen, am deutlichsten in der langen Diaspora seit der Zerstörung des Zweiten Tempels. Daß die jüdische Nation dennoch weiterbestünde, sah Graetz in einer Eigentümlichkeit des Judentums begründet, die es von allen anderen historischen Erscheinungen unterscheide: seit den Anfängen ihrer Geschichte hätten göttliche Verheißung, langjährige Wanderung durch die Wüste und Prophetie der jüdischen Welt eine in die Zukunft gerichtete Dimension verliehen, in der das Warten auf die Erlösung — auf eine endgültige Vereinigung der staatlichen und der geistigen Existenz der jüdischen Nation im Gelobten Lande — nicht erst seit Beginn der Diaspora, sondern schon lange vorher zu einem Grundzug des Volkes geworden sei.

Graetz gibt eine historische Ableitung des jüdischen Messianismus und bestätigt damit den Gedanken, daß die großen Bewegungen im Judentum der Neuzeit — Schabtai Zwi und Jacob Frank, Chassidismus und Emanzipation — als Varianten der ständigen Suche nach einer Erlösung aus der Drangsal des Exils zu verstehen sind.

Einerseits ist diese von Graetz vorgetragene historische Interpretation ein Ergebnis der Annäherung an die deutsche Kultur, die die Juden seiner Generation vollzogen hatten, denn die dialektische Spannung von geistigen und staatlichen Elementen in der jüdischen Geschichte ist der von Hegel entwickelten historiosophischen Terminologie deutlich verpflichtet. Andererseits aber sind gerade die Schlußfolgerungen seiner Interpretation — der dem christlichen Glauben diametral entgegengesetzte jüdische Messianismus, der dem deutschen Nationalgefühl widerstrebende Gedanke einer jüdischen Nation innerhalb Deutschlands — Zeichen der gleichzeitigen Distanzierung des Judentums von der Kultur seiner Umwelt.

In Graetz' „Konstruktion der jüdischen Geschichte" überschneiden sich die Linien der Assimilation und der Absonderung, die in der Geistesgeschichte des deutschen Judentums im 19. Jahrhundert zu beobachten sind. Die Absonderung war im christlichen Preußen der Heiligen Allianz unvermeidlich gewesen, aber nun wurde sie zu einem Teil des Teufelskreises, in den Deutschlands Juden gerieten. Bei weiteren Spannungen zwischen Deutschen und Juden mußte sich ihre Absonderung, ihre Unfähigkeit zur völligen Assimilation, als schwere Belastung erweisen.

Die Geschichte der Juden, die Heinrich Graetz geschrieben hat, gehört zu den eindrucksvollsten Ergebnissen der 'Wissenschaft des Judentums'. Auch das ist nicht ohne Ironie — dieser Begriff der 'Wissenschaft', der die Emanzipation der deutschen Juden wie ein roter Faden durchzieht, sollte nun gleichzeitig einer neuen Art von Judenhaß die Waffen liefern.

Die Ironie ist bitter, denn auch ein berühmter Jude hat diesem neuen Haß seinen wissenschaftlichen Anstrich verliehen und damit zahllosen Epigonen das Werkzeug an die Hand geliefert, das ihnen noch fehlte: Karl Marx (1818-1883) ist ein Zeitgenosse von Heinrich Graetz, auch er hat seine Geschichtsphilosophie zunächst bei Hegel gelernt; und sein Beispiel ist lehrreich, weil sich bei ihm beobachten läßt, was ein Jude über sein eigenes Volk sagen mußte, wenn er einem Messianismus zum historischen Durchbruch verhelfen wollte, der in seinem Ursprung durchaus jüdisch war.

Marx mußte tun, was schon Stahl getan hatte, als er der jüdischen Theokratie eine christlich-preußische Version schrieb — er mußte seine Gedanken von ihren jüdischen Wurzeln trennen. In der zweiten Generation nach Mendelssohns Tod tat Marx eigentlich nur, was Stahl schon in der ersten Generation vorgeführt hatte: er assimilierte seine Philosophie. Dennoch ist Marx interessanter als Stahl, weil man heute den Namen des peußischen Konservativen vergessen hat; was dagegen der Messianismus in seinem marxistischen Gewande leistet, sieht die ganze Welt.

Sein Vater ließ ihn taufen, als er sechs Jahre alt war, und Marx ist nie als Jude aufgewachsen. Bei Graetz hatte Hegels christlich-idealistische Geschichtsphilosohie die Reaktion eines jüdischen Idealismus hervorgerufen, bei Marx aber trat die gegenteilige Entwicklung ein — die metaphysische Scheinwelt der Heiligen Allianz hatte im Vormärz zur geistigen Revolte der Junghegelianer geführt, und als Marx sich ihnen anschloß, fand er in Ludwig Feuerbachs anthropologischer Religionskritik bereits die Mittel vorgeformt, die ihm den Angriff auf das Judentum ermöglichten. Die Juden, so schrieb er 1844, wären der Prototyp des Bürgertums, das im Kapitalismus unter seiner Entfremdung litte; denn der jüdische Kultus wäre der Schacher, und sein Gott wäre das Geld.

Man kann sich keinen schärferen Gegensatz denken als das Bild vom Juden, wie es sich einerseits bei Heinrich Graetz, andererseits bei Karl Marx findet. Bei Graetz war der jüdische Monotheismus als das geistige Aufbrechen heidnischer Naturgebundenheit gedeutet worden; bei Marx aber wurde der Gott der Juden zum ideologischen Mummenschanz: der Kult des Schachers hätte den natürlichen Horizont nicht aufgebrochen, sondern verengt, und der Gott der Juden sollte die Tatsache verdecken, daß dieser Kult den Menschen in einer verdinglichten Welt von seiner wahren Natur abschnitt. Graetz sah den Idealzustand in einer jüdischen Theokratie; bei Karl Marx aber war es umgekehrt – den herrlichen Zeiten, die er für die klassenlose Gesellschaft versprach, müßte erst die Vernichtung des Judentums und seines Gottes vorausgehen.

Hatte Graetz versucht, das geistige Element herauszuarbeiten, von dem die jüdische Geschichte getragen wurde, so haben wir es bei Marx mit dem entgegengesetzten Versuch zu tun – hier wird jüdischer Geist kategorisch verneint. Die Kultur des Judentums wird zur Ideologie umgedeutet, die die Lebensverhältnisse in der kapitalistischen Welt verschleiern soll.

Das sagt wohl weniger über das Judentum als über Karl Marx aus. Denn er kämpft hier in Wirklichkeit ja nicht gegen einen 'jüdischen' Geist, sondern gegen *jeden* Geist, der die Weltgeschichte bestimmen soll – er kämpft mit seinen Thesen gegen Hegel, dessen Philosophie er sich soeben anschickt, vom Kopf auf die Füße zu stellen. Das Ergebnis ist bekannt: Jahre später hat er der Welt seine materialistische Geschichtsphilosophie geschenkt, in der aller Geist endgültig als ideologischer Überbau ökonomischer Produktionsverhältnisse entlarvt wird.

Aber das wußte Marx erst später; gerade deshalb ist seine frühe Stellungnahme zur Judenfrage aus dem Jahre 1844 aufschlußreich. Zu diesem Zeitpunkt hatte er seine materialistische Philosophie noch nicht voll entwickelt, aber wer sein Feind war in dieser noch zu entdeckenden Welt und wer schuld war an allem, was dort geändert werden müßte, das wußte Marx schon damals: es war der Jude.

Die Moral, die sich für Deutschlands jüdische Bürger aus diesen pseudo-philosophischen Gedankengängen ergab, war nicht nur deshalb bitter, weil ein Denker jüdischer Abstammung sie formuliert hatte. Bitter war sie vor allem, weil wir in Marx' Verhältnis zu den Juden nicht einer fanatischen Randerscheinung begegnen, sondern dem Prototyp eines neuartigen Antisemitismus, dessen Keime seit der Jahrhundertmitte zu beobachten sind. Überall wurden nun im Namen einer neuen 'Wissenschaftlichkeit' neue 'Gesetze' aufgestellt, die in den einzelnen Bereichen verschieden begründet sein mochten, deren aggressive Spitzen aber im Feindbild des 'Juden' ihren Schnittpunkt hatten.

Die Verengung des Horizonts jedoch, die Marx den Juden vorwarf, das Abschneiden des Menschen von der Natur, die Verdinglichung des Geistes – sie waren gar nicht die Schuld der Juden. Sie waren die Symptome eines Bewußtseinswandels, der in der Zeit um die Jahrhundertmitte stattfand und den Marx weniger entdeckt als mitvollzogen hat. Indem er das Augenmerk seiner Geschichtsbetrachtung nicht mehr auf den Geist, sondern auf die Materie richtete, bereitete er einem neuen Begriff von der Wissenschaft den Weg, wie es viele Denker im Zeitalter der industriellen Revolution mit und neben ihm getan haben.

Der Wechsel des Paradigmas hatte eine philosophische und eine methodische Seite: philosophisch mußte der Idealismus, vom Fortschritt der Naturwissenschaften diskreditiert, dem Materialismus weichen; und methodisch war damit die an den Idealismus gebundene Spekulation überholt, sie wurde durch die Mittel des Positivismus ersetzt. Beide Aspekte des neuen Wissenschaftsbegriffes aber – Materialismus wie Positivismus – hatten tiefgreifende und zuletzt katastrophale Folgen für die Existenz des jüdischen Volkes in Deutschland.

Diese Folgen sind erst seit dem letzten Drittel des 19. Jahrhunderts sichtbar geworden und haben ihren apokalyptischen Höhepunkt in den dunklen Jahren des Zweiten Weltkrieges erreicht. Sie begleiten das Leben der Dichterin Else Lasker-Schüler, und der einleitende Überblick dürfte hier enden. Die späteren Phasen der deutsch-jüdischen Geistesgeschichte gewinnen von nun ab Bedeutung für dieses Leben und das aus ihm erwachsene Werk, und es wird sich oft Gelegenheit finden, genauer auf sie einzugehen.

Die Einleitung aber soll nicht ohne den Versuch abgeschlossen werden, das Wesen der geistesgeschichtlichen Situation zu umreißen, in die Else Lasker-Schüler hineingeboren wurde. Denn mit ihrem Werk reagiert die Dichterin auf einen geistigen Wandel, der in den Jahren ihrer Jugend deutliche Formen annimmt. Wer nicht die Gefahr erkennt, die dem Judentum aus diesem Wandel erwuchs, dem wird manches im Werke der Dichterin verborgen bleiben müssen.

Schon in der Reaktionszeit nach den Karlsbader Beschlüssen hatte sich die von Moses Mendelssohn eingeleitete Annäherung des Judentums an die deutsche Kultur als eine Falle erwiesen, die sich schloß, sobald das Gedankengut der Aufklärung verdrängt wurde. Der Sieg der Reaktion über Napoleon hatte einen geistigen Klimawechsel bewirkt, in dem die Toleranz als Vorbedingung deutsch-jüdischer Koexistenz nicht gedeihen konnte, und der Vorgang wiederholte sich nun zum zweitenmal: auch dem Wandel der Weltanschauung, der sich seit der Mitte des 19. Jahrhunderts beobachten läßt, ist eine gescheiterte Revolution vorausgegangen. Geistesgeschichtlich muß das Jahr 1848 als der entscheidende Wendepunkt in der Entwicklung des deutschen Judentums angesehen werden, und die Bedeutung der Niederlage des liberalen Bürgertums für das deutsch-jüdische Verhältnis läßt sich kaum überschätzen.

Es war ein geistiges Prinzip gewesen, das der Revolution von 1848 zugrundegelegen hatte. Vom deutschen Bildungsbürgertum getragen, hatte der Liberalismus im Frankfurter Parlament seine idealistische Weltanschauung in die politische Tat umsetzen wollen. Doch die Mächte der Reaktion hatten sich als zu stark erwiesen, und dem Jahr der Euphorie war die Enttäuschung gefolgt.

Es war dem Geist nicht gelungen, die politische Wirklichkeit zu erobern. Die Enttäuschung darüber bildet den Hintergrund des Wandels vom Idealismus zum Materialismus, von der Spekulation zum Positivismus, und der doppelte Wandel reflektiert diese Enttäuschung genau — im philosophischen Bereich des Materialismus wie im methodischen Bereich des Positivismus wurde der Geist, der soeben politisch versagt hatte, zur Abdankung gezwungen.

Für das deutsche Judentum aber war diese Entwicklung fatal, verhängnisvoller noch als der Rückgriff auf die christlichen Traditionen nach der Niederlage Napoleons. Die 'Heilige Allianz' hatte in diesem Rückgriff ihren metaphysischen Halt gefunden und auch den Trägern des deutschen Geistes nach ihrer Enttäuschung über den bluti-

gen Verlauf der Französischen Revolution einen Ausweg geboten —
als die Blütenträume von 1789 nicht reifen wollten, konnten sie diese
Träume in der Alternativbahn der politischen Romantik fortsetzen.

Eine solche Alternative aber fehlte nach dem Zusammenbruch
des Geistes im Jahre 1848, und das neue Denken weigerte sich kategorisch, eine andere Metaphysik anzubieten. Materialismus und Positivismus gaben vor, auf jeden metaphysischen Rückhalt verzichten
zu können, und die neue Wissenschaft, um mit Marx zu reden, lieferte nicht mehr Opium fürs Volk: was in der zweiten Hälfte des
19. Jahrhunderts gemeinhin unter dem Namen 'Kulturkrise' bekannt ist, muß auch als eine rigorose Entziehungskur des deutschen
Volkes gedeutet werden.

Entziehungskuren bringen seelische Zwangslagen mit sich, und
hier lag die Gefahr für Deutschlands Juden. Aus Gründen, die gleichermaßen in ihrem Wesen wie in den geschilderten Entwicklungen
angelegt waren, hatten sie sich nicht völlig assimiliert, waren in
Deutschland nicht aufgegangen, standen den Deutschen auch in der
zweiten Jahrhunderthälfte als Fremdkörper vor Augen — und als das
metaphysisch ausgehungerte deutsche Volk in seiner Misere nach
Schuldigen suchte, fand es in ihnen schnell das geeignete Objekt.

Alles, was über die Juden später in Adolf Hilters krankem Gehirn
zum Leben erwacht ist, wurde in der zweiten Hälfte des 19. Jahrhunderts bereits gedacht, gesagt und teilweise auch praktiziert. Richard
Wagner beschrieb schon 1850 die Leiche des deutschen Körpers, in
dem es von jüdischen Würmern wimmelte; Wilhelm Marr, der das
Wort 'Antisemitismus' in Umlauf brachte, beklagte in weit verbreite-
ten Schriften den Sieg des Judentums über das Germanentum; in
den siebziger und achtziger Jahren schuf der Berliner Hofprediger
Adolf Stoecker dem frustrierten Kleinbürgertum seiner Christlich-
Sozialen Partei eine politisch organisierte antisemitische Bewegung,
von der später noch die Rede sein wird; Heinrich von Treitschke, der
Verklärer des Preußentums, erging sich in wüsten Ausfällen gegen
die angeblich nationaljüdische Hybris eines Heinrich Graetz, der
die letzten Bände seines Geschichtswerkes vorgelegt hatte; gegen
Ende des Jahrhunderts schloß der Wahldeutsche Houston Stewart
Chamberlain ab, was sein Schwiegervater Richard Wagner begonnen
hatte: vom Sieg des arischen Germanentums über die jüdische
Mischrasse erwartete er die Erneuerung des deutschen Geistes.

Das Werk, in dem Chamberlain seine Gedanken ausführte, hieß

23

Die Grundlagen des 19. Jahrhunderts, und der Titel war nicht schlecht gewählt: er bezeichnete die zusammenfassende Kulturleistung einer Welt, in der der Geist als Kontrollinstanz menschlichen Handelns ausgeschaltet worden war. Ihr Kennzeichen war der irrationale Haß, den die von Materialismus und Positivismus eingeengte, aller Metaphysik beraubte Seele gebiert.

Natürlich sind Chamberlains 'Grundlagen' nicht die einzigen Grundlagen gewesen, auf denen Deutschland im 19. Jahrhundert ruhte. Es gibt auch andere Entwicklungslinien, die nachzuzeichnen sind; Else Lasker-Schüler ist mit manchen von ihnen in Berührung gekommen, und sie werden später noch in den Blick rücken. In einer Einleitung zu Werk und Leben dieser Dichterin aber, die die Geistesgeschichte des deutschen Judentums im 19. Jahrhundert beleuchtet, muß vor allen anderen Linien gerade diejenige hervorgehoben werden, in der das Werk Houston Stewart Chamberlains liegt: auf seinen Grundlagen wurde der Weg gebaut, der nach Auschwitz führte.

In weniger als drei Generationen hatte die von Moses Mendelssohn im Zeichen des Geistes begonnene Emanzipation des jüdischen Volkes die Reaktion des Ungeistes hervorgerufen. Was einst mit der Flucht vor Bogdan Chmelnickijs Kosakenhorden seinen Anfang genommen hatte, drohte nun in der Sackgasse einer westlichen Zivilisation zu ersticken, die ihre eigene Kultur verleugnete.

Am Ende des 19. Jahrhunderts werden im historischen Rückblick bereits die Entwicklungen sichtbar, die den als Emanzipation bezeichneten Rettungsversuch des jüdischen Volkes später in die Katastrophe führten. Zum Abschluß dieser Einleitung soll daher auch eine jüdische Reaktion auf die drohende Gefahr erwähnt werden.

Im Jahre 1862 erschien ein Buch unter dem Titel *Rom und Jerusalem, die letzte Nationalitätsfrage.* Es wurde damals von der Öffentlichkeit kaum beachtet, gehört aber heute zu den klassischen Dokumenten eines jüdischen Selbstverständnisses im Deutschland um die Mitte des 19. Jahrhunderts. In ihm führt Moses Hess unter dem Eindruck des italienischen Risorgimento den Gedanken aus, daß die Judenfrage nur in einem sozialistischen Staatswesen in Palästina zu lösen sei.

Der Name des Autors ist interessant: Moses Hess (1812-1875) gehört gemeinsam mit Lassalle, Marx und Engels zu den aus dem Ju-

24

dentum stammenden Gründern der deutschen Sozialdemokratie. Nach einer orthodoxen Erziehung hatte auch er sich der Bewegung der Junghegelianer angeschlossen, wo er seinem um einige Jahre jüngeren Freund das Gedankengut vermittelte, das Karl Marx dann in der erwähnten Stellungnahme zur Judenfrage verwertete. Aber später, in der Reaktionszeit nach der gescheiterten Revolution des Jahres 1848, trat bei Hess ein Wandel ein, und es läßt sich ein weiteres Mal beobachten, wie die scheiternde Emanzipation zur Absonderung führt: jetzt sah Hess im jüdischen Problem eine 'letzte Nationalitätsfrage', und die Antwort, die er in seinem Buch gab, war eine konsequente Anwendung sozialistischer Gedanken auf die Juden — die gescheiterte Emanzipation, so schreibt er, sei ein bürgerliches Prinzip, weil es auf einzelne, in der Isolierung lebende Personen abziele und daher keine Befreiung, sondern nur die Illusion einer Befreiung biete; vom sozialistischen Standpunkt aber könne die Befreiung der Juden nur kollektiv stattfinden, in politischer Organisation in ihrem Lande Palästina.

Moses Hess, der sowohl mit Karl Marx als auch mit Heinrich Graetz freundschaftliche Beziehungen unterhielt, ist zugleich die Gestalt, in der die von diesen Denkern formulierten Auffassungen vom Judentum ihre Verbindung finden: Hess hat dem sozialistischen Messianismus seine jüdische Komponente zurückgewonnen, die bei Marx verlorengegangen war. Nicht die im Kapitalismus verdorbenen assimilierten Juden des Westens würden das sozialistische Aufbauwerk in Palästina vollbringen, schrieb er in *Rom und Jerusalem,* sondern die noch nicht emanzipierten, unterdrückten Juden Osteuropas.

Und die Geschichte hat ihm recht gegeben. In den neunziger Jahren erlebte Theodor Herzl in Paris die Dreyfus-Affäre mit, den Ausbruch eines dumpfen, instinktiven Antisemitismus in der Stadt, in der ein Jahrhundert zuvor der Kampf um die Menschenrechte entbrannt war. Ganz plötzlich trat ihm die Hoffnungslosigkeit des westeuropäischen Judentums vor Augen, und deshalb rief er eine letzte, in der jüdischen Geschichte bisher unerhörte Befreiungsbewegung ins Leben — den politischen Zionismus. Die Menschen aber, die das Programm dieser im Westen erdachten Bewegung in die Tat umsetzten, kamen größtenteils aus dem Osten Europas: aus den Gebieten, in denen die Existenzangst des jüdischen Volkes einst den ersten Impuls zu seinem Emanzipationsversuch gegeben hatte.

Die geistesgeschichtlichen Linien, deren Nachzeichnung hier versucht wurde, schließen sich im letzten Drittel des 19. Jahrhunderts zum Kreis. Die Emanzipation, in der das deutsche Judentum sein Heil gesucht hatte, hielt ihre Versprechen nicht, aber nur wenige konnten es damals schon sehen.

Zu den Veränderungen, die die Reformgemeinden im jüdischen Gottesdienst eingeführt hatten, gehörte auch das Streichen aller Gebete, in denen eine Hoffnung auf den Messias anklang. Die assimilierten Juden ersehnten keine zukünftige, sondern eine gegenwärtige Welt. Sie wollten ihren deutschen Mitbürgern gleichgestellt sein und waren bereit, dafür auf ihren jüdischen Erlösungsglauben zu verzichten.

Die Hoffnungen der Assimilation aber erfüllten sich nicht, und in der Tiefe blieb eine Sehnsucht wach. Moses Hess brachte sie zur Sprache, Heinrich Graetz erkannte in ihr den Grundzug des Judentums wieder — und als das neue Jahrhundert anbrach, wurde sie auch im Prisma einer deutsch-jüdischen Dichtung sichtbar: im Werke Else Lasker-Schülers.

Erstes Kapitel

Wahrheit und Dichtung:
Eine jüdische Jugend in Westfalen

Else Lasker-Schüler kam am 11. Februar 1869 in Elberfeld an der Wupper zur Welt. Das Geburtsjahr wurde erst nach dem Tode der Dichterin festgestellt, vorher glaubte man lange, sie wäre 1876 geboren. So hatte sie es selbst behauptet, als sie 1903 mit Herwarth Walden ihre zweite Ehe einging und neben dem erst fünfundzwanzigjährigen Gatten nicht allzu alt erscheinen wollte.

Die Korrektur des Geburtsdatums ist nicht unwichtig, denn sie macht deutlich, daß die Jugend Else Lasker-Schülers in die ersten Jahre des Bismarckreiches fällt. Wer sie als jüdische Dichterin verstehen will, muß deshalb auch das geistige Klima beachten, dem Deutschlands Judentum in den sogenannten Gründerjahren ausgesetzt war.

Für die Juden Westfalens war das Jahr 1869 von doppelter Bedeutung: der Norddeutsche Reichstag nahm das Emanzipationsgesetz an, das ihnen die staatsbürgerliche Gleichberechtigung sicherte und den scheinbar erfolgreichen Abschluß des Emanzipationskampfes bildete; und es starb Abraham Sutro (1784-1869), der letzte Landesrabbiner von Westfalen, der die Werte eines orthodoxen Judentums gegen die immer stärker werdende Tendenz zur Assimilation verteidigt hatte. Nach seinem Tode verlor das westfälische Judentum jeden formalen Zusammenhalt und zerfiel in vereinzelte, alles andere als strenggläubige Gemeinden. Der jiddische Volksmund nannte sie das 'trefene' Westfalen, in dem man kein koscheres Fleisch finden konnte, weil es dafür keinen Bedarf gab.

In Else Lasker-Schülers Geburtsjahr fallen somit zwei Ereignisse, die für die Geschichte des westfälischen Judentums bestimmend wurden und beide in die gleiche Richtung wirkten. Das Emanzipationsgesetz trieb die Anpassung der Juden an ihre Umwelt voran, und Sutros Tod kam einem mit dieser Anpassung verbundenen religiösen Substanzverlust der jüdischen Gemeinden entgegen.

27

Die beiden bedeutendsten Vorfahren Else Lasker-Schülers sind als Repräsentanten verschiedener Bereiche interessant, in denen bis zur Reichsgründung der Kampf um die Emanzipation geführt wurde. Ihr Urgroßvater aus der Linie des Vaters, Zwi Hirsch Cohen, gehörte einem alten Rabbinergeschlecht aus dem Hause Rapaport an und amtierte bis zu seinem Tode im Jahre 1832 als Rabbiner in Geseke bei Paderborn; dort erregte er den Zorn Abraham Sutros, weil er in seiner Gemeinde das jüdische Ritualgesetz abänderte, um auf dem Wege religiöser Reformen eine Annäherung an die deutsche Umwelt zu erreichen. – Auf einem anderen Gebiet ist ihr Onkel mütterlicherseits, Leopold Sonnemann (1831-1909), als Vorkämpfer für die jüdische Gleichberechtigung hervorgetreten: als überzeugter Demokrat gründete er im Jahre 1856 die liberale *Frankfurter Zeitung* und war zwischen 1871 und 1884 zwölf Jahre lang Reichstagsabgeordneter für die Deutsche Volkspartei, die in Opposition zu Bismarck stand und die demokratische Tradition des Vormärzes wieder aufnahm, die in der Revolution von 1848 gescheitert war.

Der Vater der Dichterin, Aaron Schüler (1825-1897), heiratete im Jahre 1857 Sonnemanns Kusine Jeanette Kissing (1838-1890) und ließ sich mit ihr als Privatbankier in Elberfeld nieder. Else Lasker-Schüler kam als sechstes und letztes Kind in einem gutbürgerlichen jüdischen Hause zur Welt, das sich dem gehobenen Mittelstand der Stadt kulturell bereits völlig angepaßt hatte.

„Meine von mir bewunderte Mama besaß neben ihrer Napoleonsammlung auch eine schwärmerische Verehrung für Goethe", schreibt sie später über ihre Mutter. „Er und sie aus ein und derselben Stadt, in Frankfurt zur Welt gekommen, begegneten sich unter dem Himmel der Erinnerung, auf den Wegen ihrer liebenswürdigen Heimat. Dichtete der Dichter auch längst schon seine göttlichen Verse weiter im Olymp, so lebte dennoch auf Erden im blühenden Herzen meiner Mutter der Ewigverehrte." (*Konzert,* „Im Rosenholzkästchen", GW II, 645)

Die schwärmerische Goetheverehrung, von der hier erzählt wird, vermischt sich mit der schwärmerischen Verehrung, die Else Lasker-Schüler für ihre Mutter hegte. Sie gibt ihren Worten den idealisierenden Ton, der ihre späteren Darstellungen des Elternhauses bestimmt und ihren biographischen Wert in Frage stellt. Keinen Zweifel jedoch kann es an der Offenheit für die deutsche Kultur geben, die im Hause Schüler herrschte, und wie weit diese Offenheit auch auf

Kosten der angestammten jüdischen Religion gehen mochte, zeigt die Schilderung ihres älteren Bruders Paul (1861-1882), den sie unter ihren Geschwistern am innigsten geliebt hat: „Mein Bruder war ein junger König, ein Mönch, der Himmel sein blauer Dom. Aus dem schritt er alle Morgen auf die Erde herab, und ich war sehr stolz, da er mit mir Hand in Hand durch den Wald spazierte." (*Konzert,* „Die Eichhörnchen", GW II, 604)

Wieder ist die Idealisierung unverkennbar, aber mit dem Wort 'Mönch' hat es auch seine biographische Bewandtnis. Die drei Söhne Aaron Schülers besuchten das Privatgymnasium in der rheinischen Stadt Sankt Goarshausen, die nach dem katholischen Heiligen Goar genannt ist, und Paul hatte sich schon mit dem Gedanken getragen, zum Katholizismus überzutreten, als sein früher Tod ihn der Familie entriß. „Eines Tages im Winter am Sonntag starb mein Bruder", schreibt Else Lasker-Schüler später. „Genau wie er zu unserer teuren Mutter gesagt hatte – am Sonntag. Ein Heiligenschein lag um seine Sonnenhaare – er lächelte, er war reinen Herzens gewesen und schaute den lieben Gott." (*Konzert,* „Die Eisenbahn", GW II, 603)

Pauls Nähe zum Katholizismus, ein Extremfall in der Familie, zeigt doch die kulturellen Neigungen, die im Hause Schüler herrschten. Zwar erzählt sie später in ihrem Buch *Hebräerland,* daß sie die Stunden des Rabbiners Auerbach in der Wuppertaler Mädchenschule besucht hätte (GW II, 888). Aber es ist bezeichnend, daß die beiden Grabsteine ihrer Eltern auf dem alten jüdischen Friedhof in Elberfeld nicht die üblichen hebräischen, sondern nur deutsche Schriftzeichen tragen. Und selbst die biblischen Phantasien, die sie schon früh erlebt haben will, werden in einem aufschlußreichen Kontext erwähnt. „In der Religion, hätte ich beinahe zu melden vergessen, war ich eine gute Schülerin, tiefen Eindruck machte auf mich die Josephgeschichte", schreibt die Dichterin. „Einmal weinte ich so bitterlich bei der Stelle, als Josephs schöner, bunter Samtrock in Blut von den Brüdern getaucht wurde, daß mich der Geistliche gerührt nach Hause schickte." (*Konzert,* „Der letzte Schultag", GW II, 697): nicht nur ein Rabbiner, sondern auch ein Geistlicher scheint Else Lasker-Schüler ihren ersten Religionsunterricht erteilt zu haben.

Die Spuren dieser frühen christlichen Eindrücke finden sich in ihrem Werk, etwa im *Peter Hille-Buch,* das sie dem Andenken ihres katholischen Dichterfreundes aus den ersten Berliner Jahren gewidmet hat. Ihre Wirkung ist jedoch stark überzeichnet worden – zum

Teil unbewußt, und zum Teil auch bewußt: Ernst Ginsberg und der Konvertitenkreis, der sich nach 1945 um die erneute Verbreitung des im Hitlerdeutschland verbrannten Werkes bemühte, hat eine katholische Interpretation Else Lasker-Schülers angeboten, die sich auf eine sehr einseitige Auslegung ihrer Kontakte zur christlichen Umwelt stützt.

Die bewußte Vereinnahmung der Dichterin für den einen oder anderen ideologischen Standpunkt hat das Judentum, aus dem ihr Werk erwächst, später seiner historischen Grundlage beraubt und oft unverständlich gemacht. Hier soll daher die Wirklichkeit gezeigt werden, die Else Lasker-Schüler in der christlich-deutschen Umwelt ihrer Jugend erlebt hat und in ihrem Werk zum Ausdruck bringt.

Das jüdische Verhältnis zu dieser deutsch-christlichen Umwelt war nicht immer so harmonisch, wie es ihre Schilderung des Bruders Paul vermuten läßt. Else Lasker-Schülers Erinnerungen aus ihrer Jugendzeit weisen auch dunklere Stellen auf.

Die kulturelle Assimilation im Hause Schüler wurde schon durch die Goetheverehrung der Mutter belegt. An der gleichen Stelle nun schildert sie auch ihren Vater und den literarischen Kreis, der sich in ihrem Elternhaus zusammenfand. Die Schilderung ist interessant, weil sie mehr belegt als die geistigen Bestrebungen ihrer Familie:

Einmal jede Woche am Abend war Lesekränzchen bei uns. Mein Papa bekam die Schreirollen! Meine Mama las das Gretchen im Faust, wenn nicht gerade eine der beiden Sängerinnen, die Lucca oder die Elmenreich, die gastfreundliche Stimmung unseres Hauses versüßten. Am runden großen Tisch versammelten sich die literarischen Menschen der Stadt: Elberfeld. Meine beiden lieblichen Schwestern, die 15jährige Martha Theresia und die 14jährige Annemarie, saßen nebeneinander in einer Nische hinter einem bunten Glasfenster und lauschten gespannt. Ich durfte auf dem Kanapee im kleinen Nebenzimmer schlafen; ich hatte so Angst, alleine in der obersten Etage unseres weiten unheimlichen Hauses. Männer kamen vom Wald, Metzgergesellen, den steilen Hang herab und sangen so scharf, vielstimmig. Das Lesekränzchen stockte beleidigt, noch wenn just von der...Liebe gelesen wurde. Nur die zum Choral anschwellende Stimme meines Papas, sein wetterndes Organ, ein wahrer Orkan war nicht zu ersticken. Er deklamierte den Mephisto

genau in der Extase, wie er Schillers 'Franz die Canaille' zu beto-
nen pflegte. Das Lesekränzchen hörte ich durch den Türspalt der
leicht angelehnten Türe, die in mein provisorisches Schlafzimmer
führte, platzen vor Lachen.
(Konzert, „Im Rosenholzkästchen", GW II, 647-8)

Die kultivierte, gutbürgerliche Geselligkeit im Hause der Familie
Schüler ist eine Idylle mit doppeltem Boden: „ich hatte so Angst, alleine in der obersten Etage unseres weiten unheimlichen Hauses",
schreibt die Dichterin, und während das Kind dem Lesekränzchen
zuhört, lauscht es auch in die Dunkelheit der Nacht hinaus, nach den
Metzgergesellen, die dort scharf und vielstimmig singen. Sie unter-
brechen die Lektüre, und nur das wetternde Organ des Papas läßt
sich nicht ersticken. Else Lasker-Schülers Schilderung ist liebevoll
und ironisch: die Vortragskunst des Vaters, nicht gerade subtil, erscheint zugleich als derbe Selbstverteidigung vor einer drohenden
Gefahr.

Daß diese Selbstverteidigung auch mit dem Judentum ihres Vaters zusammenhängen konnte, zeigt eine andere, nicht weniger dop-
peldeutige Stelle: „Die lutherische Religion hatte nämlich in meiner
Heimat über die katholische Religion das Übergewicht gewonnen",
heißt es, „und immer gab es Streitigkeiten zwischen den Lutherischen und den Katholischen, zumal im Wuppertal die lutherische
Sekte der Mucker lebte. Doch immer mußten es die Juden am Ende
ausfressen, da sie, die kleinste Gemeinde zwischen den Christen,
sehr inzüchtig lebten. Nur ming Papa hat nömmes wat gemerkt, ewwer wenn et tum Krawall twischen den Religionen kam, hat er een-
fach mitgehauen." *(Konzert,* „St. Laurentius", GW II, 715)

Wieder wird die Derbheit des Vaters auf dem Hintergrund einer
Gefahr dargestellt — doch nun, dem Vater unbewußt, gilt sie den Juden. Wie stark das junge Kind dagegen die Gefahr gespürt haben
muß, die den Juden drohte, zeigt die Fortsetzung des Textes:

Auf mich hatten die Kinder der Mucker einen besonderen Pik, weil
ich ein rotes Kleidchen trug. Auch machte ich immer die Augen so
weit auf. — Das sähe so gelungen aus und sonderbar, so exotisch...
kam gewiß davon, daß ich immer von Josef und seinen Brüdern
träumte. „Hepp, hepp", riefen die lutherischen Kinder, bis die ka-
tholischen kleinen Mädchen es ihnen nachahmten. „Hepp, hepp",

erklärte mir der gute mitleidige Kaplan, heiße nur „Jerusalem ist verloren".

Einmal hatte Jesus Christus in der Nacht im Mond gesessen, ich schlief zwar, aber er kam im Traum zu mir ganz nahe an mein Bett und sagte: „Jerusalem ist nicht verloren, da es in deinem Herzen wohnt." Das stärkte mich sehr gegen die Übermacht meiner Angreiferinnen.

(Konzert, „St. Laurentius", GW II, 715)

Alle hier angeführten Zitate sind dem Essayband *Konzert* entnommen, der 1932 erschien, in den letzten Tagen der Weimarer Republik also, im Jahr vor Hitlers Machtergreifung und Else Lasker-Schülers Flucht aus Deutschland. Waren die Ängste, die im Hintergrund der Bilder aus ihrer Kindheit auftauchen, authentische Erinnerungen — oder waren es nur Projektionen einer Beklemmung, die sie erst zu dem Zeitpunkt empfand, als sie diese Texte schrieb?

Das ist eine der entscheidenden Fragen, auf die dieses Buch eine Antwort sucht, und sie findet sich zunächst in anderen Essays, die die Dichterin sehr viel früher und sehr viel später geschrieben hat. Das rote Kleid, das sie von den anderen Kindern unterschied, taucht schon in einem Text zum 300. Stadtjubiläum Elberfelds auf, also im Jahre 1910. Else Lasker-Schüler besuchte damals wieder ihre Heimat und kam auch in ihr Elternhaus, in dem jetzt andere Menschen wohnten. „Schwermütig erkenne ich die vielen Zimmer und Flure wieder", schreibt sie. „Auf einmal bin ich ja das kleine Mädchen, das immer rote Kleider trägt. Fremd fühle ich mich in den hellen Kleidern unter den anderen Kindern, aber ich liebte die Stadt, weil ich sie vom Schoß meiner Mutter aus sah."(*Gesichte*, „Elberfeld im dreihundertjährigen Jubiläumsschmuck", GW II, 165).

Und einen Grund für diese Fremdheit in ihrer Stadt, für dieses Schutzbedürfnis im Schoße der Mutter, gibt noch ein Text an, den sie erst in den vierziger Jahren geschrieben hat, kurz vor ihrem Tode in Jerusalem:

Ich erlebte als Schulkind schon einige antisemitische Aufstände auf dem Heimweg nach Schulschluß. Weinend betrat ich unser schönes Haus. Selbst meiner teuren Mutter Liebe vermochte mich nicht zu trösten. Doch von unserem hohen Turm wehte immer fröhlich die Fahne. Was mir schon damals in den Kinderjahren auffiel,

mir unverständlich, der Aufständischen banaler Grund der furcht-
baren Grausamkeit. Nie beschuldigte man mich auf dem Heimwe-
ge oder in den Räumen des Schulhauses selbst wegen der grausigen
Kreuzigung des göttlichen Propheten, der den christlichen Einwoh-
ner zur Rache veranlasse, zu bedrohen noch nach Jahrhunderten.
Später in Berlin lebend, bekenne ich, verehrte man mich, wahr-
scheinlich meiner Dichtungen wegen, auch der „Hebräischen Bal-
laden", die ich Jeremias in Gedanken widmete. Freunde versuch-
ten, feinfühlende christliche Menschen, mich von diesen dunkeln
Erinnerungen zu befreien. Verlassen mußte ich die liebwerten
treuen Freunde und Freundinnen vor etwa elf Jahren, die beinahe
die wunden Leiden meiner Kinderzeit verscheuchten. Ja, trotzdem
man meine Eltern in der Wuppertaler Stadt heiß geliebt hat.
(„Der Antisemitismus", GW III, 70-71)

Zitate aus weit auseinanderliegenden Phasen ihres Lebens belegen
es, was Else Lasker-Schüler hier die 'wunden Leiden meiner Kinderzeit' nennt, hat einen deutlichen Bezug auf ihre gefährdete Stellung
als jüdisches Mädchen im Elberfeld der Gründerjahre.

Es war nicht nur die Empfindlichkeit einer sensiblen Seele, die sie
diese Gefährdung spüren ließ. Es war auch ein historisch nachweis-
barer Antisemitismus, dem sie in ihrer Jugend ausgesetzt war. In der
Einleitung wurden die geistesgeschichtlichen Hintergründe dieses
Antisemitismus gezeigt, der in den siebziger und achtziger Jahren
des 19. Jahrhunderts aufloderte: im Westfalen der Jugend Else Lasker-Schülers lassen sich seine sozialen Auswirkungen verfolgen, die
später im Werk der Dichterin ihren Niederschlag gefunden haben.
    Der kulturelle Substanzverlust einer von Materialismus und Posi-
tivismus beherrschten Zeit hatte das geistige Unbehagen geschaffen, das sich im Antisemitismus ein Ventil suchte. In den großen
Städten Deutschlands bildete das wirtschaftlich erfolgreiche Judentum während der Gründerjahre eine deutlich sichtbare Schicht sozialer Emporkömmlinge, gegen die sich das Unbehagen leicht richten konnte. Es ist kein Zufall, daß der in der Einleitung bereits er-
wähnte Hofprediger Adolf Stoecker, der die antisemitische 'Berliner
Bewegung' ins Leben rief, zugleich einen militanten Protestantismus vertrat. Anfangs war es ihm bei seiner politischen Agitation um
die wachsenden Arbeitermassen gegangen, die er dem Einfluß der

Sozialdemokratie entziehen und in die christliche Kirche zurückführen wollte. Mit diesem Ziel hatte er 1878 seine 'Christlich-Soziale Arbeiterpartei' gegründet, war aber an dem zu starken Einfluß gescheitert, den die Sozialdemokratie auf die Berliner Arbeiterschaft gewonnen hatte. Deshalb wandte er sich noch im gleichen Jahr einer neuen Zielgruppe zu: er sprach nicht mehr das Proletariat an, strich das Wort 'Arbeiter' aus dem Namen seiner Partei und bemühte sich fortan um das Kleinbürgertum und den verarmten Mittelstand, für den er sich in wachsendem Maße einer antisemitischen Propaganda bediente.

Das ist zugleich auch der historische Hintergrund der Kindheitserinnerungen Else Lasker-Schülers. Denn Stoecker hat seine Agitation anfänglich nicht in Berlin betrieben, sondern in Westfalen: der wirksamste Antisemit des Bismarckreiches, der von 1878 bis 1893 fünfmal in den Reichstag einzog, war der Abgeordnete des Wahlkreises Minden, der keine hundertfünfzig Kilometer von Elberfeld entfernt war. Die Bewegung Stoeckers, wie Arno Herzig es in seiner Geschichte des westfälischen Judentums gezeigt hat, gewann ihren politischen Rückhalt durch die Wähler in Westfalen.

Else Lasker-Schülers Erinnerungen waren nicht nur authentisch. Sie waren auch von einer sozialen Genauigkeit, die bei dieser ihre Umwelt ständig in Poesie verwandelnden Dichterin überrascht. „Auf mich hatten die Kinder der Mucker einen besonderen Pik, weil ich ein rotes Kleidchen trug", heißt es in den zitierten Erinnerungen: 'Mucker' war der Spottname für die wirtschaftlich benachteiligten Pietisten in Westfalen, der sozialen Schicht also, aus der die Wähler Adolf Stoeckers kamen.

1881 erschien ein Zeitungsbericht folgenden Wortlauts:

> *Elberfeld, 11. December. Auch hier hat man versucht, die 'Christlich-Socialen' her zu verpflanzen. Ein Schneider und ein Schuhmacher beriefen eine Versammlung auf gestern Abend. Es fand sich aber eine Mehrheit gegen die Antisemiten ein, und nach vielem Geschrei und Tumult, in welchem selbst der Schneider sein eigenes Wort, das freilich auch mit der deutschen Sprache in Hader lag, nicht vernehmen konnte, ging die Versammlung ohne Resultat auseinander.*
>
> *(Allgemeine Zeitung des Judenthums,* Fünfundvierzigster Jahrgang, No. 1, Leipzig, 4. Januar 1881, S. 7)

Der Bericht ist aufschlußreich für das soziale Gefüge der Welt, in der Else Lasker-Schüler ihre Jugend verbrachte. Einerseits belegt er die antisemitischen Tendenzen der Schneider und Schuhmacher, des Kleinbürgertums von Elberfeld; andererseits aber zeigt er auch, daß die gehobenen Schichten der Stadt diesem Antisemitismus erfolgreich Widerstand leisteten — allen voran das Bildungsbürgertum, zu dem sich offensichtlich der Verfasser des Berichtes zählt, wie seine Ironien über die Sprache des Schneiders beweisen.

Zum Bildungsbürgertum gehörten auch Else Lasker-Schülers Eltern, in deren Haus sich wöchentlich ein Lesekränzchen traf, um die Klassiker zu genießen. „Selbst meiner teuren Mutter Liebe vermochte mich nicht zu trösten", schreibt die Dichterin über ihre Flucht vor den antisemitischen Angriffen der Mitschüler. „Doch von unserem Turm wehte immer fröhlich die Fahne": diese Worte haben nicht nur einen psychologischen, sondern auch einen sozialen Sinn — sie beschreiben den Rückzug des kleinen Mädchens nicht allein zur schützenden Mutter, sondern auch in das Haus des gehobenen Bürgertums, das gesellschaftlichen Schutz bietet vor den Gefahren der Straße.

Das ist der Hintergrund, auf dem sich eine bisher in der Forschung zum Leben Else Lasker-Schülers kaum berührte Frage stellt — warum wurde das Kind mit elf Jahren aus der Schule genommen und erhielt seither nur noch Privatunterricht im Elternhaus? Es ist die Frage, die auch der berühmt gewordene Lebenslauf aufwirft, den sie 1920 für die von Kurt Pinthus herausgegebene expressionistische Anthologie *Menschheitsdämmerung* geschrieben hat:

> Ich bin in Theben (Ägypten) geboren, wenn ich auch in Elberfeld zur Welt kam im Rheinland. Ich ging bis 11 Jahre zur Schule, wurde Robinson, lebte fünf Jahre im Morgenlande, und seitdem vegetiere ich.

Else Lasker-Schüler wurde im Jahre 1880 aus der Schule genommen, zu einem Zeitpunkt, als die antisemitische Stimmung des pietistischen Kleinbürgertums einen Höhepunkt erreicht hatte; ihre späteren Erinnerungen belegen es, und die Geschichte der Stoecker-Bewegung in Westfalen belegt es. Ist ihr plötzlicher Rückzug in das gutbürgerliche Elternhaus also eine Flucht vor den Kindern der Mucker gewesen, die das kleine Judenmädchen in seinem roten Kleid verfolgten?

Darauf kann es keine eindeutige Antwort geben. Der Sinn dieser Frage liegt auch gar nicht darin, daß man sie dogmatisch löst; er liegt vielmehr darin, daß man sie stellt und den verschiedenen Möglichkeiten nachgeht, die sich auf der Suche nach einer Antwort ergeben. Indem man die Worte und Bilder, in denen Else Lasker-Schüler die 'wunden Leiden ihrer Kinderzeit' darstellt, auch unter dem Aspekt des Judenhasses aufzuschlüsseln versucht, dringt man in Bereiche ihrer Metaphernsprache vor, in denen die Schattenseite der Jugend dieser deutsch-jüdischen Dichterin sichtbar wird.

Mit elf Jahren wäre Else Lasker-Schüler am Veitstanz erkrankt, steht in den Biographien: das sei der Grund, weshalb sie ihren Unterricht fortan im Elternhaus erhalten hätte.

In einem bereits zitierten Essay aus dem Bande *Konzert* wird das Erlebnis geschildert, das zu diesem Veitstanz führte. Der Essay trägt den Titel „Der letzte Schultag" und endet mit folgenden Worten:

Eines Tages ging meine liebe Mama in den Wald hinauf. Unser Haus lag ja am Fuß des Hügels, der in die grüne Andacht führte. Sie kam zum Abendbrot nicht heim — es gewitterte von vier Himmelsrichtungen, einmal grün, dann rot, von gegenüber: lila und nun gelb, ganz zitronengelb! Mein Papa und alle meine Geschwister gingen Mama suchen. O, es war so wehmütig — wenn doch schon ein Kind verlorengeht — und erst wie hier — eine Mama...Mein Papa weinte bitterlich mit offenen Augen, wie noch kleine Tragkinder zu jammern pflegen. Ich bemühte mich, ihn nicht anzusehen, um nicht lachen zu brauchen. Es blitzte immerzu und dann der Donner hinterher, wie Bangemachen! Ich stieg auf unseren Turm, von ihm aus konnte ich nach allen Seiten gucken. Auf einmal sah ich meine liebe, liebe Mama so traurig den kleinen Berg herabkommen, so traurig, das vermag meine Hand nicht zu schildern, da müßte ich schon mein Herz aus der Brust nehmen und es schreiben lehren. Aber es schnürte sich zusammen zu einem einzigen Blutstropfen, der keine Gefahr kannte, und ich sprang über die Holzzinnen unseres Turms, meine traurige Mutter schneller zu erreichen; verfing mich aber in die aufgespannte Jalousie des unteren Turmfensters und lag geborgen wie in meiner Mutter Arm.
Denn Kinder haben alle einen besonderen Schutzengel. Ich wurde von der herbeigeeilten freiwilligen Feuerwehr, zu der mein zweiter

Bruder gehörte, aus dem Fallschirm gerettet. Er trug mich auf seiner
breiten Schulter von Stufe zu Stufe, von Luft zu Luft, — immer ging
es so durch den Leib — die lange, bange Leiter herab. — Ich hatte
den Veitstanz bekommen. Onkel Doktor meinte: die Folge des
Schrecks! Er nannte mich seitdem "Springinsfeld!" Aber ich wußte,
ich hatte den Veitstanz bekommen von etwas ganz anderem — vom
ersten Schmerz meines Lebens, den auch das schönste Elternhaus
nicht hat verhindern können. Aber — dafür brauchte ich nicht mehr
— in die Schule gehen. „Von Schule gehen kann keine Rede mehr
sein", sprach, sogar noch dazu im diktatorischen Tone, Onkel
Doktor.
(Konzert, „Der letzte Schultag", GW II, 699-700)

Die Zeilen sind für das Werk Else Lasker-Schülers von zentraler Bedeutung und gehen weit über die Frage hinaus, weshalb das Kind
nach 1880 nicht mehr die Schule besuchte. Ehe wir uns dem Thema
des Veitstanzes zuwenden, soll diese weitere Richtung des Verständ-
nisses, der sich der Text erschließt, daher kurz angedeutet werden.

Else Lasker-Schüler beschreibt hier einen Einschnitt in ihrem Leben, in dem der Abbruch des Schulbesuches nur einen Teil bildet,
ein Symptom für tiefe Wandlungen, die sich in ihrem Inneren voll-
ziehen. Es ist der Einschnitt, den auch der für Kurt Pinthus geschrie-
bene Lebenslauf schon festgehalten hatte. „Ich ging bis 11 Jahre zur
Schule, wurde Robinson, lebte fünf Jahre im Morgenlande, und seitdem vegetiere ich". In lapidaren Satzteilen wurden dort die Geheim-
nisse ihres Lebens zu Metaphern verschlüsselt, die man auch später
nicht mehr aufgelöst hat; nach dem Jahre 1880 öffnet sich eine Lücke
in ihrem Leben, die selbst ihre besten Biographen, Margarete Kupper und Sigrid Bauschinger, nicht zu schließen vermochten. Eine
Fortsetzung findet Else Lasker-Schülers Biographie erst um die Jahrhundertwende, als sie mit ihren Dichtungen an die Öffentlichkeit
tritt.

Einige traumatische Ereignisse, die in diese Jahre ihres Lebens
fallen, sind uns bekannt: im Jahre 1882 starb ihr geliebter Bruder
Paul, nach dem sie später ihren Sohn genannt hat, und im Jahre 1890
starb die Mutter. Den Schmerz dieses Verlustes hat Else Lasker-
Schüler nie überwunden, und viele Gedichte zeugen von ihm.

Dieser Schmerz um die Mutter ist auch das zentrale Motiv des
hier beschriebenen Turmsturzes. Aber die Darstellung macht zu-

gleich deutlich, daß er sich für eine biographische Aufschlüsselung des Erlebnisses nicht eignet. So traurig sei die Mutter, heißt es, „das vermag meine Hand nicht zu schildern, da müßte ich schon mein Herz aus der Brust nehmen und es schreiben lehren. Aber es schnürte sich zusammen zu einem einzigen Blutstropfen...". Die Traurigkeit der Mutter wird zur Grenze aller Dichtung Else Lasker-Schülers, sie wird zum Ausdruck von bereits Unsagbarem — das Bild von der traurigen Mutter steht als Symbol am Ende aller Wege, auf die uns diese Dichtung führen kann.

Es ist keine wirkliche Mutter, die uns in diesen Zeilen begegnet, es ist eine symbolische Mutter. Und auch der Vater, so lebendig er mit seinen offenen, weinenden Kinderaugen vor uns zu stehen scheint, ist in ein Symbol verwandelt: in den Turm, auf den das kleine Mädchen steigt und den es auf ihrem Elternhaus in der Sadowastraße Nr. 7 nie gegeben hat.

„ Doch von unserem hohen Turm wehte immer fröhlich die Fahne", heißt es an einer oben schon zitierten Stelle von ihm. Dieser Turm — wie viele Türme in Elberfeld und anderswo — ist ein Wahrzeichen der Dichtung Else Lasker-Schülers, alle soll ihr Vater errichtet haben. Er war zwar ein Privatbankier, sie aber hat ihn zum Baumeister umgedichtet. „Mit welcher Begeisterung mein Vater seine Türme erbaute, sie mitten in der Stadt hinsetzte oder wie den unsrigen liebevoll an die grüne Seite des großen Hauses lehnte, zählt zu meiner Kindheit liebsten Erinnerung", heißt es noch in ihrem späten Buch *Hebräerland*. „Mit dem Bauplan in der Manteltasche eilte er durch die Straßen der Wupperstadt, die Baubulle den Freunden aufzurollen." (GW II, 872) Und auch in ihrer Erzählung *Der Wunderrabbiner von Barcelona* gibt es einen Vater, der ein Baumeister von Türmen ist: „Es lebte eine Dichterin im Judenvolke Barcelonas", schreibt sie dort, „Tochter eines vornehmen Mannes, der mit dem Bau der Aussichtstürme der großen Städte Spaniens betraut war." (GW II, 496)

Der Turm, den ihr Vater gebaut haben soll und von dessen Zinnen das kleine Mädchen die Mutter gesehen hat, wie sie traurig den Berg herabkam — das alles hat es in der wirklichen Welt, in der die Dichterin aufgewachsen ist, nicht gegeben. Es sind Bilder einer seelischen Landschaft, deren Symbolik dem Werke Else Lasker-Schülers seine Tiefe verleiht und es lesenswert macht. Für die Erkenntnis der historischen Wirklichkeit aber, aus der Dichtung erwächst, darf poetische Symbolik nur bedingt herangezogen werden: es muß sich eine Verbindung zwischen den nachweisbaren Gegebenheiten und dieser Symbolik zeigen lassen, die sie als metaphorischen Ausdruck der Wirklichkeit erkennbar macht.

Eine solche metaphorische Bedeutung hat der Veitstanz. Im Folgenden soll gezeigt werden, wie er im Werke Else Lasker-Schülers die Wirklichkeit des westfälischen Judentums reflektiert, in der die Dichterin aufgewachsen ist.

Der Veitstanz, so lautet die Diagnose des Arztes, sei eine Folge des Schrecks über den Sturz vom Turme gewesen. Die Dichterin selbst jedoch gibt eine andere Erklärung: „Aber ich wußte, ich hatte den Veitstanz bekommen von etwas ganz anderem — vom ersten Schmerz meines Lebens, den auch das schönste Elternhaus nicht hat verhindern können. Aber — dafür brauchte ich nicht mehr — in die Schule gehen."

In seinem tiefsten Sinne umschreibt dieser 'erste Schmerz meines Lebens' noch einmal das Bild von der traurigen Mutter, in dem Unsagbares zum Symbol geworden ist; in diesem tiefsten Sinne geht er über Biographisches hinaus. Zugleich aber wird hier manches über den Schmerz gesagt, das es sinnvoll macht, seine Spuren auch in einem nachweisbaren Lebenslauf der Dichterin zu suchen: es wäre ein Schmerz gewesen, heißt es, 'den auch das schönste Elternhaus nicht hat verhindern können', und seinetwegen hätte Else Lasker-Schüler 'nicht mehr — in die Schule gehen' müssen.

In einem oben zitierten Text aus dem Nachlaß bezeichnet die Dichterin den Antisemitismus ihrer Mitschüler als 'die wunden Leiden ihrer Kinderzeit'. Besteht auf der biographischen Ebene also eine Korrespondenz zwischen diesen 'wunden Leiden' und ihrem 'ersten Schmerz meines Lebens', dessen Folge der Veitstanz und der Abbruch ihres Schulbesuches waren? Und läßt sich dann der Veitstanz bei Else Lasker-Schüler mit dem Phänomen des Antisemitismus in Verbindung bringen?

Die Antwort auf diese Frage gibt ihre Dichtung. In einem ihrer berühmtesten Werke, das im Jahre 1932 erschienen ist — gleichzeitig mit dem Essayband *Konzert,* in dem sich die Schilderung des Turmerlebnisses findet — bildet der Veitstanz das zentrale Motiv einer Handlung, die von der Angst vor einem antijüdischen Pogrom getragen wird.

Gemeint ist *Arthur Aronymus und seine Väter,* ihre Dichtung über die Kinderjahre des Vaters, die sie zugleich als Erzählung und als Schauspiel geschrieben hat. Es mag zunächst überraschen, daß gerade dieses Werk einen Beleg für die Schmerzen ihrer Jugend liefern soll, denn berühmt ist es ja für die Versöhnung der Religionen geworden, von der in ihm die Rede ist, für den Satz, den Arthurs Mutter am Sederabend des jüdischen Pessachfestes spricht, während der katholische Bischof ihr zuhört: „Und mit einem bißchen Liebe gehts schon, daß der Jude und der Christ ihr Brot *gemeinsam in Eintracht brechen,* noch wenn es ungesäuert gereicht wird." (GW II, 1193)

Die Versöhnung der Religionen ist ein wichtiges Thema dieses Werkes; bewußt nennt Else Lasker-Schüler ihren Vater Aaron hier Arthur Aronymus und gibt ihm neben dem jüdischen auch einen an christliche Heilige erinnernden Namen, macht ihn zu einem Kind, das gleichermaßen von Rabbinern und Geistlichen geliebt wird. Aber die Versöhnung der Religionen, so sehr sie später auch in den Vordergrund geschoben wurde, ist nicht das einzige Thema des Werkes. Nicht nur der Lichterglanz des Pessachfestes steht über seiner Handlung, sondern auch der Schatten des Judenhasses.

Diese dunkle Seite wird über das Motiv des Veitstanzes eingeführt. Dora, eine der Schwestern Arthurs, ist an ihm erkrankt, und der folgende Abschnitt der Erzählung zeigt, wie ihre Erkrankung in der christlichen Umwelt einen unterschwelligen Judenhaß schürt:

> *Das arme Dörken, es konnte nicht mehr ruhig auf seinem Stuhl sitzen, es hatte den Veitstanz. Der Doktor zwar tröstete die Eltern: das käme in 'den' Jahren öfters vor, und verschrieb ihr Baldriantropfen, dreimal täglich 25 in einem halben Glas voll Wasser zu nehmen, und er verordnete dem Mädchen einen besänftigenden Tee aus Lindenblüten, Fenchel und Kamille. Sie war überhaupt so komisch geworden, die Dora, verglotzte die Augen und betete die halbe Nacht. Immer begann sie von neuem wieder zu flehen, im Glauben, sie habe irgend eines der Geschwister zu nennen vergessen. Auch litt sie an fixen Ideen, schnappte Arthur Aronymus einmal von den älteren Brüdern auf. Immer bückte sie sich ein-, zwei-, dreimal mit dem wackelnden Körper, bevor sie auf der Wiese im Garten ein Gänseblümchen oder eine Butterblume abpflückte. Elischen nahm Dora ins Gebet. Die beichtete ihr, daß, wenn sie sich nicht dreimal bücke, bevor sie eine Blume abbreche, würde 'Alex'*

sterben. Elischen erklärte ihr genau wie ein Doktor der Medizin den wahnsinnigen Aberglauben ihrer wahnsinnigen Handlungen und trieb ihr zuguterletzt mit einer Ohrfeige den Teufel aus. In Paderborn war's an der Tagesordnung, Teufel auszutreiben. Hexen wurden verbrannt oder eingemauert. Und der Veitstanz war ein von Dämonen besessenes Geschöpf. Und mit Vorliebe plazierten sich die bösen Geister in jungfräuliche Judenleiber. Darum durfte sich Dora nicht mehr, selbst im eigenen Garten, sehen lassen; andauernd passierten ihn die Einwohner Gäseckes. Schon viel zu viele hatten sie beobachtet, wie sie hin und her tanzte. Ernstlich fragte man die Dienstboten aus bis zur Melkerin und Kuhirten des Gutshauses, ob die Dora wirklich 'Glas' esse und 'Feuer' schlucke? Und sie fürchteten sich schließlich vor dem bösen Blick des armen gutherzigen Mädchens. Zu spät kam es den erschrockenen Eltern zu Ohren, daß ihr Kind denunziert worden sei, und zwar von gehässigen Neidern, gerade von den Leuten Gäseckes, die sich das Fallobst vom Rasen im Gutsgarten sammeln durften. Die Christen in Gäsecke freuten sich schon auf die weihnachtliche Sensation, 'auf Dora auf dem Scheiterhaufen'.

(Arthur Aronymus, Die Geschichte meines Vaters, GW II, 576-77)

Diese auf das Judentum bezogene Entwicklung des Veitstanzmotivs hat ihre offensichtlichen Beziehungen zu Else Lasker-Schülers eigener Situation: denunziert wird Dora 'von gehässigen Neidern, gerade von den Leuten Gäseckes, die sich das Fallobst vom Rasen' der Familie Schüler holen durften — von Mitgliedern der verarmten Unterschicht also, deren Angriffen auch Else Lasker-Schüler ausgesetzt war; und Dora übertreibt ihren Veitstanz sogar ein wenig, um nicht mehr in die Schule gehen zu müssen: „Zuletzt tat ich nur so und tanzte auch immer ein bißchen Polka mehr, wie ich mußte", gesteht sie in der Bühnenfassung des Werkes. „Ich ging ja so ungern in die Schule." *(Arthur Aronymus und seine Väter,* GW II, 1170)

Else Lasker-Schülers Veitstanz darf auch als Reaktion auf ihre Erlebnisse als jüdisches Kind in Elberfeld verstanden werden, daran läßt der Text keinen Zweifel.

„Immer bückte sie sich ein-, zwei-, dreimal mit dem wackelnden Körper", heißt es über Dora, und die bildliche Assoziation mit einem betenden Juden ist nicht zu übersehen: man wird die Tatsache, daß Else Lasker-Schüler nur bis zum Jahre 1880 in die Schule gegangen ist, auch unter dem sozialen Aspekt des Antisemitismus zu deuten haben.

Damit rückt die Schattenseite ihrer Jugend, die in den Biographien vernachläßigt wird, deutlicher in den Blick. Doch die hier gewonnenen Erkenntnisse sollten nicht überschätzt werden; die Lücke, die sich in Else Lasker-Schülers Lebenslauf nach ihrem Rückzug in das Elternhaus öffnet, läßt sich mit ihnen nicht schließen.

Indem man aber die Aufmerksamkeit nicht mehr nur auf das glückliche Ende von *Arthur Aronymus und seine Väter* richtet — wie es in der katholischen Interpretation des Werkes geschieht, in deren Mittelpunkt das von Juden und Christen gemeinsam begangene Pessachfest steht — wird der Blick für die historische Wirklichkeit jenseits des Werkes frei, die doch in seinem Entstehungsjahr, 1932, sehr viel zeitgemäßer war als die idealisierte Aussöhnung der Religionen. Über das Motiv des Veitstanzes findet man Zugang zu weiteren Aspekten jüdischen Lebens in Westfalen, die in *Arthur Aronymus und seine Väter* dargestellt werden und uns Aufschluß geben über die Welt, in der Else Lasker-Schüler aufgewachsen ist.

Wie der Veitstanz sind auch andere Elemente ihrer eigenen, zeitgenössischen Kindheit in das Werk über die weit zurückliegende Kindheit ihres Vaters eingegangen. Als Beispiel soll ein Junge namens Willy Himmel dienen, der im vierten Bild des Schauspiels auftritt. Mit einem anderen Jungen namens Caspar hänselt er einen armen Juden, und auch Arthur Aronymus macht aus Kameradschaft mit. Als der Jude sich wehrt, laufen die Kinder davon. Der Kaplan fängt sie ab, und es kommt zu folgendem Dialog:

Willy *(verlegen): Der Jüd da hat uns doch gehauen, Herr Kaplan.*
Kaplan: *So?*
Arthur Aronymus: *Der Caspar wollte ihm nur seinen Heuer schenken.*
Kaplan: *Ach!! (Heimlich lächelnd) Das ist doch aber sehr undankbar von dem armen Hausierer — oder?*
Caspar: *Und dabei haben wir ihm guten Tag gewünscht.*
       (Er zwinkert seinen Freunden zu.)
Kaplan: *Also ihr habt ihm guten Tag gewünscht?*
Arthur Aronymus: *. . . so ähnlich wie guten Tag.*
Kaplan: *Hm — Nun da bin ich aber begierig, was ihr drei ihm Ähnliches gewünscht habt? Nun?*

Die Kinder *(kleinlaut und verschüchtert): Hepp! Hepp! Hepp!*
Kaplan: *Allerdings das gab ihm keine Ursache, euch zu schlagen, denn wißt ihr was hepp! hepp! hepp! bedeutet? (Er weist auf Arthur Aronymus.)*
Caspar: *Der kann das doch nicht wissen.*
Kaplan: *Warum denn nicht?*
Willy: *Der ist selbst ein Jude.*
  (Arthur Aronymus und seine Väter, Viertes Bild, GW II, 1086-87)

In Else Lasker-Schülers Schauspiel aus dem Jahre 1932 erscheint Willy Himmel als ein Spielkamerad des Vaters, der sich nicht gerade durch Judenfreundlichkeit auszeichnet. Doch schon lange zuvor, in der zweiten Auflage des Essaybandes *Gesichte* aus dem Jahre 1920, findet sich ein Text über Else Lasker-Schülers eigene Kindheit, der mit folgenden Worten beginnt:

> *Nach der Schule trafen wir uns auf der Wiese und legten dort mühsam Balken quer übereinander. Zwei meiner Spielgefährten setzten sich auf das eine Ende der Schaukel. Willy Himmel und ich aber bestiegen das lange Steckenpferd hoch in der Luft.*
> *(Gesichte,* „Meine Kinderzeit", GW II, 139)

Einen Willy Himmel hat es tatsächlich gegeben, nur war er nicht ein Spielgefährte des Vaters, sondern ein Spielgefährte der Else Lasker-Schüler selbst. „Pülle und Willy besaßen wirkliche Ulanenmützen, aber der Willy ließ dem Walter seine, den Freund zu interessieren, ihn anzuwerben", heißt es über die Kriegsspiele, die sie miteinander trieben. „Wir fertigten uns aus Papier welche an, aber ich mußte Feind sein, weil ich ein Mädchen war, zur Strafe. Sonst bemerkte ich nie von seiten meiner Spielgefährten irgend eine Geringschätzung mir gegenüber und ich fügte mich drein, freiwillig ein französischer General zu werden, denn die Feinde behaupteten, sie könnten dann besser richtig schimpfen, da ich unter meinen Röckchen eine weite, rote Flanellhose trage, 'Franzos mit der roten Hos'." *(Gesichte,* „Meine Kinderzeit", GW II, 141-2)
  Dann wird das Spiel rauher. Das Mädchen gerät in Kriegsgefangenschaft, befreit sich, verletzt Willy Himmel dabei unabsichtlich und entkommt. Das hat unangenehme Folgen für das Verhältnis der

Spielgefährten zueinander, und Else Lasker-Schülers Schilderung ihrer Kindheit schließt mit folgenden Worten:

> *Seit dieser Niederlage verfolgten mich die kleinen deutschen Spielsoldaten mit ihrem Haß, standen oft an der Ecke der Austraße, noch dazu mit einem Heer verbündeter Jungens, rissen mir den Schulranzen vom Rücken, warfen mich zur Erde und traten und pufften mich: „Franzos mit der roten Hos! Franzos mit der roten Hos!" Einmal kam Pülles Mutter gerade vorbei, im Sonnenschein und mit ihrem grünen Sonnenschirm; wie die Suppenkasparmutter sah sie aus, als sie den Mund ermahnend ganz rund öffnete: „Pülle!" Ich wagte gar nicht mehr allein auszugehen, auch hatte ich Ziegenpeter bekommen, und das deutsche Heer geriet in große Scheu vor mir: ich sei verhext von einer bösen Zauberin; aus den Nebengassen nur hörte ich noch manchmal ganz leise das böse Liedchen: „Franzos mit der roten Hos!"*

(Gesichte, „Meine Kinderzeit", GW II, 144-5)

Unversehens hat sich der Ton geändert. Nach der Schilderung harmloser Kinderspiele ist jetzt die Rede von Haß und Gewalt, die mit Kindlichkeit nichts mehr zu tun haben; und es dringen Elemente in den Text ein, die wir schon als Metaphern ihrer dichterischen Sprache wiedererkennen — die rote Kleidung etwa, die ihre Fremdheit in Elberfeld bezeichnet, oder eine Krankheit, die von anderen Kindern als Verhexung ausgelegt wird.

Diese Erinnerung an ihren Spielgefährten Willy Himmel wird dazu beigetragen haben, daß sie ihn zwölf Jahre später in ihrem Schauspiel über die Kindheit des Vaters als antisemitischen Straßenjungen auftreten läßt. Zunächst scheint sich hier ein Vorgang abzuspielen, der bei Else Lasker-Schüler oft zu beobachten ist: sie verwandelt Willy Himmel in eine Figur ihrer Dichtung, wie auch den Vater selbst, der nie Baumeister war und keine Türme errichtete. Überprüft man aber den Handlungsablauf in *Arthur Aronymus und seine Väter,* so gewinnt die poetische Verpflanzung des Elberfelder Spielkameraden in eine frühere Generation des westfälischen Judentums einen historischen Sinn, der auf den ersten Blick nicht leicht zu erkennen ist.

Mit Arthur Aronymus, dem Spielgefährten Willy Himmels, wenden wir uns der Lichtseite des Werkes zu, das bisher im Schatten des Veitstanzes stand. Hatte Dora den heimlichen Haß ihrer christlichen

Umwelt auf sich gezogen, so wird Arthur Aronymus umgekehrt das Objekt einer heimlichen Liebe seiner Umgebung. In der Prosafassung heißt es:

> *Der Junge hatte ja eigentlich selbst noch keine bösen Erfahrungen mit den Christen bis heute gemacht, im Gegenteil, er konnte den fleißigen Ernst Paderstein in seiner Klasse nicht ausstehen, der war unentwegt der Erste; die Flüsse in der Geographie flossen alle aus seinem aufgesprungenen Mund. Der war schon so wulstig wie der seines Vaters unter dem Bart. Den Kaspar Setzdich und den Willy Himmel hatte er viel lieber, trotzdem sie ihn einmal Jud! Jud! Jud! hepp! hepp! ausschimpften, weil sie bei ihm ein Korinthenbrötchen im Ranzen gefunden hatten und er ihnen nichts mitgeben wollte. Desto tüchtiger verhauen hat er sie! Und probierte seitdem öfters mit den gleichen Schimpfworten die Kräfte seiner Schulkameraden und der Gassenkinder herauszufordern. Die Leute Gäseckes munkelten, der Arthur Aronymus Schüler sei ein Christenkind, möglicherweise ein von der Amme verwechseltes Milchkind. Die Kaffeeschwestern beschnatterten die Neuigkeit im Kaffeekränzchen mitsammen, am Stammtisch die Väter die interessante Anekdote. Daß man das nicht schon längst dem gesunden, ausgelassenen Jungen hatte angesehen! Viele streichelten ihn darum mitleidig im Vorbeigehen und fanden es köstlich, wenn er ihnen die Zunge dafür rausstreckte.*
>
> *(Arthur Aronymus, Die Geschichte meines Vaters,* GW II, 568-69)

Weil man den Judenjungen zufällig mag, hat sich das Gerücht verbreitet, er sei gar kein Jude: das muß im Hintergrund der stillen Freundschaft gesehen werden, die sich zwischen dem Pfarrer und Arthur Aronymus entwickelt. „Am Heiligen Abend vor Weihnachten kam eine Frau in weiter, nagelneuer Schürze in das Haus meiner Großeltern", heißt es in der Erzählung. „Die überbrachte einen Brief des Herrn Pfarrers, der eine Bitte enthielt. Mein kleiner, strahlender Papa sollte zur Bescherung ins Pfarrhaus kommen." *(Arthur Aronymus, Die Geschichte meines Vaters,* GW II, 571)

Auf dieser vom Pfarrer so gutgemeinten Bescherung, an der neben Arthur Aronymus auch dessen Nichten Ursula und Narzissa teilnehmen, kommt es zu einem Unglück, das eine tiefe Wirkung auf den jüdischen Jungen hat:

Und er durfte mit den kleinen Nichten vergoldete Äpfel und Nüsse und vom leckeren Spekulatius des Christbaums pflücken. Auf einmal bog die kleine Ursula einen Zweig zu sich herab, im Glauben, der Onkel sehe es nicht, um die prachtvolle rote Glasschaumkugel zu stibitzen, als sie schon einen Klaps weghatte und der Herr Pfarrer sie rügte: „Du willst doch nicht etwa ein kleines Judenmädchen werden? . . ."

An diesem Teufel, der seinem keuschen Munde entschlüpfte, litt der Priester eigentlich sein ferneres Leben lang. Selbst seinem Heiland vermochte er keinerlei Rechenschaft zu geben, wer die giftige Muschel einer längst vererbten und verebbten Quelle an den Strand seiner Lippen gewissenlos zu schleudern sich erfrechte.

(Arthur Aronymus, Die Geschichte meines Vaters, GW II, 573-4)

Der Schreck und die lange Reue des Pfarrers über sein Versehen war nicht unbegründet. In dem verbotenen Griff zur Glasschaumkugel am Christbaum stilisiert Else Lasker-Schüler die Erbsünde — und daß der Pfarrer, wenn auch nur versehentlich, die Schuld an ihr wieder den Juden zuschiebt, ist sehr schlimm.

Auch Arthur Aronymus empfindet es so. „Wie tief er das jauchzende Herz des kleinen Knaben getroffen haben mußte, zeigte dessen ratloses, rundes Knabengesichtchen", heißt es. „Nach Hause zur Mutter wollte er partu!" (GW II, 574)

Nun folgt die Schilderung seiner Leiden. Sie bestätigt ein weiteres Mal, wie sehr der erste Schmerz der Kindheit bei Else Lasker-Schüler auch mit dem Bewußtsein eines leidenden, zurückgestoßenen Judentums verbunden ist:

Die Gedanken hinter seiner Kinderstirn, die sonst unbekümmert herumtummelten, hatten auf einmal alle pechschwarze, feierliche Röcke an und konnten sich nur mühevoll weiterschleppen, ähnlich wie der arme Hausierer, der aus Galizien stammte, mit den Locken an den beiden Seiten unter dem flachen Hut. Ja, er war ihm auf einmal gut. Wie kam das? Bis jetzt pflegte er ihn doch immer auszulachen mit Kaspar und Willy. Und er heuchelte und log zum erstenmal im Leben, da er lachend seiner Mama um den Hals fiel und im Herzen bitterlich weinte.

(Arthur Aronymus, Die Geschichte meines Vaters, GW II, 574-5)

Dann werden die beiden Motive des Werkes — die Liebe der Christen zu Arthur Aronymus, und ihr Haß auf Dora — miteinander verbunden: der Pfarrer macht der Familie Schüler den Vorschlag, Arthur Aronymus christlich erziehen zu lassen, um die Gefahr von Dora abzuwenden. Die Antwort, die der Vater dem Pfarrer erteilt, enthält ein Glaubensbekenntnis, das der von katholischer Seite vorgetragenen Interpretation des Werkes wenig entspricht:

> *„Herr Pfarrer, gestatten Sie mir, Ihnen in unser aller Namen für Ihren ebenso sinnigen wie gutgemeinten Vorschlag unseren Dank auszusprechen. Leider zwingen mich aber folgende Umstände, denselben mit respektvollstem Kompliment von der Hand weisen zu müssen. Ich wie mein Vater noch meines hochseligen Vaters hochseliger Vater und dessen Väter, Väter, Väter, noch die Väter Frau Henriettes, meiner Gattin, in Gott ruhenden Väter, pflegten auf direktem Weg zu Gott zu gelangen, und ich sollte Seinem Sohne meinen noch unmündigen Sohn auf Umwegen zuführen lassen? Der Herr behüte uns vor allem Bösen."*
> (*Arthur Aronymus, Die Geschichte meines Vaters*, GW II, 578-9)

Der endgültigen Assimilation, die hier angeboten wird, steht die Absonderung des selbstbewußten Juden gegenüber: graphisch sind die beiden Elemente dargestellt, die die Geisteshaltung des deutschen Judentums im 19. Jahrhundert bestimmen. Und Else Lasker-Schüler läßt keinen Zweifel an ihrer eigenen Stellung. Hier, in dem vielfach wiederholten, wie ein Echo widerhallenden Wort von den Vätern liegt die eigentliche Bedeutung des Titels, der sie der Bühnenfassung ihres Werkes gegeben hat — nicht in einem jüdisch-christlichen Doppelsinn, wie man angesichts der Liebe vermuten könnte, die Arthur Aronymus von allen Seiten erfährt, sondern einzig in dem unzweideutigen Sinn von den Vätern und Vorvätern seiner jüdischen Familie, aus der er entstammt.

Denn auch die christliche Liebe des Pfarrers zu dem Judenjungen, so sehr sie sich vor dem Schatten des Veitstanzes als die Lichtseite des Werkes ausnehmen mag, bleibt in ihrem tiefsten Grunde ambivalent: in jedem Augenblick der Unachtsamkeit kann dem Pfarrer ein Fluch über die Lippen kommen, der ihm selber unverständlich bleibt.

Deshalb ist das vom Vater des Arthur Aronymus zum Ausdruck

gebrachte jüdische Selbstbewußtsein erst die Vorbedingung der religiösen Versöhnung, von der auf dem von Juden und Christen gemeinsam begangenen Pessachfest am Ende des Werkes die Rede ist. Erst wo sich beide Seiten ihrer Tradition bewußt sind und gleichzeitig die Traditionen des anderen ehren, kann es zu einer wahren Verständigung kommen.

Else Lasker-Schülers Idealismus, der in der Versöhnung der Religionen Ausdruck findet, ist in einem historischen Bewußtsein verankert, das man bei dieser zum Phantastischen neigenden Dichterin nicht vermutet. Manche Einzelheiten deuten es an, der Bischof Lavater zum Beispiel, der in der Erzählung am Sederabend teilnimmt – er erinnert an den historischen Lavater, der Moses Mendelssohn im Jahre 1785 öffentlich dazu aufgefordert hatte, zum Christentum überzutreten. Wie tief dieses historische Bewußtsein der Dichterin aber in ihre jüdische Vergangenheit in Westfalen hineingeht, zeigt sich erst, wenn man das Bild des westfälischen Judentums, das in *Arthur Aronymus* entsteht, mit der geschichtlichen Wirklichkeit dieses Judentums vergleicht.

Die Handlung, in der ihr in Arthur Aronymus umbenannter Vater die Hauptrolle spielt, ist nicht frei erfunden. In seinem Geburtsort Geseke ist es im Mai 1844 zu antisemitischen Ausschreitungen gekommen, die der Dichterin aus den Überlieferungen ihrer Familie bekannt waren. Sie bilden den historischen Hintergrund des Werkes.

Die zeitgenössischen Berichte aus Geseke geben ein deutliches Bild der Ereignisse. Sie werden hier wieder aus der *Allgemeinen Zeitung des Judenthums* zitiert, einer für die Geschichte des deutschen Judentums im 19. Jahrhundert sehr ergiebigen Quelle:

> *Paderborn, 10. Mai. In unserer Nachbarstadt Geseke (heißt es in einem durch den Westphälischen Merkur veröffentlichten Privatschreiben) haben gestern Abend beklagenswerthe Auftritte stattgefunden. Zwischen 8 und 9 Uhr rotteten sich Volkshaufen zusammen und überfielen die Wohnungen der dortigen Juden . . .*
> (*Allgemeine Zeitung des Judenthums*, Achter Jahrgang, No. 22, Leipzig, 27. Mai 1844, S. 297-8)

Die kurze Nachricht endet mit einer Erwähnung des vermutlichen Anlasses der Ausschreitungen: es sei ein anonymer Brief aus Paderborn eingetroffen, der Schmähungen gegen die katholische Kirche enthielte und dem Gerücht nach von Juden aus Geseke geschrieben worden sei.

Erst in der nächsten Nummer wird der eigentliche Sachverhalt aufgedeckt. Am 3. Juni 1844, in der *Allgemeinen Zeitung des Judenthums,* No. 23, S. 313-4, wird ein längerer Bericht abgedruckt:

> *Minden in Westphalen, 19. Mai. Die Magdeburger Zeitung enthält folgenden bemerkenswerthen Korrespondenzartikel über die Gesecker Auftritte . . .*
> *Die Sache verhält sich nämlich wahrheitsgemäß folgendermaßen. Der Sohn des Kaufmanns Löwenbach hatte Unterricht beim katholischen Pfarrer. Dieser nimmt die günstige Gelegenheit wahr, um Proselytenmacherei zu treiben, verletzt also hier schon seine Pflicht, denn der Vater hatte ihm den Knaben nicht zum Bekehren anvertraut. Der ausgestreute Saame fällt in ein fruchtbares Erdreich, der Knabe spricht von Rosenkranz, heiliger Mutter Gottes etc., und die jüdischen Eltern, welche die Quelle dieser ihnen unerwünschten Sinnesänderung bald errathen, schicken ihr Kind in eine benachbarte Stadt. Aber auch dort setzt der Pastor von Gesecke seine Seelenfängerei fort; er verabredet sich mit einem Priester jener Stadt, und dieser verführt den Judenknaben so weit, daß er seinen Verwandten entläuft. Die Sache macht natürlich Aufsehen, das Verfahren jener beiden Proselytenmacher findet Tadel, selbst der Bischof von Paderborn legt sich ins Mittel, aber sein Verbot wird von jenen beiden Geistlichen eben so wohl mißachtet wie Recht und Gesetz . . .*

Hier liegt einer der entscheidenden Unterschiede zwischen Else Lasker-Schülers Dichtung und der historischen Vorlage. Das Werk zielt auf eine Versöhnung der Religionen ab, bei der die Gegenwart des Bischofs unerläßlich ist. Deshalb kann der Pfarrer in *Arthur Aronymus* nie gegen sein Verbot handeln, sondern immer nur im Einvernehmen mit ihm. Im Laufe der Handlung wendet er sich aus eigenen Stücken an ihn und berichtet von der Gefahr, in der sich Dora befindet. Erst der Hirtenbrief des Bischofs, den der Pfarrer in einer dramatischen Szene des Werkes vor seiner Gemeinde verliest, wendet die Gefahr von Dora ab. So wird das von Juden und Christen gemeinsam begangene Pessachfest vorbereitet, mit dem die Dichtung endet.

In der historischen Wirklichkeit, auf der das Werk beruht, verhielt es sich ein wenig anders. Der Zeitungsbericht schildert nun die Schritte, durch die es der jüdischen Familie Löwenbach gelingt, ihren Sohn zurückzugewinnen und an einen sicheren Ort zu bringen. Dann geht der Bericht weiter:

> *Also der Knabe ist fort. Einige Wochen später erhält der katholische Pastor in Gesecke, der eben im Wirthshaus sitzt, einen Brief von der Post in dieses Wirthshaus gebracht. Dieser Brief ist anonym, enthält aber Schmähungen gegen den Katholizismus. Von wem der Brief kam, weiß man nicht; daß ihn jene Seelenfänger zu schlechten Zwecken selbst geschrieben haben, läßt sich nicht beweisen. Thatsache ist, daß der Pastor im Wirthshause diesen Brief vorliest. Es wird angedeutet, der Brief sei von Juden aus Gesecke geschrieben; aber wo ist der Beweis dafür? . . .*

Die nicht unerwartete Folge sind jene antisemitischen Ausschreitungen in Geseke und der Umgebung am 8. und 9. Mai 1844, die zu den hier zusammengefaßten Nachforschungen Veranlassung gaben. Im folgenden werden ihr Ablauf und die entstehende Notlage der Juden geschildert, und schließlich kommt es zu einer Entwicklung, die der Berichterstatter der hier zitierten Magdeburger Zeitung gegen Ende seines Artikels mitteilt:

> *Die Gährung dauerte inzwischen fort; sie verschwand aber wie durch einen Zauber, als der unglückliche jüdische Kaufmann auf den Straßen ausschellen ließ, er wolle seinen bekehrten Knaben der katholischen Geistlichkeit zurückgeben!!*

Der Vergleich zwischen diesen historischen Ereignissen und der dichterischen Form, die Else Lasker-Schüler ihnen gegeben hat, läßt sich auf verschiedenen Ebenen durchführen. Hier soll auf die Struktur- und Datenverschiebungen aufmerksam gemacht werden, die das Werk von seiner historischen Vorlage unterscheiden.

Im historischen Geseke des Jahres 1844 zwingen die antijüdischen Ausschreitungen den Kaufmann Löwenbach schließlich dazu, seinen Sohn der katholischen Geistlichkeit zu überlassen. Auch in Else Lasker-Schülers Dichtung wird der Vorschlag gemacht, Arthur Aronymus christlich erziehen zu lassen, um den Judenpogrom abzuwenden, aber dieser Vorschlag wird abgelehnt. Es kommt dennoch nicht zum Pogrom, sondern zur jüdisch-christlichen Versöhnung am Sederabend — aber durchaus nicht nur deshalb, weil Else Lasker-Schülers Pfarrer kein anarchischer Seelenfänger ist wie sein historisches Vorbild. Der tiefere Grund liegt in der besonderen Struktur, die die Dichterin den Ereignissen gibt, um sie ihrem poetischen Ziel anzupassen.

In der historischen Wirklichkeit war der Sohn des Kaufmanns Löwenbach, um dessen christliche Erziehung es ging, zugleich der Anlaß des Judenpogroms gewesen. Einerseits wollten die Christen dieses eine Judenkind haben, andererseits aber haßten sie um seinetwillen alle anderen Juden der Stadt. Else Lasker-Schüler nun faltet das von einem positiven und einem negativen Impuls getragene Verhältnis der Christen zu ihren jüdischen Mitbürgern in eine Licht- und eine Schattenseite auseinander: die Liebe der Christen zieht Arthur Aronymus auf sich, ihr Haß trifft die vom Veitstanz befallene Dora. Sie schneidet die Ambivalenz des Verhältnisses in einen guten und einen bösen Strang auf, läßt den guten Strang das Übergewicht gewinnen und führt ihr Werk so einer positiven Entscheidung zu; einer Entscheidung, die zur gleichen Zeit auch eine Scheidung zwischen den Religionen ist — am Sederabend wird sie vorgenommen, in gutem Glauben und in gegenseitigem Respekt.

Das Einleitungskapitel stellte die Pendelbewegung von Assimilation und Absonderung dar, in der die Geistesgeschichte des deutschen Judentums verlief: in *Arthur Aronymus* wird getrennt, was in der historischen Wirklichkeit unlösbar miteinander verquickt war. So konnte Else Lasker-Schüler im Jahre 1932, kurz vor dem Ende des deutschen Judentums, in einer erdichteten, von der christlichen Umwelt gebilligten Absonderung ihres Volkes noch einmal ihren Frieden finden.

Ihr Bild vom westfälischen Judentum hat eine helle und eine dunkle Seite. Es ist daher doppelt bemerkenswert, daß sie im Essayband *Konzert,* in dem zitierten Turmerlebnis, den Veitstanz auf sich selbst bezieht. Er ist das Schattenmotiv ihres Judentums, in dem sie sich an den ersten Schmerz ihres Lebens erinnert, den auch das schönste Elternhaus nicht hat verhindern können.

Und gleichzeitig dichtet sie *Arthur Aronymus,* stellt dieser Schattenseite ihres Judentums in der poetischen Gestalt ihres Vaters auch seine Lichtseite entgegen: hier liegt der Grund für die Datenverschiebungen, eine zweite Veränderung, die das Werk von seiner historischen Vorlage unterscheidet.

Die historischen Ereignisse in Geseke fanden 1844 statt, und im Schauspiel wird auch ein annäherndes Datum genannt: „Das Theaterstück spielt etwa um 1840", heißt es (GW II, 1061). Zum historischen Zeitpunkt war Else Lasker-Schülers Vater also bereits 19 Jahre alt; in der Dichtung aber erscheint er als Knabe von sieben oder acht Jahren, um die Rolle des Sohnes der Familie Löwenbach übernehmen zu können.

Doch Arthur Aronymus spielt gar nicht die Rolle des historischen Bernhard Löwenbach, (so hieß der Sohn des Kaufmanns, und sein Name findet sich bei Else Lasker-Schüler ausgerechnet in dem Namen des Geistlichen wieder, den sie Kaplan Bernhard nennt). Er führt die Gefahr nicht herauf, sondern er hilft sie abwenden, schützt mit der Liebe, die man ihm entgegenbringt, seine vom Veitstanz befallene Schwester Dora — und viele Jahre später seine Tochter: auch sie ist vom Veitstanz befallen, auch sie verbirgt sich als Kind vor den Christen ihrer Stadt in seinem Hause und setzt ihm deshalb 1932, im Schatten der höchsten Gefahr, ein leuchtendes Denkmal.

Das ist der Grund, weshalb sie einen seiner Spielgefährten nach ihrem eigenen Spielgefährten Willy Himmel nennt. In ihrer Dichtung schieben sich die historischen Epochen des westfälischen Judentums, aus dem sie stammt, ineinander — und wie sie ihre eigene, als Veitstanz maskierte Angst des jüdischen Kindes in Elberfeld auf die erdichtete Schwester ihres erdichteten Vaters Arthur Aronymus überträgt, die nun aber zum Opfer eines historisch nachweisbaren Judenhasses im Geseke des Jahres 1844 wird, so macht sie ihren eigenen, historisch nachweisbaren Mitschüler Willy Himmel, der sie in Elberfeld mit Füßen trat, zum erdichteten, antisemitischen Straßenjungen einer früheren Generation.

Deutlicher noch wird das jüdische Bezugsfeld der Dichtung Else Lasker-Schülers an einer weiteren Datenverschiebung, die sie in ihrem Werke vornimmt: in der Bühnenfassung tritt der Großvater des Arthur Aronymus auf, Uriel, Landesrabbiner von Rheinland und Westfalen, der schon zu Beginn des Schauspiels stirbt.

Wie wir gesehen haben, war einer der Urgroßväter Else Lasker-Schülers, Zwi Hirsch Cohen, tatsächlich ein Rabbiner gewesen; er starb 1832, und zu diesem Zeitpunkt war der historische Aaron Schüler, Else Lasker-Schülers Vater, wie in dem Schauspiel sieben Jahre alt.

Doch nicht nur die Parallelen zwischen Uriel und Zwi Hirsch Cohen fallen auf, auch die Unterschiede sind wichtig. Cohen starb schon im Jahre 1832, hier wird die Handlung weit über seinen Tod hinausgezogen; und er war nicht Landesrabbiner von Westfalen, sondern nur Ortsrabbiner von Geseke.

Das hat auch die Forschung bald herausgefunden und wollte in der posthumen Amtserhöhung des Urgroßvaters eine der zahlreichen dichterischen Lizenzen Else Lasker-Schülers erkennen. Was die Forschung jedoch übersah, war die Tatsache, daß Uriel nicht nur die Züge des Zwi Hirsch Cohen trägt, sondern auch die Züge eines anderen Mannes: des Rabbiners Abraham Sutro.

Der war nun tatsächlich Landesrabbiner von Westfalen; seit 1828 war er auch Rabbiner von Paderborn — wie die erdichtete Gestalt der Erzählung (GW II, 566); und im Schauspiel sagt sein Diener Ephraim von ihm: „Er fastete die ganze Woche, der Rabbi, doch seine heilige Stimme brüllte durch die aufgeworfenen gleichgültigen Gepflogenheiten aufwirbelnd durch die hohe Räumlichkeit des Parlaments" (GW II, 1074) — das ist Else Lasker-Schülers stilisierte Darstellung einer historischen Vorlage, die unter dem Namen 'Sutros Petition' bekannt ist.

Freilich ist die Darstellung nicht nur stilisiert, sondern auch stark übertrieben. Sutros Petition, eine seit 1853 jährlich ans preußische Abgeordnetenhaus eingereichte Bitte um Gleichstellung der Juden mit den anderen Landesbürgern, war alles andere als erfolgreich und hat keineswegs die berauschende Wirkung erzielt, von der bei Else Lasker-Schüler die Rede ist. Aber das wäre nicht die einzige historische Ungenauigkeit, die man der Dichterin nachweisen könnte. Auch hier haben wir wieder eine charakteristische Datenverschiebung vor uns — Sutro ist ja nicht im Jahre 1844 gestorben, wie man nach dem Schauspiel vermuten könnte, sondern erst im Jahre 1869.

Den Rabbiner Uriel in *Arthur Aronymus* hat es nie gegeben, aber er ist nicht frei erfunden. Seine erdichtete Gestalt setzt sich aus verschiedenen Teilen einer historisch nachweisbaren Wirklichkeit zusammen, deren Auswahl Else Lasker-Schüler nicht zufällig getroffen hat. Wie das gesamte Werk enthält auch der Rabbiner Uriel Elemente aus der Geschichte ihrer eigenen Familie und zugleich aus der allgemeinen Geschichte des westfälischen Judentums, die sich gegenseitig bespiegeln und Else Lasker-Schüler als eine bewußte Vertreterin ihres jüdischen Volkes in Deutschland ausweisen.

Der Rabbiner Uriel ist in der Geschichte dieses Volkes verankert und tritt zugleich aus dieser Geschichte heraus. Auch er, wie die traurige Mutter im Turmerlebnis, ist ein Teil der seelischen Landschaft und der Symbolik Else Lasker-Schülers. Aber während die traurige Mutter der Ausdruck ihres tiefsten, nicht mehr sagbaren Schmerzes ist, symbolisiert der Rabbiner, einer der Väter ihres Vaters Arthur Aronymus, den Rückhalt, den ihr Volk ihr gibt: einen letzten, nicht mehr sagbaren Trost.

Auf ihrer tiefsten Ebene ist die Korrespondenz dieser Symbole im Bilde des Herzens angedeutet: „Auf einmal sah ich meine liebe, liebe Mama so traurig den kleinen Berg herabkommen", hieß es im Text über das Turmerlebnis, „so traurig, das vermag meine Hand nicht zu schildern, da müßte ich schon mein Herz aus der Brust nehmen und es schreiben lehren."

Rabbi Uriel aber kann sein Herz aus der Brust nehmen, wie es in *Arthur Aronymus und seine Väter* von ihm gesagt wird (GW II, 1073). Hier soll eine frühere Fassung dieses Bildes zitiert werden, die Else Lasker-Schüler schon 1925 in der Schrift *Ich räume auf!* niedergelegt hat und in der die symbolische Erlöserfunktion ihres Rabbiners deutlich wird:

> *Mich besternend betrachtete ich als Kind so gerne das ehrfurchtsvolle künstlerische Priesterantlitz meines Urgroßvaters, der, Oberrabbuni vom Rheinland und Westfalen in religiösem und politischem Heile seiner Gemeinde Oberhaupt, so weihevolle Jahre Frieden brachte. Die Legende erzählte: Er habe sein Herz aus der Brust nehmen können, was er nach kühnen staatlichen Konferenzen zu tun pflegte, um den Zeiger des roten Zifferblatts wieder nach Gottosten zu stellen.*
> *(Ich räume auf!, GW II, 532)*

Ins Bild des Herzens faßt Else Lasker-Schüler ihren letzten Schmerz und ihren letzten Trost. Beides hängt tief mit ihrem Judentum zusammen – mit dem Judentum ihrer Dichtung, aber auch mit dem Judentum ihrer historischen Wirklichkeit. Als sie ihr Schauspiel über den Vater schreibt, tritt die Geschichte der deutschen Juden in ihre letzte Phase, und die wachsende Drohung ist spürbar in ihrem

Werk, in ihren Jugenderinnerungen aus dem Bande *Konzert* nicht weniger als in *Arthur Aronymus und seine Väter.*

Wer ihre Sprache aber verstehen will, darf sich nicht mit Offensichtlichem begnügen. Zu diesem Zeitpunkt war Else Lasker-Schüler bereits dreiundsechzig Jahre alt, und nicht erst der Aufstieg Adolf Hitlers hatte ihren Ausdruck geformt. Die metaphorischen Bilder, die wir in diesem Kapitel kennengelernt haben — das Herz, ihre verschlüsselten Ängste, die Erlösergestalten ihres Vaters und Urgroßvaters — waren längst zu einem festen Bestandteil ihrer inneren Welt geworden. Sie hatten sich in den dreißig Jahren gebildet, die seit dem Erscheinen ihres ersten Gedichtbandes *Styx* vergangen waren, und vielleicht in einer noch längeren Zeit.

Else Lasker-Schülers Werk entstand in einem historischen Raum, und in den folgenden Kapiteln sollen die einzelnen Phasen seiner Entstehung gezeigt werden. Ein halbes Jahrhundert liegt zwischen ihrem Veitstanz aus dem Jahre 1880 und dem Schauspiel *Arthur Aronymus und seine Väter.* Auf diesem langen Weg, den sie als Mensch und Dichterin gegangen ist, führen viele Spuren durch die Welt des deutschen Judentums.

Zweites Kapitel

Frühe Berliner Jahre

I

1894, vier Jahre nach dem Tode ihrer Mutter, zog Else Lasker-Schüler als Ehefrau des Arztes Berthold Lasker nach Berlin. Der Umzug aus der westfälischen Provinz in die Reichshauptstadt gehört zu den entscheidenden Wendepunkten im Leben der Dichterin, das seine Berühmtheit nicht zuletzt aus ihrer exzentrischen Stellung innerhalb der Berliner Bohème gewinnen sollte. Ursprünglich jedoch läßt sich ihre Umsiedlung auch im Rahmen einer sozialen Entwicklung erklären, die für einen Teil des deutschen Judentums am Ende des 19. Jahrhunderts bestimmend war.

Berthold Lasker (1860-1928) stammt aus der Kleinstadt Berlinchen in der Neumark. Sie liegt östlich von der Oder, im heutigen Polen, und ihre Nähe zu den Zentren des traditionellen Ostjudentum ist für Laskers Abstammung nicht unbedeutend: sein Vater war Kantor in der Synagoge am Ort, und sein Großvater hatte als Rabbiner eines an der russischen Grenze liegenden Städtchens hohes Ansehen genossen.

Im Westen und Süden Deutschlands hatte es seit langem die verschiedensten Fortbildungsmöglichkeiten gegeben, und Else Lasker-Schülers Onkel Leopold Sonnemann zum Beispiel konnte seine journalistische und politische Laufbahn sehr erfolgreich auch in Frankfurt am Main aufbauen. In den preußischen Ostprovinzen dagegen lagen die Dinge anders, und die Universitätsstadt Berlin wurde zu einem Bildungszentrum, das besonders für die Juden in diesen Provinzen eine große Anziehungskraft hatte.

Zu den jungen Juden, die aus dem Osten nach Berlin zogen, um auf dem Bildungswege ihr Glück zu suchen, gehörte auch Berthold Lasker. Nach der Reichsgründung verließ er sein kleinstädtisches Elternhaus, wohnte bei einer jüdischen Schneiderfamilie in Berlin und absolvierte zunächst das Gymnasium, bevor er sich auf der Universität einschrieb und schließlich ein angesehener Arzt wurde.

Ein merkwürdiger Gegensatz besteht zwischen diesem Mann und der Jüdin aus Elberfeld, die er als seine Ehefrau nach Berlin bringt. Sie hatte schon früh die Schule aufgegeben und sich in das Haus ihrer Eltern zurückgezogen – er aber hatte sein Elternhaus verlassen, um in die Schule zu gehen und die Universität zu besuchen.

Der Gegensatz hat seinen Anteil an dem unglücklichen Verlauf der Ehe gehabt, die schon nach wenigen Jahren auseinanderging. Im Essayband *Gesichte* aus dem Jahre 1913 beschreibt sie ihre große Sehnsucht, „wieder in einer Stube neben Mama und Papa und Geschwistern zu sitzen". Diese Sehnsucht hätte sie auch überkommen, heißt es, als „ich mich zum ersten Male vermählte. Aber ich fiel ins Haus und verletzte mir die Knie, die bluten seitdem." (GW II, 179). Aufschlußreich ist der Titel des Essays, in dem diese Zeilen stehen: „Lasker-Schüler contra B. und Genossen" nennt sie ihn – und B. ist Berthold Lasker.

Sie erwähnt ihren ersten Mann nur sehr selten, und dann meist mit dem Buchstaben B. „B. war ganz entzückt", schreibt sie in einem Brief vom 20.5.1899 an ihre Schwester Anna, in dem sie von einem ersten literarischen Erfolg berichtet; und wenig später, am 26.9.1899, wiederum an Anna: „B. hat extra gesagt, Dich zu grüßen." (BR II, 11, 12)

Dieses Auslöschen seines Namens fällt auf. Else Lasker-Schüler neigte dazu, den Menschen in ihrem Umkreis erfundene Namen zu verleihen, die sich teilweise in der Literaturgeschichte erhalten haben; ihr zweiter Ehemann etwa hieß Georg Levin, aber er ist als Herwarth Walden bekannt geworden, weil sie ihn so genannt hat. Bei Berthold Lasker dagegen tritt das Umgekehrte ein: sie hat ihm seinen Namen nicht geschenkt, sie hat ihm den Namen genommen.

Wir wissen wenig über Else Lasker-Schülers erste Ehe. Ob Berthold Lasker der Vater ihres 1899 geborenen Sohnes Paul war oder ob das Kind von einem griechischen Prinzen abstammte, wie sie es später behauptet hat, läßt sich weder beweisen noch widerlegen. In seinem Privatbereich ist der Gegensatz zwischen Berthold Lasker und seiner Frau auch wenig interessant; wichtig ist er vielmehr in seiner symptomatischen Bedeutung, mit der er am Anfang der dichterischen Laufbahn Else Lasker-Schülers steht.

In ihren späteren Aussagen findet sich kaum noch eine Spur von ihm. Aber Berthold Lasker ist auch mit einer zweiten Person verbunden, die öffentliches Interesse erregt hat: er war der ältere Bruder des Schachweltmeisters Emanuel Lasker, in dessen Biographie von

J. Hannak sich Angaben finden, die Licht auf Else Lasker-Schülers ersten Ehemann werfen.

Berthold Lasker hat seinem Bruder das Schachspiel beigebracht und sich auch während seiner Studienzeit in Berlin als Schachlehrer Geld verdient. Diese früh hervortretende Rationalität seines Wesens findet ihren Niederschlag später in einem Versdrama, an dem die beiden Brüder jahrelang gearbeitet haben und das sie 1925 in Berlin im Privatdruck erscheinen ließen.

Das Drama heißt *Vom Menschen die Geschichte* und ist anspruchsvoll wie sein Titel. Allegorische Gestalten kommen in ihm vor – so etwa Aja als 'das an den Mann und dessen Mission glaubende fruchtbare Weib' (S. 5) – und sein Thema wird wie folgt umrissen:

> *Mein Spiel führt bildhaft vor*
> *Von Geist' und Glaubens Drange die Entwicklung,*
> *Wie er, gehüllt in Kreatürlichkeit*
> *Aus kleinem Keime sprossend Heros wird.*
>
> *(S. 10)*

Auch einen 'Wanderer' gibt es in dem Drama. Er repräsentiert 'die träumende, für alles interessierte Menschheit' (S. 5) und spricht die Zeilen:

> *Ein Schauspiel ist die Welt, ein buntes, schönes,*
> *Und Kräfte und Dämonen vielerlei*
> *Sind wunderbar an diesem Spiel beteiligt.*
> *Dies Spiel mir anzuschaun und mitzutun*
> *Zog ich aus meiner Heimat und ich hofft',*
> *Die Göttin Wirklichkeit dabei zu finden.*
>
> *(S. 22)*

Und gegen Ende des Dramas, auf Seite 99, kommt der Wanderer zum erhebenden Schluß:

> *Frei ist das Leben, frei sind Geist und Wille,*
> *Kein totes Uhrwerk, dessen Lauf man kennt.*

Eine schlechte Klassikerimitation aus dem Jahre 1925 würde keine Erwähnung finden, wenn einer ihrer Verfasser nicht der erste Ehemann Else Lasker-Schülers gewesen wäre. Berthold Laskers Glaube an die Vernunft und an die Macht der Erziehung, so anachronistisch er sich auch ausnehmen mag, war im zeitgenössischen Judentum Deutschlands an sich nicht selten. Er wird als Lebenshaltung eines Mannes verständlich, der aus den preußischen Ostprovinzen nach Berlin gezogen war und sich seinen Eintritt in das deutsche Bildungsbürgertum auch auf Kosten der jüdischen Tradition seines Elternhauses erworben hatte. Was ihm an natürlicher Lebenserfahrung im deutschen Kulturkreis abging, wog er durch das Maß der Abstraktion auf, mit dem er die Ideale der deutschen Aufklärung vertrat: in ihrem Namen führte er seine späte Emanzipation durch.

Das ist die symptomatische Bedeutung, die Else Lasker-Schülers gescheiterte Ehe am Anfang ihrer dichterischen Laufbahn gewinnt. Hier, in ihrem eigenen Hause, wird ihr von ihrem jüdischen Mann das Ideal des deutschen Bildungsbürgertums geboten, gegen das eine neue Dichtergeneration sich auflehnt. Als sie sich abwendet von ihm, tut sie es nicht nur als Jüdin, die in Elberfeld statt deutscher Aufklärung die deutsche Wirklichkeit der Gründerjahre erlebt hat. Sie tut es auch als Deutsche, die an der Verlogenheit des Idealismus leidet, von dem der um Assimilation bemühte Jude Berthold Lasker seine Zukunft abhängig macht.

Auf diesem Hintergrund erhält die Tatsache, daß Else Lasker-Schüler schon sehr früh ihren Schulbesuch abgebrochen hat, erst ihr volles Gewicht. In der Einleitung wurde von den Folgen gesprochen, die das Scheitern der bürgerlichen Revolution im Jahre 1848 für die deutsche Geistesgeschichte gehabt hatte, vom Verlust der Metaphysik und dem Zusammenbruch des Idealismus. Eine Darstellung des neuen, materialistischen Weltbildes hatten die Dichter des Naturalismus unternommen, aber als Else Lasker-Schüler im Berlin der Jahrhundertwende Anschluß fand zur deutschen Literatur, hatte die Reaktion gegen den Naturalismus bereits eingesetzt. Überall waren Versuche im Gange, der Welt einen in der Enge des Positivismus verlorengegangenen Sinn zurückzugewinnen, und auch Else Lasker-Schülers frühe Dichtung entstand im Rahmen dieser Versuche.

Das deutsche Bildungsbürgertum, in das sich Berthold Lasker seinen Eintritt erkämpft hatte, konnte bei solchen Versuchen nicht

Bundesgenosse sein. Die Freiheit des Geistes, an die diese Gesellschaftsklasse noch immer zu glauben vorgab, war seit der gescheiterten Revolution zur Utopie verblaßt. Für die Jüdin, die vor der beängstigenden Metaphysik des Elberfelder Pietismus geflohen war, mußte das in ihrem Ehemann wiederauferstandene deutsche Bildungsprinzip erschreckend wirken.

Eine Eigenschaft des Lebens und der Wirkung Else Lasker-Schülers wird erkennbar, die oft Verwirrung gestiftet hat in den Aussagen über die Dichterin: es gibt für sie keine Unterscheidung zwischen ihrer Existenz und den geistigen Voraussetzungen dieser Existenz. Was ihr im geistigen Bereich begegnet, verwandelt sie nicht nur in Literatur, sondern zugleich auch, und oft mit bestürzender Unmittelbarkeit, in ihr eigenes, gelebtes Leben. Wenn etwas in der geistigen Atmosphäre Elberfelds ihr den Schulbesuch erschwert, dann gibt sie diesen Schulbesuch auf; und wenn die geistige Situation ihrer Ehe unerträglich wird, dann zerbricht sie die Ehe.

Diese seismographische Empfindlichkeit hat ihr Leben sehr unglücklich verlaufen lassen. Zugleich aber macht sie auf eine seltene Weise geistige Prozesse durchsichtig: die Dichterin läßt uns auf ihren eigenen Grund sehen, den sie mit ihren Zeitgenossen geteilt hat und der sie nicht nur als die vereinzelte Person Else Lasker-Schüler, sondern auch als Deutsche und als Jüdin ihrer Generation verständlich macht.

Als Beispiel für die Sichtbarkeit ihres geistigen Grundes bietet sich Friedrich Nietzsche an. Die literarische Reaktion, die am Ende des 19. Jahrhunderts gegen den Naturalismus einsetzte, war überall mit seinem Namen verbunden, und auf einer abstrakt-begrifflichen Ebene war ihr das bewußt wie vielen anderen auch. „Friedrich Nietzsche hat die Sprache geschaffen, in der wir alle dichten", hat Paul Goldscheider sie später in seinen Erinnerungen zitiert, die Michael Schmid 1969 in dem Sammelband *Lasker-Schüler* veröffentlichte. Was dieser unverbindliche Satz aber in der Wirklichkeit ihres gedichteten Lebens bedeutet, zeigt ihr Essay „Der kleine Friedrich Nietzsche", der im Bande *Konzert* steht, wenige Seiten hinter dem Essay „Der letzte Schultag", aus dem im vorigen Kapitel zitiert wurde.

Dort hatte sie ihr Turmerlebnis geschildert, ihre Rettung durch den Bruder, der bei der freiwilligen Feuerwehr arbeitete, den Beginn des Veitstanzes, der zum Abbruch ihres Schulbesuches führte. In ihrem Essay über Nietzsche nun beschreibt sie eine Bahnfahrt durch

Thüringen, auf der bei Weimar eine ältere Dame in ihr Coupé steigt. Der Anblick eines Vogelschwarms am kalten Himmel erinnert Else Lasker-Schüler an Zeilen von Nietzsche — „Ich sagte unwillkürlich den Anfang des einsamsten Gedichts, das vielleicht je geschrieben wurde: 'Die Krähen schreien und ziehen schnellen Flugs zur Stadt, bald wird es schneien, wohl dem, der eine Heimat hat'" — und dieses recht eigenwillige Zitat ruft bei der älteren Dame eine Reaktion hervor, die den Abschluß des Essays bildet und hier im Wortlaut gebracht wird:

„Das verbindet uns, Liebste", unterbrach mich die entzückte Dame tiefergriffen, „ich bin nämlich die kleine Freundin des kleinen Friedrich Nietzsche gewesen. Elf Jahre waren wir beide, seine Schwester Elisabeth zählte ein paar Jahre älter; aber wir spielten alle drei einträchtig zusammen und", betonte sie, „der kleine Friedrich war der Vater meiner kleinen Johanna gewesen." Ob sie auch noch lebe, erkundigte ich mich überrascht, ob sie dichte, ob sie Friedrich Nietzsche ähnele? Als Antwort drehte die Legationsrätin a.D. immer nur verneinend den Kopf. Aber dann erzählte sie mir mit lodernden Augen, wie eines Tages ihr Elternhaus in der Abendstunde brannte, sie jedoch und ihre Eltern und ihre älteren Geschwister, die Magd, der Hahn und die Hühner, selbst die Eier, die noch im Neste lagen, gerettet wurden. Angesichts der halben Weimarer Einwohnerschaft, die sich in ihrem Doktorgarten zum Zugucken versammelt hatte: „Und der kleine Friedrich Nietzsche mit seiner Schwester Elisabeth kamen gejagt und wir Kinder halfen den Feuerwehrmännern mit dem Legen der Schläuche und machten uns heimlich an die Pumpe und waren naß bis auf die Haut. Plötzlich schrie der kleine Friedrich Nietzsche: 'Wo ist Johanna?' Kreidebleich schob er uns Spielgefährten beiseite. 'Johanna! Johanna! Johanna verbrennt!' Keiner der Feuerwehrmänner vermochte den tapferen Jungen zurückzuhalten. Todesverachtend lief er über die brennenden Stufen der Treppen: 'Johanna verbrennt!' und noch einmal hörten wir bebend vor Angst: 'Johanna verbrennt!' Hinter der Scheibe des zweiten Stockwerks gewahrten wir ihn plötzlich—Elisabeth und ich hielten uns jammernd umschlungen. Nun hatte er mein Kämmerlein erreicht, Feuer speite es und Qualm auf die Straße. Alles geschah im Sturm und der bezwang auch sicherlich den Brand und hielt ihn von des kleinen Friedrichs Leibe. So erklärten sich und be-

gründeten die Einwohner Weimars die überstandene Heldentat des
kleinen Friedrich Nietzsche. Er aber brachte Johanna lebendig in
meine Arme, nur die blonden Flachszöpfe waren verkohlt, von un-
serer geliebten Johanna, unserer geliebten Puppe."
(Konzert, „Der kleine Friedrich Nietzsche", GW II, 722-23)

Viele Elemente dieser Szene um den kleinen Friedrich Nietzsche
weisen sich als ein Teil der dichterischen Landschaft aus, in der ihr
eigenes Turmerlebnis spielt. Auch Nietzsche, wie Else Lasker-Schüler in „Der letzte Schultag", ist hier elf Jahre alt; auch hier greift die
Feuerwehr ein, auch hier gilt es, ein Kind zu retten, das in der Höhe
gefangen ist — und dieses Kind, in Wirklichkeit eine Puppe, der der
Feuertod droht, stellt eine eigentümliche Verbindung her: der Veitstanz, an dem Else Lasker-Schüler nach ihrem Turmsprung gelitten
haben will, führt das jüdische Mädchen Dora in *Arthur Aronymus* fast
auf jenen Scheiterhaufen, von dem in letzter Sekunde der kleine
Friedrich Nietzsche seine Puppe holt.

Nietzsche als Retter aus einer Gefahr, die im dichterischen Bild
vielfach verschlüsselt ist: so, in ihrer eigensten, ganz privaten Tiefe,
setzt Else Lasker-Schüler in poetischen Ausdruck um, was man gemeinhin als 'geistigen Einfluß' zu bezeichnen pflegt — Nietzsche,
dessen Name mit aller neuen, den fragwürdigen Idealen des Bildungsbürgertums entgegengesetzten Dichtung in Deutschland verbunden ist, wird Teil einer Innenwelt, die den Geist der Zeit in per-
sönlichsten Symbolen widerspiegelt.

Die Brüder Heinrich und Julius Hart hatten ursprünglich zu den
Wortführern des Naturalismus gehört, und es ist bezeichnend, daß
auch sie den Versuch machten, sich aus der materialistischen Verengung seines Weltbildes zu befreien. Ein von ihnen um die Jahrhundertwende ins Leben gerufener schwärmerischer Verein, die „Neue
Gemeinschaft", bot der ihrem Ehemann entlaufenen Dichterin eine
Weile Obdach; der Verein hat sich allerdings nicht lange erhalten,
weil die dort propagierte Religiosität zu vage war, um seinen Mitgliedern einen weltanschaulichen Halt zu geben. Zwei weitere Juden,
Martin Buber und Gustav Landauer, die zeitweilig der „Neuen Gemeinschaft" angehörten, sind bald andere Wege gegangen — ein Um-
stand, der nicht uninteressant ist und noch zur Sprache kommen soll.

Für Else Lasker-Schüler jedoch wurde die „Neue Gemeinschaft" bedeutend, weil sie dort den Dichter Peter Hille (1854-1904) kennenlernte. Das Buch, das sie nach seinem Tode über ihn geschrieben hat, legt beredtes Zeugnis für die Rolle ab, die er in ihrem Leben spielte. Man wollte sie hindern, ihm zu folgen, heißt es dort – aber „ich hielt meine Blicke fest auf den Gefundenen gerichtet, wie auf ein leuchtendes Land, wie auf ein Himmelreich mit blauen Gärten". *(Das Peter Hille-Buch,* GW II, 10)

Es hat den Peter Hille ihres Buches nicht gegeben, wie es den Friedrich Nietzsche ihres Essays nicht gegeben hat und auch den Arthur Aronymus ihres Dramas über den eigenen Vater nicht. Aber die Paradiesgestalt, die er hier annimmt, läßt seine Erlöserfunktion in der Welt dieser Dichtung erkennen und stellt ihn neben die anderen Erlösergestalten: wie Arthur Aronymus die leidende Dora erlöst und der kleine Friedrich Nietzsche seine vom Feuer bedrohte Puppe, so erlöst der Peter Hille ihrer Dichtung Else Lasker-Schüler selbst.

Doch hat es Peter Hille auch außerhalb des Werkes Else Lasker-Schülers gegeben. Er macht einen Vergleich zwischen der Wirklichkeit und der Phantasiegestalt möglich, wie es weder der Vater noch Friedrich Nietzsche tun: Aaron Schüler kennen wir fast nur aus dem Werk der Tochter, der historische Nietzsche ist zu Else Laske-Schüler nie in Beziehung getreten – Hille dagegen hat seine eigenen Werke sowie Aussagen über die Dichterin hinterlassen, die uns helfen können, die Innenwelt dieser deutschen Jüdin auch von außen zu beleuchten.

Zunächst fällt eine Ähnlichkeit zwischen ihnen auf, die sich schwer übersehen läßt – beide haben ihre Opposition zum Bürgertum mit einer seltenen Intensität gelebt, der um fünfzehn Jahre ältere Hille vielleicht stärker noch als die Lasker-Schüler, die immerhin einen Sohn zu versorgen hatte. Ständig war er auf der Wanderschaft und weigerte sich, irgendwo zuhause zu sein; auch bei ihm gingen Leben und Dichtung ineinander über.

Wie Else Lasker-Schüler stammte auch Peter Hille aus Westfalen, und wie sie verließ auch er frühzeitig die Schule. Er hat ein Schauspiel geschrieben, das er im Untertitel als 'Erziehungstragödie' bezeichnete, und wenn es sich auch weder mit Frank Wedekinds *Frühlings Erwachen* vergleichen läßt noch mit der Generationsthematik in den Werken des folgenden Jahrzehnts – Hermann Hesses *Unterm Rad*, Heinrich Manns *Professor Unrat*, Robert Musils *Törleß* – so muß es uns hier doch interessieren, weil es seine Wirkung auf Else

Lasker-Schüler nicht verfehlt hat.

Gemeint ist das Schauspiel *Des Platonikers Sohn* aus dem Jahre 1896. In ihm kommt Petrarca vor, der große Dichter des italienischen Humanismus, und auch Laura, seine nur aus der Entfernung Geliebte, die er in unsterblichen Gedichten zu einer Gestalt der Weltliteratur gemacht hat. Im Gespräch, das Hille sie zu Anfang des Stückes mit ihrer Mutter über künftige Ehewünsche führen läßt, entpuppt sich Laura als derbes, mit allen Wassern der Realität gewaschenes Frauenzimmer und macht den Leser froh, daß Petrarca ihr ins Reich der platonischen Liebe entkommen ist.

Entlarvung ist das Thema des Stückes. Der Platoniker, so steht es bei Hille, hat von einer anderen, nie besungenen Frau einen Sohn, den er verleugnet und nur als Adoptivkind anerkennen will. Dem läßt er eine zwar humanistische, aber leider lieb- und wirkungslose Erziehung angedeihen: der Junge verkommt und stirbt am Ende des Schauspiels in den Armen seiner Mutter und einer Hure, die ihn zeitweise glücklich gemacht hat.

Das Jesusmotiv und die Umkehrung der Parabel vom Verlorenen Sohn klingen in der Dichtung Peter Hilles nicht zufällig an. Er war Katholik und hat Fragmente hinterlassen, die den Titel *Das Mysterium Jesu* tragen, das christliche Gedankengut steht deutlich vor dem Hintergrund der humanistischen Welt Petrarcas. Ob Hilles Spiel mit diesen Formen uns heute noch etwas zu sagen hat, sei dahingestellt; wichtig sind sie nur als Charakteristik des Mannes, über den Else Lasker-Schüler später ihr Buch gedichtet hat, als Assoziation mit ihrem geliebten, früh verstorbenen Bruder Paul vielleicht, der zum Katholizismus neigte und den sie 'Mönch' nannte, als einer der Anlässe für Wirkung und Gegenwirkung, die hier in Gang gekommen sind.

Hilles Petrarca hat einen Bruder, der in einem Bergkloster lebt. Den hat es auch in der Wirklichkeit gegeben, dort hieß er Gherardo, Hille nennt ihn Bruno. Als Petrarca sein Gewissen quält, weil er den Sohn verstoßen hat, geht er zu ihm in die Berge, um sich Rat zu holen. Vor seinen Augen nimmt Bruno einen Büßer in das Kloster auf, der einen Mann erstochen hat und darüber in tiefste Verzweiflung geraten ist. Auch Petrarca spielt mit dem Gedanken, im Kloster zu bleiben, aber Bruno weist ihn ab. Dabei kommt es zwischen den Brüdern zu folgendem Dialog:

Petrarca: *Ihn nimmst Du und mich wirfst —*

Bruno: *Ja, ganz gebrochen wie er ist, wird Welt nie wieder auf ihm wachsen. Seine Leidenschaft hat alles mit versengt. Du, mit fertiger, Nahrung heischender Bildung, Du mit Deiner Vorsicht und Deinem Verstandesweh und all' dem einzelnen, das Du sühnen möchtest, hast die Welt nötig, daß Du Dich in ihr ärgerst, an ihr Dich vollendest. Ein ernster Rückschritt gar führt manchmal am weitesten. So sage ich Dir, glaube ich, Dein Wesen recht. Man muß sich wegwerfen, leidenschaftlich sein in Gott und das kannst Du nicht. Dazu bist Du zu fein und zu klug. Deine un-, aber darum noch nicht überirdischen Reime sind Deines Lebens künstliches Herz und halten im Irdischen Dich zurück. Weltmann bist und mußt Du bleiben, weil Du einmal zu früh Geist werden wolltest, bist Laie, weil Du zu viel Kleriker immer warest.*

(Peter Hille, *Des Platonikers Sohn,* Erziehungstragödie in fünf Vorgängen, Berlin 1896, S. 62-3)

Die Worte, von einem der Welt entsagenden Mönch an seinen in der Welt verhafteten Bruder gerichtet, drücken einen Konflikt aus, der wohl weniger zwischen Petrarca und seinem Bruder, desto mehr aber zwischen Deutschlands Bürgertum und Peter Hille bestanden hat. Man muß sich wegwerfen, scheint Hille hier auch den deutschen Bürgern zu sagen, man muß leidenschaftlich sein in Gott — und das könnt ihr nicht. Daß Hille seinen eigenen Konflikt historisch verkleidet, nimmt der Szene viel von ihrer Kraft und zeigt die schwachen Mittel an, mit der die „Neue Gemeinschaft" die Enge des Positivismus durchbrechen wollte. Aber der Appell an die Leidenschaft, den der Mönch hier ausspricht, läßt doch etwas von der Wirkung ahnen, die der in seinem unbehausten Leben zu keinem bürgerlichen Kompromiß bereite Peter Hille auf Else Lasker-Schüler gehabt hat. Ihre ungleich stärkere Sprache, in der sie das *Peter Hille-Buch* schreibt, bringt das schon im ersten Kapitel zum Ausdruck, das den Titel „Petrus der Felsen" trägt:

Ich war aus der Stadt geflohen und sank erschöpft vor einem Felsen nieder und rastete einen Tropfen Leben lang, der war tiefer als tausend Jahre. Und eine Stimme riß sich vom Gipfel des Felsens los und rief: „Was geizst Du mit Dir!" Und ich schlug mein Auge empor und blühte auf, und mich herzte ein Glück, das mich auserlas. Und

vom Gestein zur Erde stieg ein Mann mit hartem Bart- und Haupt-
haar, aber seine Augen waren samtne Hügel. Und kleine Kobolde
kletterten über seinen Rücken und beklopften ihn mit ihren Häm-
merchen und nannten ihn Petrus. Und wir stiegen ins Tal hinab,
und der Mann mit dem harten Bart- und Haupthaar fragte mich,
von wo ich käme — aber ich schwieg; die Nacht hatte meine Wege
ausgelöscht, auch konnte ich mich nicht auf meinen Namen besin-
nen, heulende hungrige Norde hatten ihn zerissen. Und der mit dem
Felsennamen nannte mich Tino. Und ich küßte den Glanz seiner
gemeißelten Hand und ging ihm zur Seite.
(Das Peter Hille-Buch, GW II, 9)

Die Leidenschaft des Büßers hätte alles versengt, sagt der Mönch in
Peter Hilles Schauspiel. Was dort zuletzt nur Wort bleibt, wird bei Else Lasker-Schüler zum dichterischen Bild: die Nacht hat ihre Wege
ausgelöscht, heulende hungrige Norde haben ihren Namen zerris-
sen wie den Namen Berthold Laskers, von dem am Ende nur das B.
geblieben ist — und Else Lasker-Schüler folgt dem Appell an ihre
Leidenschaft, mit der Peter Hille sie aufruft, sich aus der Welt des
Bürgertums zu lösen.

Aber es kann keinen Zweifel geben — der Einfluß, der über die Jahre
hinweg in diesem Anfang des *Peter Hille-Buches* spürbar wird, ist
nicht der Einfluß des heute fast vergessenen Dichters, den das Buch
verherrlicht. Nicht nur Hille steht am Anfang dieses Buches, es ist
auch eine andere Gestalt, die aus der Höhe herabzusteigen scheint
und ihren Schatten wirft wie über vieles, das um die Jahrhundertwende gedichtet wurde: es ist auch Friedrich Nietzsches Zarathustra,
der hier aus den Bergen kommt, um seine Lehre in die Welt zu tragen.
    Man braucht sich nicht lange umzuschauen in Else Lasker-Schü-
lers früher Dichtung, um den Schatten Zarathustras zu entdecken.
Schon im Jahre 1905, vor dem *Peter Hille-Buch* noch, erscheint das
Gedicht „Weltende":

> *Es ist ein Weinen in der Welt,*
> *Als ob der liebe Gott gestorben wär,*
> *Und der bleierne Schatten, der niederfällt,*
> *Lastet grabesschwer.*

Komm, wir wollen uns näher verbergen . . .
Das Leben liegt in aller Herzen
Wie in Särgen.

Du! wir wollen uns tief küssen —
Es pocht eine Sehnsucht an die Welt,
An der wir sterben müssen.

(GW I, 149; SG, 88)

Und doch — es ist nicht Zarathustra, der hier spricht, es ist Else Lasker-Schüler. Gott ist nicht tot in diesen Zeilen, es scheint nur so, als
ob er gestorben wär, und im bleiernen Schatten dieser Möglichkeit
klingt ihre ganz eigene Sprache an. Sie ist am Innenraum zu erkennen, den ihre Worte umschließen, im Herzen, das die Mitte des Gedichtes bildet; als Sarg des Lebens wird es zum Träger des scheinbaren Todes, pocht als Sehnsucht an die gottverlorene Welt, deren Wei-
nen die Verse erfüllt.

Das Herz als ein zentrales Motiv der Dichtung Else Lasker-Schülers ist uns schon im vorigen Kapitel begegnet. Im Essay „Der letzte
Schultag" wollte sie es „aus der Brust nehmen und es schreiben lehren", bevor sie sich von der Höhe des Turmes der traurigen Mutter
entgegenstürzte. Aber bereits in „Weltende", diesem fast dreißig
Jahre früher entstandenen Gedicht, bringt sie das Herz zum Sprechen: Else Lasker-Schülers Symbolwelt ist längst fertig, als sie Peter
Hille folgt, und lange bevor sie Friedrich Nietzsche in ihrem späteren
Essay zu einer Erlösergestalt in ihrer Dichtung macht, setzt sie ihm
schon zu Beginn ihrer künstlerischen Laufbahn den eigenen Ausdruck entgegen.

Das hat nichts mit Frühreife zu tun. Als Else Lasker-Schüler ihre
ersten Gedichte veröffentlicht, ist sie dreißig Jahre alt. Man könnte
eher von einer verspäteten Reife sprechen, und es wird oft übersehen-
hen, weil man ihr eigentliches Geburtsjahr, 1869, erst nach ihrem Tode entdeckt hat. Daß sie sich um sieben Jahre jünger macht, rückt eine Tragik ihres Lebens in den Blick, von der noch die Rede sein soll,
und zugleich wird auch deutlich, daß ihr Widerstand gegen die Kon-
ventionen des Bürgertums keineswegs erst im Gefolge Peter Hilles
einsetzt. Wir stehen an der Jahrhundertwende, auf der anderen Seite
der biographischen Lücke, die sich um 1880 mit ihrem Schulabbruch
auftat und sie zwanzig Jahre lang für uns unsichtbar werden ließ. Was

am Anfang des *Peter Hille-Buches* steht, ist wie oft bei Else Lasker-Schüler Dichtung und Leben zugleich: die Nacht hat wirklich ihre Wege ausgelöscht.

Was hat Else Lasker-Schülers sprachlichen Ausdruck in der langen Nacht ihrer Unsichtbarkeit heranreifen lassen? Ihr Untertauchen erklärt sie später mit dem Veitstanz, und der, wie wir gesehen haben, läßt sich in der Welt ihrer Dichtung als Symbol ihres Judentums deuten. Wie weit ist also auch ihr frühes Werk, ihre eigene Sprache, die sich der Lehre Zarathustras entgegensetzt, bereits von ihrem Judentum geprägt?

Das ist eine entscheidende Frage, und sie berührt Else Lasker-Schülers Stellung in der deutsch-jüdischen Geistesgeschichte. Um sie zu beantworten, müssen die in der Einleitung dargestellten Entwicklungslinien bis zu den Schnittpunkten verfolgt werden, an denen sie sich im Leben und im Werk der Dichterin treffen. Dabei wird es notwendig sein, mitunter ein wenig zurückzutreten von ihrer Person, um sie in der sozialen Perspektive des zeitgenössischen deutschen Judentums sichtbar werden zu lassen.

II

Als sie zum erstenmal an die Öffentlichkeit tritt, tut sie es in Begleitung Peter Hilles, und seine Worte über sie bestätigen eine Verbindung zwischen ihrer dichterischen Sprache und ihrem Judentum auf das Merkwürdigste. Es sind neben der ein halbes Jahrhundert später gehaltenen Rede Gottfried Benns die berühmtesten Sätze, die jemals über Else Lasker-Schüler geschrieben wurden:

> *Else Lasker-Schüler ist die jüdische Dichterin. Von großem Wurf. Was Deborah!*
> *Sie hat Schwingen und Fesseln, Jauchzen des Kindes, der seligen Braut fromme Inbrunst, das müde Blut verbannter Jahrtausende und greiser Kränkungen. Mit zierlichbraunen Sandälchen wandert sie in Wüsten, und Stürme stäuben ihre kindlichen Nippsachen ab, ganz behutsam, ohne auch nur ein Puppenschühchen hinabzuwerfen. Ihr Dichtgeist ist schwarzer Diamant, der in ihrer Stirn schneidet und wehetut. Sehr wehe. Der schwarze Schwan Israels, eine Sappho, der die Welt entzwei gegangen ist.*

Dieses Porträt der Dichterin ist bereits im Jahre 1902 entstanden und deshalb umso erstaunlicher: damals lag nur ihr erster Gedichtband *Styx* vor, in dem sich außer „Sulamith" kaum Verse von jüdischer Thematik finden. Peter Hille, wie wir noch sehen werden, hatte eine besondere Beziehung zu diesem Gedicht, und auch hier beruft er sich ausdrücklich darauf, einmal an der zitierten Stelle über 'der seligen Braut fromme Inbrunst', ein weiteres Mal in der Fortsetzung des Porträts, wo es heißt: „Else's Seele aber steht in den Abendfarben Jerusalems, wie sie's einmal so überaus glücklich bezeichnet hat."

Deshalb ist dieses Bild für die historische Wirklichkeit Else Lasker-Schülers nur von bedingter Gültigkeit. Zu deutlich sind in ihm die schwachen und die starken Seiten des Dichters Peter Hille zu erkennen, neben dem Kitsch der 'zierlichbraunen Sandälchen' und 'Puppenschühchen' die eindrucksvolle Stelle vom 'schwarzen Schwan Israels', dem die 'Welt entzwei gegangen ist'. Sie machen das Porträt zum Ausdruck seiner poetischen Wunschvorstellung von einer aus letzter Verzweiflung erwachsenen Leidenschaft, zum Gegenstück für Wunschvorstellungen der Lasker-Schüler selbst, die ihn später, im *Peter Hille-Buch,* zu ihrem Erlöser aus dieser Verzweiflung werden läßt.

Aber Hilles Worte haben Signalwert für uns. Wir werden den Schmerz, der in Else Lasker-Schülers früher Dichtung lebt, auch in ihrem Judentum zu suchen haben, und eine erste Spur findet sich bereits in „Weltende", dem oben zitierten Gedicht. „Du! wir wollen uns tief küssen —" heißt es dort: eine eigentümliche Mischung aus sinnlicher und religiöser Drangsal, aus physischer und metaphysischer Suche beherrscht diese Zeilen, im bleiernen Schatten der Todesfurcht verbinden sich die Liebe zu Gott und die Liebe zum Mann.

In die poetische Gestalt des Mannes, der hier angesprochen wird, ist auch Georg Levin einzubeziehen, den sie Herwarth Walden genannt hat und mit dem sie 1903 ihre zweite Ehe einging. „Weltende" ist in *Der siebente Tag* erschienen, ihrem zweiten Gedichtband, der 1905 in dem von Walden gegründeten Verlag des „Vereins für Kunst" herauskam, und es ist ihm gewidmet.

Als 1917 im Verlag der Weißen Bücher ihre *Gesammelten Gedichte* neu erscheinen, schreibt Else Lasker-Schüler statt der einfachen Widmung 'Herwarth Walden' die folgende Zeile: „H. W. Wilhelm von Kevlaar zur Erinnerung an viele Jahre." Denn zu diesem Zeitpunkt war die Ehe längst geschieden, und die Widmung konnte nur auf Vergangenes anspielen.

Aber die Zeile ist nichts weniger als sentimental. In aller Kürze gibt sie uns Einblick in das Leben und die Dichtung Else Lasker-Schülers und zeigt an, wie beide in den Symbolen ihrer poetischen Sprache immer wieder verflochten sind.

Der Name 'Wilhelm von Kevlaar' bezieht sich auf ein Gedicht aus der *Heimkehr* von Heinrich Heine, und Else Lasker-Schüler zieht hier den Titel des Gedichtes, „Die Wallfahrt nach Kevlaar", mit dem Namen seiner Hauptgestalt zusammen: Wilhelms Geliebte ist gestorben, und sein Herz ist erkrankt; die Mutter Gottes zu Kevlaar aber heilt jedes Glied, das man ihr aus Wachs gebildet spendet. Wilhelm bringt ihr ein wächsernes Herz — und sie heilt es, indem sie ihn sterben läßt und ihn im Tode wieder mit seiner Geliebten vereint.

Else Lasker-Schülers Widmung stellt eine in sich vollendete Weiterführung des Gedichtes „Weltende" dar. Sie nimmt das Motiv des Herzens wieder auf, das seinen Mittelpunkt bildet und weist damit auf eine andere Verbindung zwischen den einstigen Eheleuten hin — auf ihren Briefroman *Mein Herz,* dessen Thema ihre Trennung von Herwarth Walden war.

Die Briefe dieses Romans waren 1911 und 1912 zuerst im *Sturm* erschienen, in der kurz zuvor von Herwarth Walden gegründeten Zeitschrift des Expressionismus. Else Lasker-Schülers Beitrag zu dieser Zeitschrift stellt also gerade ihre Trennung von Walden dar und wirft einen Teil des Bildes um, das uns von der Dichterin überkommen ist: sie wäre eine Expressionistin gewesen, hätte zum *Sturm-*Kreis gehört und ließe sich von dorther in die deutsche Literaturgeschichte einordnen.

Die Korrektur, die der historische Ablauf hier notwendig macht, greift tief. Sie setzt an dem lange gehegten Irrtum an, Else Lasker-Schüler wäre 1876 geboren und deshalb mit Herwarth Walden (1878-1941 [?]) fast gleichaltrig gewesen: sie war es nicht.

Aber wie schon im Falle ihrer ersten Ehe mit Berthold Lasker muß uns auch die Tragik ihrer zweiten Ehe weniger in ihrer Intimsphäre als in ihrer symptomatischen Bedeutung für Else Lasker-Schülers künstlerischen Weg interessieren. Das Private ist schnell erzählt: die blonde Schwedin Nell war jünger als die Dichterin, mit ihr hat Herwarth Walden sie seit 1910 betrogen und 1912 endgültig verlassen. Wichtig aber ist das nicht, weil es Licht auf das Eheleben einer Frau und eines Mannes wirft, sondern weil es Else Lasker-Schülers Verhältnis zu einer ganzen Dichtergeneration betrifft – zur Generation des Expressionismus.

Als sie sich jünger machte, um Herwarth Walden zu gefallen, schob sie sich näher an diese Generation heran als sie es in Wirklichkeit war. Ihre berühmten Jahre in der Berliner Bohème des Cafés Größenwahn, die in *Mein Herz* geschildert sind, lagen im *ersten* Jahrzehnt des 20. Jahrhunderts, der Expressionismus aber war die literarische Bewegung des *zweiten* Jahrzehnts. Gottfried Benn hat ihr 1913 zwar sein Gedichtheft *Söhne* gewidmet – schon der Titel ist ja aufschlußreich – aber als sie sich ihm nach ihrer Trennung von Walden auch persönlich nähern wollte, hat er sich schnell von ihr distanziert.

Else Lasker-Schüler war den Expressionisten zu alt, und niemand hat das deutlicher gespürt als sie selbst. „Eine unumstößliche Uhr ist Berlin, sie wacht mit der Zeit, wir wissen, wieviel Uhr Kunst es immer ist. Und ich möchte die Zeit so gern verschlafen", heißt es in *Mein Herz* (GW II, 313-14): als die Generation der Expressionisten ihre Literatur zu schreiben beginnt, ist ihre eigene Zeit in mancher Hinsicht schon vorbei.

Else Lasker-Schülers Stellung zum Expressionismus ist aber auch von entscheidender Bedeutung für ihre Stellung innerhalb des deutschen Judentums. Denn diese Bewegung wurde von einer auffallend hohen Zahl junger deutsch-jüdischer Literaten und Intellektueller mitgetragen, für die Herwarth Walden ein typisches Beispiel ist. Schon als er im Jahre 1904 den „Verein der Kunst" gründete, in dem dann *Der siebente Tag* herauskam, wollte er damit ein Forum für junge, in Opposition zum Bürgertum stehende Künstler schaffen, und dem gleichen Ziel diente auch seine berühmt gewordene Zeitschrift *Der Sturm*.

„Herwarth Walden beging Fahnenflucht, nicht Ehebruch", schreibt sie nach der Scheidung an Karl Kraus (BKK, 48), und der Satz umreißt das Wesen ihrer Beziehung: nicht weniger als ein Liebespaar waren sie auch Genossen im Kampf gegen das Bürgertum, und in diesem Kampf haben sie später noch füreinander Partei ergriffen, als ihre Ehe längst auseinandergegangen war.

Zweimal war Else Lasker-Schüler mit jüdischen Männern verheiratet, und beide waren innerhalb des deutschen Judentums soziale Antipoden. Hatte sich der in den preußischen Ostprovinzen geborene Berthold Lasker seinen Weg in das deutsche Bildungsbürgertum erkämpft, so drängte der um achtzehn Jahre jüngere, schon in Berlin geborene Herwarth Walden aus dieser Gesellschaftklasse wieder heraus. Die Pendelbewegung, die die Geistesgeschichte des deutschen Judentums bestimmt, findet ihren Ausdruck auch in den beiden Ehemännern der Dichterin: während Berthold Lasker noch von den Idealen der Aufklärung getragen wurde, vom Glauben an das Bürgertum, das seinen Aufstieg ja dieser Aufklärung verdankte, war Herwarth Walden bereits das soziale Produkt einer enttäuschten Generation, die im wilhelminischen Deutschland an den späten Folgen der Niederlage trug, die das aufklärerische Bürgertum im Jahre 1848 erlitten hatte.

Die Bedeutung, die das Scheitern der bürgerlichen Revolution für die Geschichte des deutschen Judentums hatte, ist in der Einleitung hervorgehoben worden. Schon Else Lasker-Schülers Jugend, wie wir gesehen haben, stand im Schatten der westfälischen Stoecker-Bewegung, einer christlich-konservativen Reaktion des Kleinbürgertums gegen den Materialismus der Gründerjahre, der im Zusammenbruch dieser Revolution mitbegründet war. Nun wird deutlich, wie sehr auch ihre unglücklichen Eheversuche die Folgen geistiger Entwicklungen des 19. Jahrhunderts sind. In ihnen wollte sie zuerst mit dem bürgerlichen und dann mit dem antibürgerlichen Flügel des polarisierten deutschen Judentums in Verbindung treten, doch beide Versuche sind gescheitert: das nach 1848 politisch entmachtete Bildungsbürgertum war gezwungen, sich in einem Prozeß ständiger Verinnerlichung auf pseudo-idealistische Positionen zurückzuziehen – und Berthold Lasker, der sich als Außenseiter in eine bereits etablierte Gesellschaftsklasse einleben wollte, akzeptierte kritiklos auch die Illusionen dieser Klasse; neue Generationen in Deutschland aber nahmen am Ende des Jahrhunderts den Kampf gegen diese Illusionen auf, zunächst im Naturalismus, später in mehr oder weniger schwärmerischer Suche nach Geistigkeit, die in einer ihrer Varianten nicht zufällig 'Jugendstil' hieß, schließlich dann im Expressionismus, der aus der Qual der Verinnerlichung ausbrechen wollte – und Herwarth Walden, ein Mitglied dieser Bewegung, war führend an dem Kampf beteiligt.

Beide Möglichkeiten – das ist das Entscheidende – mußten für die Jüdin Else Lasker-Schüler scheitern. Als Berthold Lasker sich von seinem jüdischen Elternhaus trennte, um ein deutscher Bildungsbürger zu werden, hatte er sich von den geistigen Grundlagen seines Volkes abgewandt, die Else Lasker-Schüler nicht aufgeben konnte, und aus dem gleichen Grunde war sie auch unfähig, sich restlos mit der antibürgerlichen Bewegung des Expressionismus zu identifizieren: die jüdischen Expressionisten, nicht weniger als die jüdischen Sozialisten der vorigen Generationen, wollten der gesamten Menschheit dienen; sie hatten sich nicht nur von der Gesellschaftsklasse losgesagt, aus der sie stammten, sondern auch von ihrem Judentum. Kurt Hiller hat für viele seiner Formen, die ihm nicht genehm waren, schmähende Worte gefunden; Alfred Döblin, als junger Mann aller Religionen entfremdet, trat im Alter zum Katholizismus über; und die neun Buchstaben des Dichternamens van Hoddis lauteten in ihrer ursprünglichen Reihenfolge Davidsohn – aber das hatte zu jüdisch geklungen.

Auch Walden hat seine Leidenschaft für die Menschheit sehr bald entdeckt, zuerst in der Nichtjüdin Nell – sein Roman aus dem Jahre 1916, *Das Buch der Menschenliebe,* ist ihr gewidmet – und später, während der dreißiger Jahre, in der Sowjetunion: dorthin ging er als Sprachlehrer, um das neue Menschheitsparadies aus der Nähe kennenzulernen, und dort ist er zu Beginn des Zweiten Weltkriegs in den Vernichtungslagern Josef Stalins verschollen.

Das war sein späterer Lebenslauf, der aber schon eine andere Tragik beleuchtet, nicht mehr die Tragik Else Lasker-Schülers. Ihr Abschied von Herwarth Walden bleibt in der letzten Ironie ihrer Widmung des Gedichts „Weltende" beschlossen: sie nennt ihn 'Wilhelm von Kevlaar' und spielt nicht nur auf ihr Herz an, das er zurückgelassen hat, sondern auch auf Heinrich Heine, der von den Schmerzen des deutsch-jüdischen Kosmopoliten dichtet.

Die Voraussage, die Moses Hess 1862 in seinem Buch *Rom und Jerusalem* gemacht hatte, war eingetroffen: wer in der Judenfrage eine letzte Nationalitätsfrage sah, durfte ihre Lösung nicht vom emanzipierten Judentum des Westens erwarten. Die Emanzipation galt nur für Einzelpersonen, die im Staatsgefüge ihre Gleichberechtigung erhielten, nicht aber für in sich abgeschlossene Menschengruppen. Sie hatte daher die Entfremdung von einem ursprünglichen jüdischen Kollektivgefühl zur Folge, und nirgends war dieser Atomisierungsprozeß deutlicher hervorgetreten als in Deutschland. Der politische Antisemitismus der Gründerjahre war auch eine Funktion der Wirtschaftslage des Reiches gewesen, und als diese sich festigte, nahm der Einfluß Stoeckers und anderer Agitatoren gegen Ende des Jahrhunderts zusehends ab. Es blieb nur ein sozialer Antisemitismus bestehen, und gerade der förderte die Tendenz zur Assimilation, weil die vereinzelten Juden ihren Ausschluß vom deutschen Gesellschaftsleben am ehesten durch persönliche Anpassung zu überwinden hofften.

Deshalb darf man das Auseinanderbrechen des deutschen Judentums in einen bürgerlichen und einen radikalen Flügel nicht mit der Dialektik von Assimilation und Absonderung verwechseln, die in der Einleitung dargestellt wurde. Um die Jahrhundertwende hatte die Assimilation das eindeutige Übergewicht gewonnen: Berthold Laskers Bürgertum und Herwarth Waldens Radikalität, so sehr sie sich auch voneinander unterscheiden mögen, sind zwei ihrer Spielarten, denn beide führen ihre Verhaltensweisen nicht auf ihr Judentum, sondern auf ihre Zugehörigkeit zu der einen oder anderen sozialen Gruppe innerhalb der deutschen Gesellschaft zurück.

In der historischen Perspektive wird die Täuschung sichtbar, die dieser Assimilation zugrundelag: die Auflösung des jüdischen Kollektivs, dem man durch individuelles Ausscheiden zu entkommen glaubte, konnte jederzeit rückgängig gemacht werden, und als man es nach 1933 in Deutschland so wollte, wurde das Judentum auch in seiner assimiliertesten Form zur strafbaren Eigenschaft. Aber aus der historischen Erfahrung nur abzuleiten, *daß* Deutschlands Juden sich getäuscht haben, wäre eine billige Lehre; wichtiger und sinnvoller ist eine Antwort auf die Frage, *wie* es zu dieser Täuschung gekommen ist.

Dabei darf von der Voraussetzung ausgegangen werden, daß die Wurzeln der Täuschung auf dem bürgerlichen, nicht auf dem radikalen Flügel zu suchen sind. Denn die Radikalisierung des deutschen Judentums — im sozialistischen Lager nicht weniger als in der künstlerischen Avantgarde — hat erst in Reaktion auf die Verbürgerlichung stattgefunden und bildet daher eine zweite Phase der Assimilation.

Wie der jüdische Anschluß an das deutsche Bürgertum gedanklich zu begründen war, läßt sich bei dem Philosophen Hermann Cohen (1842-1918) nachlesen. Er war der Begründer des Neukantianismus in Deutschland, und es ist bezeichnend, daß ein Jude im Bismarckreich dieses auf Kant fußende, vom Gedankengut der Aufklärung und des Idealismus getragene System geschaffen hat: auf diesen Prämissen hatte sich die Emanzipation des deutschen Judentums einst angebahnt, und auf diesen Prämissen fand sie auch ihre geistige Vollendung.

Hermann Cohen verstand sich als ein Teil der deutschen Kulturnation, und dieses Gefühl hat er schon früh, in seiner Schrift *Ein Bekenntnis in der Judenfrage* aus dem Jahre 1880, zum Ausdruck gebracht. Die Schrift entstand, als der Streit zwischen Heinrich Graetz und Heinrich von Treitschke entbrannt war, und Cohen nimmt dort Stellung gegen Graetz und das von ihm vertretene jüdische Nationalgefühl. „Auf dieser Bahn liegt nichts Gesundes. Von dieser Bahn muß abgelenkt werden", schreibt er auf Seite 16 und wendet sich rigoros von der historischen Dialektik ab, aus der Graetz' Geschichtswerk zu verstehen ist: „Habet auch, wenn und da ihr deutsche Gelehrte sein wollt, ein natürliches Gefühl für deutsche Art und deutsche Größe. Dann wird historische Objektivität in euch kommen."

Wohin ihn seine historische Objektivität führt, wird 35 Jahre später noch deutlicher. Nach Ausbruch des Ersten Weltkrieges leistet er mit vielen seiner akademischen Zunftgenossen den deutschen Truppen geistige Schützenhilfe und versucht auch die Juden in Deutschlands Kriegsanstrengungen einzubringen. In seiner Schrift *Deutschtum und Judentum* aus dem Jahre 1915 verficht er nicht nur ein deutsches, sondern auch ein spezifisch protestantisches Gedankengut, auf das sich das Bildungsbürgertum seit Bismarcks kleindeutscher Lösung eingeengt hatte. Auf Seite 9 dieser Schrift heißt es:

Mit der Reformation tritt der deutsche Geist in den Mittelpunkt der Weltgeschichte. Darüber muß es unter uns endlich einmal zur unumwundenen Klarheit kommen ... Für geschichtlich-religiöses Denken muß es unzweifelhaft sein, daß der geschichtliche Geist des Protestantismus unabhängig ist von dem Verlaufe der Reformation in Wittenberg, geschweige von seinen unmittelbaren Fortsetzungen. Der Jude, wie der Katholik, muß mit der geschichtlichen Einsicht und Unbefangenheit sich durchdringen, daß mit der Tendenz der Reformation — und diese allein ist entscheidend für ihren geschichtlichen Begriff — in alles religiöse Denken und Tun gleichsam der Lichtstrahl der Idee, und zwar der Idee als Hypothese, in das religiöse Gewissen einfällt.

Graphisch zeichnet der Abschnitt den Weg der Verinnerlichung nach, den der deutsche Geist seit der Reichsgründung gegangen war: hier wird Deutschlands Reformation zum geistigen Mittelpunkt der Weltgeschichte erhoben und der Rückzug auf eine 'Idee als Hypothese' vorgeführt, die der historischen Wirklichkeit, so sehr sie auch von ihr abweichen mag, immer überlegen bleibt.

Dieser Idee aber — auch das sagt der Abschnitt — soll sich der Jude unterwerfen. Bei Cohen werden die späten Folgen der jüdischen Annäherung an die deutsche Kultur sichtbar, die Moses Mendelssohn eingeleitet hatte, und zugleich der Grund, weshalb es so gekommen ist: als Mendelssohn zwischen den Kulturen vermittelte, tat er es im Zeichen der Aufklärung, die damals ihren Siegeszug anzutreten schien, und er konnte nicht wissen, daß sie in der Mitte des 19. Jahrhunderts gerade in Deutschland ihre Niederlage erleiden würde. Hermann Cohen dagegen ist in der Generation nach dieser Niederlage aufgewachsen, und wie viele Mitglieder des Bildungsbürgertums, dessen Weltanschauung er mitgestaltete, verschloß auch er sich vor der Tatsache, daß das Gedankengut, aus dem die jüdisch-deutsche Annäherung ursprünglich erwachsen war, in Deutschland seither nur noch ein Schattendasein führte.

Das hatte eine weitere Folge, die der zitierte Absatz ebenfalls deutlich macht: die Idee, die in Deutschlands protestantischem Geist angeblich zum Ausdruck kam, wurde zu einer hypothetischen Idee, die sich nicht an der Wirklichkeit zu messen brauchte und deren erdachtem Einfluß daher auch keine Grenzen gesetzt waren. Was Hermann Cohen als das Ergebnis philosophischer Arbeit vorlegte, war eine Grundüberzeugung des assimilierten jüdischen Bürgertums in Deutschland — daß deutsche Kultur den höchsten Stand menschlicher Entwicklung repräsentiere, und daß der jüdische Anschluß an diese Kultur ein unbedingtes Ziel sei.

Der Jude, dem dieser Anschluß gelang, war geistig gerettet — das ist der Trugschluß, der der bürgerlichen Assimilation in den Generationen vor Hitlers Machtergreifung zugrundelag. Er erklärt das prekäre Verhältnis, in dem sich Else Lasker-Schüler zu diesem assimilierten Judentum befand: während der radikale Flügel sein Heil außerhalb der jüdischen Tradition suchte, glaubte das deutsch-jüdische Bürgertum sein Heil schon gefunden zu haben und fühlte sich vom Werke einer Dichterin, das von der Sehnsucht eines unerlösten Judentums getragen wurde, kaum angesprochen.

Else Lasker-Schülers einsame Position zwischen jüdischem Bürgertum und jüdischer Radikale reflektiert die Spätphase der deutsch-jüdischen Dialektik. Hatte das jüdische Kollektiv, bis zur Reichsgründung um seine Emanzipation kämpfend, auf die zyklischen Rückschläge in diesem Kampf kollektiv reagiert, so glaubte es nach der Reichsgründung seine Emanzipation erreicht zu haben und sich auflösen zu dürfen: es wollte Rückschläge kaum mehr wahrhaben und weigerte sich, kollektiv zu reagieren.

Was bei Moses Mendelssohn in der Hoffnung auf die rettende Kraft der Aufklärung begonnen hatte, wird bei Hermann Cohen zur Illusion dieser rettenden Kraft. Und wie bei vielen bürgerlichen Denkern erschüttert auch bei ihm erst der Zusammenbruch des Kaiserreiches diese Illusion. Sein unvollendetes Spätwerk *Religion der Vernunft aus den Quellen des Judentums* muß als ein Dokument für den später noch zu beschreibenden Wandel des deutsch-jüdischen Selbstverständnisses gelten, der durch den Ersten Weltkrieg ausgelöst wurde.

Mendelssohns Beginn fand bei Cohen seine problematische Vollendung, und die historische Perspektive läßt eine erschreckende Parallele zwischen ihnen erkennen. Während sie darum bemüht waren, einen kleinen Teil des jüdischen Volkes an den deutschen Kulturkreis zu binden, war jenseits der Ostgrenzen Deutschlands ein weitaus größerer Teil dieses Volkes der ständigen Existenzgefahr ausgesetzt, die ihn weder Mendelssohns Hoffnung noch Hermann Cohens Illusionen teilen ließ. Es war die Existenzangst des Ostjudentums gewesen, die Mendelssohns Haskalah-Bewegung ihren Anstoß gegeben hatte, und Pogrome, die zu Beginn des Jahrhunderts in Kischinew einen ihrer traurigen Höhepunkte erreichten, begleiteten auch die Spätphase der deutsch-jüdischen Assimilation. Ein großer Flüchtlingsstrom bewegte sich nach Westen, für den Deutschland nur eine Durchgangsstation war, und er machte auch die zweite Voraussage wahr, die schon in Moses Hess' *Rom und Jerusalem* steht: daß die jüdische Sehnsucht nach Erlösung ihren Träger nicht im emanzipierten Judentum des Westens, sondern im unterdrückten Judentum des Ostens finden würde.

Um die Jahrhundertwende begann ein Mann seine Arbeit, der Deutschlands Judentum mit dieser im Osten beheimateten Erlösungssehnsucht bekanntmachen sollte — Martin Buber (1878-1965) legte *Die Geschichten des Rabbi Nachman* und *Die Legende des Baal-schem* vor, seine ersten chassidischen Bücher. Daß Else Lasker-Schüler auch zu dieser mit Bubers Namen verbundenen jüdischen Renaissance in Deutschland keine Beziehung fand, ist der vielleicht unglücklichste Aspekt ihrer Lebenstragik. Wir werden ihr immer wieder begegnen und müssen der Spannung nachgehen, die zwischen der Dichterin und dem Philosophen bestand.

Martin Buber war für seine Vermittlerrolle zwischen östlichem und deutschem Judentum einzigartig vorbereitet. In Galizien geboren, wo Aufklärung und Chassidismus eine enge Verbindung eingegangen waren, hatte er bei seinem Großvater, dem Schriftgelehrten Salomon Buber, eine gründliche jüdische Ausbildung erhalten, bevor er zuerst in Wien und dann in Berlin das Studium aufnahm, wo er bei Dilthey und Simmel hörte. Er kam mit den Bewegungen der jungen deutschen Dichtergeneration in Berührung — seine kurze Mitgliedschaft in der „Neuen Gemeinschaft" der Gebrüder Hart wurde bereits erwähnt — schloß sich dann aber der soeben von Theodor Herzl gegründeten zionistischen Bewegung an und übernahm in Wien die Redaktion der Zeitung *Die Welt*. Dort geriet er schnell in Gegensatz zu Herzl, weil er weit mehr an der geistigen als an der politischen Seite des Zionismus interessiert war, und gab bald alle Parteiarbeit auf, um sich seit 1902 dem Studium des Chassidismus zu widmen.

Im Jahre 1908 legte er sein Buch über den Baalschem vor, der der Begründer dieser Erweckungsbewegung gewesen war. In der Einführung zu diesem Buch heißt es: „Ich berichte nicht die Entwicklung und den Verfall der Sekte, ich beschreibe nicht ihre Gebräuche. Ich will nur das Verhältnis zum Absoluten und zur Welt mitteilen, das diese Menschen dachten, wollten und zu leben versuchten. Ich zähle auch nicht die Daten und Tatsachen auf, deren Zusammenfassung die Biographie des Baalschem zu nennen wäre. Ich baue sein Leben aus seiner Legende auf, in der der Traum und die Sehnsucht eines Volkes sind."

Die Weise, in der Buber an die Darstellung des Chassidismus geht, bietet einen merkwürdigen Vergleich zu Else Lasker-Schülers *Peter Hille-Buch*. Auch die Gefolgschaft, in die sie dort nach ihrer mythischen Begegnung mit dem Dichter tritt, meint ein solches 'Verhältnis zum Absoluten', auch sie baut Hilles Leben aus seiner Legende auf, in der ein Traum und eine Sehnsucht sind — doch freilich gibt es hier einen entscheidenden Unterschied: nicht der Traum und die Sehnsucht eines Volkes scheint es zu sein, sondern nur der Else Lasker-Schülers selbst. Es ist ein Unterschied, bei dem es länger zu verweilen lohnt. Beide, Else Lasker-Schüler und Martin Buber, haben auf ihrem Lebensweg die „Neue Gemeinschaft" berührt, aber während Buber bald auf die sehr viel wirksamere Gemeinschaft des Chassidismus seiner östlichen Heimat zurückgriff, hat Else Lasker-Schüler eine solche Alternative nicht besessen. Im assimilierten Judentum ihres Elternhauses aufgewachsen, vom assimilierten Judentum ihres ersten Ehemannes Berthold Lasker abgestoßen, hat sie erdichtet, was ihr die „Neue Gemeinschaft" nicht wirklich gegeben hat: da sie von keinem Baalschem zu erzählen hatte, baute sie ihre Begegnung mit dem Dichter Peter Hille zur Legende ihrer eigenen Erlösung aus.

Wie ambivalent sie zwischen den erwachenden Aspirationen ihres jüdischen Volkes und der Erlösergestalt ihrer Dichtung stand, zeigt ein Kapitel des *Peter Hille-Buches,* das den Titel „Petrus und die Jerusalemiter" trägt:

Einige Tage nach dem großen Wotanfeste besuchten uns Ben Ali Brom und die anderen Jerusalemiter; sie waren wieder in ihrer Heimat gewesen und brachten Petrus und mir Geschenke, Feierkleider und seidene Tücher, geschnitzte Kästchen und Schmuck aus Zedernholz und verzuckerte rote Rosen und andere Näschereien. Und barfuß kamen sie, wie zur Pilgerfahrt. Und Petrus redete viele sonnige Worte mit ihnen. Aber vom Walde her eilten die Jünglinge herbei, die hatten die Wünsche der Juden vernommen und fürchteten Petrus würde sie erfüllen und ihnen voranziehen ins verlorene Land ihrer Väter. Aber er antwortete ihnen: „Wer seine Heimat nicht in sich trägt, dem wächst sie doch unter den Füßen fort." Aber der jüngste der Fremdlinge setzte mir seinen Turban auf, und eine Trauer kam über mein Leben, wie die Schwermutwolke über den Goldhimmel, und meine Hände sehnten sich, mit Sternen zu spielen. „Sieh, Deiner Freundin Augen stehen gen Osten," riefen die Jerusalemiter. Und Petrus schwankte, aber seine Lieblinge lachten über ihre göttliche List — und sie nahmen heimlich ihre Harfen und spielten darauf Mißtöne statt der Lieder lieblicher Zebaothländer. Und Petrus schalt sie. Und wir beide zogen auf die Berge und saßen auf den Gipfeln wie auf dem Buckel großer Dromedare. Sein Bart

wehte — eine Königsfahne. Und in der Ferne sahen wir die Jünglinge
trotzigen Hauptes heimwärts ziehen; ihnen zur Rechten und Linken
gingen die Dichter mit den Turbanen, ihre Gebärden erzählten von
Wundern.
(*Das Peter Hille-Buch,* GW II, 45-6)

Ob ihre Augen in dieser Szene wirklich gen Osten stehen, ist schwer
zu sagen; das behaupten nur die Jerusalemiter. Wie eine Schwermutwolke legt sich ihr Anspruch an Else Lasker-Schüler über den Goldhimmel ihrer erdichteten Erlösung, und sie flieht vor ihm auf
die Berge — aber noch aus der Entfernung nimmt sie die Wunder
wahr, von denen ihre Gebärden erzählen.

Tatsächlich sind Else Lasker-Schüler und Peter Hille einmal gemeinsam und auf eine sehr aufschlußreiche Weise in Beziehung zum
organisierten Judentum getreten. Im Jahre 1901 gründete Leo Winz,
eine umstrittene Randgestalt der zionistischen Bewegung, in Berlin
die illustrierte Monatsschrift für modernes Judentum *Ost und West.*
Im Juniheft des ersten Jahrganges erschien Else Lasker-Schülers Gedicht „Sulamith", in dem die Braut des *Hohenliedes* um ihren Geliebten klagt — und zwei Monate später, im Augustheft 1901, bringt die
Zeitschrift einen dramatischen Dialog unter der Überschrift „Hirten-
liebe, Biblische Szene von Peter Hille": dort sucht Sulamith in den
Straßen Jerusalems weinend ihren Freund, der schließlich wieder
auftaucht und sie glücklich macht.

Hilles besonderes Verhältnis zu dem Gedicht „Sulamith", das
auch in seinem Porträt von Else Lasker-Schüler zu spüren ist, findet
hier deutlichen Ausdruck. Die Szene ist sehr schwach und durchaus
kein ebenbürtiges Gegenstück zu dem Gedicht, auf das es eine
Antwort sein will. Aber sie bestätigt das erdichtete Verhältnis zwischen Else Lasker-Schüler und Peter Hille — er ist ihr Tröster in der
Verzweiflung und tritt seiner Sappho, der die Welt entzwei gegangen
ist, heilend entgegen. Seine biblische Szene spiegelt die Bilder wider, die sie voneinander entwerfen: Hilles 'seliger Braut fromme Inbrunst', wie es in seinem Porträt von der Dichterin heißt, und zugleich auch Else Lasker-Schülers Petrus, mit dem sie in die Berge
geht, um den Jerusalemitern zu entkommen.

Zu den Hauptströmungen der geistigen Renaissance des Judentums, die nun in Deutschland einsetzt, findet sie kaum Kontakt, und

das Mißverhältnis ist gegenseitig. Nach seinem Rückzug von der zionistischen Parteiarbeit wurde Martin Buber im Jahre 1902 zu einem der Mitbegründer des Jüdischen Verlages, der sich durch seine Veröffentlichungen jüdischen Kulturgutes als ein Bindeglied zwischen östlichem und westlichem Judentum verstand. Aber sein *Jüdischer Almanach,* der als erstes Buch erschien und auch später aufgelegt wurde, enthält keinen Beitrag von ihr, und eine Anthologie moderner jüdischer Dichtung, die der Verlag unter dem Titel *Junge Harfen* herausbrachte, nahm selbst im Jahre 1914 noch keine Notiz von den Versen Else Lasker-Schülers.

Aus der Zeit vor dem Ersten Weltkrieg ist uns ein kurzer Briefwechsel zwischen ihr und Martin Buber erhalten. Er war lange im Ausland gewesen und erst um 1910 nach Berlin zurückgekehrt. Gegegen Ende des Jahres 1913 stellte Franz Werfel eine Verbindung zwischen ihnen her, und im Januar 1914 besuchte sie ihn. In seinem Hause muß es zu einem Zerwürfnis gekommen sein, von dem ihr undatierter Brief aus diesen Tagen Zeugnis gibt:

> *Verehrter Herr von Zion.*
> *Ein Wolf war bei Ihnen — ein Oberpriester mit gepfeilten Zähnen, ein Basileus mit einem Wildherzen, eine Faust die betet, ein Meer ohne Strand, ein Bett das sich auftrank — und — Sie sprachen von Literatur — Sie lasen Gedichte und ich mag das nicht. Sie schämen sich, daß George Jude ist — und sind der Herr von Zion? Ich* hasse *die Juden, da ich David war oder Joseph — ich hasse die Juden, weil sie meine Sprache mißachten, weil ihre Ohren verwachsen sind und sie nach Zwergerei horchen und Gemauschel. Sie fressen zu viel, sie sollten hungern.*
> *Ich verachte die Welt und war bei Ihnen und oft mit Cynismus. Lieb und herb, gütige Akazien sind Ihre Kinder wie die zarten Bäume, die bei uns im Garten standen. — Sie sind bös? Und spreche doch die Wahrheit und schreibe mit Ekel und Abscheu und Einsamkeit und* Rührung.
> *Ihr Prinz von Theben.*
> *Ihrer Frau Bayerin meine herzlichen Grüße!*
> (BR I, 117)

Der Ton dieses Briefes ist sehr merkwürdig, und wir werden auch an anderen Stellen noch auf ihn zurückkommen. Scharf rückt er die

Überschneidung von Dichtung und Leben in den Blick, die sich bei Else Lasker-Schüler immer wieder beobachten läßt. Sie spricht in poetischen Bildern von sich selbst, sieht sich als Oberpriester mit gepfeilten Zähnen, als betende Faust, als Meer ohne Strand, und deutet damit auch einen Grund für ihre Entfremdung von zeitgenössischem Judentum an: sie haßt es, weil es diese Sprache mißachtet, weil es den symbolischen Ausdruck nicht verstehen will, den ihre jüdische Existenz sucht – und möchte doch zugleich einlenken, spricht nicht nur von ihrem Ekel und von ihrer Abscheu, sondern auch von ihrer Einsamkeit und ihrer Rührung.

Und Martin Buber, dessen Lebenswerk ja ebenfalls als Aufrüttelung des zeigenössischen Judentums zu verstehen ist, als ständiger Versuch, seiner Existenz einen Sinn zu geben – wie reagierte er auf diesen Brief? „Sie hassen die Juden, weil sie Ihre Rede nicht hören oder nicht aufnehmen? Das ist schade. Ich meine, man sollte sich mehr darum bekümmern, wie man die Welt hört, als wie sie einen hört", lautete seine philosophische Antwort vom 17.1.1914, und es verbarg sich mehr als akademische Distanz hinter diesen Zeilen. Buber formulierte hier den eigenen Weg, auf dem er dem Problem seines Judentums begegnete, und der Vergleich zu Else Lasker-Schüler ist wichtig, wenn man ihre einsame Stellung zwischen den Lagern verstehen will.

Es waren die Jahre, in denen er an seinen *Reden über das Judentum* arbeitete. Die zweite dieser Reden war 1910 entstanden und trug den Titel „Das Judentum und die Menschheit". Dort heißt es:

> *Der Mensch erlebt die Fülle seiner inneren Wirklichkeit und Möglichkeit als eine lebendige Substanz, die nach zwei Polen hinstrebt; er erlebt seinen inneren Weg als eine Wanderschaft von Kreuzweg zu Kreuzweg. Die beiden Gegensätze, zu denen es im Menschen hinstrebt, mögen noch so wechselnde Inhalte und Namen haben ... die Grundform selbst bleibt unverändert, eines der wesentlichen, bestimmenden Urdinge des Menschenlebens, ja vielleicht das wesentliche unter allen, da sich darin das Mysterium der Urzweiheit und damit die Wurzel und der Sinn alles Geistes ausspricht. In keinem Menschen aber war und ist diese Grundform so stark, so beherrschend, so zentral, wie sie im Juden war und ist. Nirgends hat sie sich so rein und restlos verwirklicht, nirgends hat sie so bestimmend auf Art und Schicksal gewirkt. Nirgends hat sie etwas so Un-*

geheures, so Paradoxes, so Heroisches, so Wunderbares geschaf-
fen wie dieses Wunderbare: das Streben des Juden nach Einheit.
Das Streben des Juden nach Einheit ist es, was das Judentum
zu einem Phänomen der Menschheit, die Judenfrage zu einer
menschheitlichen Frage macht.
(Martin Buber, *Reden über das Judentum,* Frankfurt am Main
1923, S. 22-3)

Die Einheit der Welt aber, nach der der heutige Jude strebe — das
wäre nach Buber schon die geistige Wirklichkeit des Juden in der Antike gewesen. In der zitierten Rede heißt es wenig später:

Für den antiken Juden ist die Welt nicht aufgeteilt; auch der
Mensch ist für ihn nicht aufgeteilt, sondern er ist geschieden, gefal-
len, unzulänglich geworden, gottungleich geworden. Das objektive
Dasein ist für ihn einheitlich, Satan ein Diener Gottes. Gespalten
ist das Subjektive, die äußere Welt aber nur dessen Symbol.
(S. 24)

Als David und Joseph bezeichnet Else Lasker-Schüler sich in ihrem
Brief an Martin Buber — und er sieht die antike Welt Josephs und Davids im Zeichen der göttlichen Einheit; ein gedichtetes Judentum
führt zur Spaltung zwischen ihr und anderen Juden — er aber sieht
die Spaltung als ein äußeres Symbol subjektiver Zerrissenheit. Es
sind verschiedene Welt-Anschauungen, die in seinem Rat an sie zum
Ausdruck kommen, sich mehr darum zu bekümmern, „wie man die
Welt hört, als wie sie einen hört", und wieder meint man die Sicherheit einer Lebenshaltung zu spüren, die Buber seinem Verhältnis zu
der harmonischen Glaubenswelt des Chassidismus verdankt. Sie
hatte schon seiner von Else Lasker-Schülers *Peter Hille-Buch* so verschiedenen *Legende des Baalschem* zugrundegelegen und erklärt
noch die merkwürdige Fortsetzung, die Bubers Brief vom 17.1.1914
an dieser Stelle nimmt: „. . . und wer sich gar nicht mehr darum be-
kümmert, wie ihn die Welt hört, der wird aufschauend Gottes lau-
schenden Kopf im Fenster seiner Stube erblicken."
   Aber hinter seiner Antwort läßt sich doch mehr erkennen als die
aus Sicherheit erwachsende Ablehnung eines impulsiven Gefühls-
ausbruchs. Martin Buber *mußte* Else Lasker-Schülers unreflektierte
Emotionen abweisen, weil sich in ihnen ein Angriff formulierte, der

seine in langen Studienjahren mühsam erworbene Lebenshaltung zu unterhöhlen drohte. Im Streben nach Einheit, das seine Reden als einen Grundzug des Judentums definierten, drückte sich in Wirklichkeit sein Wunschdenken aus, das weniger den Weg beschrieb, den das Judentum dieser Jahre ging, als den Weg, den dieses Judentum gehen sollte; und die Reden, in der Sprache des deutschen Judentums verfaßt, hielt er nicht vor den assimilierten Juden im deutschen Reich, sondern in Prag: nur an diesem Vorposten der deutschen Kultur, der an die Zentren des Ostjudentums grenzte, fand sich im jüdischen Studentenverein Bar Kochba am Vorabend des Ersten Weltkrieges eine Gruppe junger deutschsprachiger Juden, die ihren Lebensweg auf jüdische Grundlagen im Sinne Martin Bubers stellen wollten.

In Berlin jedoch, dem Herzen der jüdisch-deutschen Assimilation, begegnete ihm in Else Lasker-Schülers zerrissener Gestalt und in den deutschen Worten ihrer Dichtung die andere, erschreckende Möglichkeit: daß gerade in Deutschland, dem Ort, an dem das Judentum seinen wirksamsten Anschluß an die westliche Kultur gewonnen hatte, die jüdische Suche nach Einheit nicht im Zusammenschluß, sondern im endgültigen Auseinandersprengen dieses in alle Welt zerstreuten Volkes enden könnte. Der Möglichkeit war sich auch Buber bewußt, aber in seiner Antwort wich er ihr aus, so gut es ging. „Sie würden sich vergeblich bemühen, meinem Gefühl für Ihr Dasein auch nur ein Fünkchen zu nehmen", lauten die Eingangsworte seines Briefes vom 17.1.1914. „Ich bin also gar nicht 'bös', auch nicht über die Absurdität, die Sie mir George gegenüber andichten. Können Sie wirklich nicht begreifen, daß jemand, der das Judentum mit Zorn und Sehnsucht liebt, die Methode nicht mitmacht, Leute zu Juden zu ernennen, die es nicht sind?"

Mit dem offensichtlichen Argument, daß man Stefan George nicht willkürlich zum Juden machen könne, wehrt Buber die Dichterin ab; sein 'Gefühl für ihr Dasein', heißt es, leide deshalb keinen Abbruch. Aber als er gleich darauf von seiner sehnsüchtigen Liebe für die Juden spricht und von seinem Zorn auf dieses Volk, deutet auch er eine Ambivalenz gegenüber seinem Ursprung an, die er auf dem Wege des Philosophen zu überwinden sucht: in Else Lasker-Schüler und Martin Buber stehen sich verschiedene Auffassungen vom Judentum gegenüber, und ihr Zusammenstoß läßt die Problematik dieses Judentums von ihrem jeweils anderen Standpunkt

84

deutlich werden — bei Buber zurückgehaltener und scheinbar durchdachter, bei Else Lasker-Schüler in greller Sichtbarkeit und ungehemmtem Schmerz.

Die Lebenswerke Martin Bubers und der Lasker-Schüler sind aufs tiefste mit der deutsch-jüdischen Tragik verbunden, und gerade deshalb ist die Distanz zwischen ihnen auch ein Maß der Einsamkeit, unter der die Dichterin litt. Am schärfsten wird diese Qual in ihren familiären Verhältnissen spürbar, zu ihren voneinander so völlig verschiedenen Ehemännern Berthold Lasker und Herwarth Walden, zuletzt aber auch in ihrem Verhältnis zur eigenen Familie, aus der sie entstammte.

Im Jahre 1909 starb ihr Onkel Leopold Sonnemann, dessen journalistische und politische Karriere alle Hoffnungen erfüllt hatte, die bürgerlicher Liberalismus auf eine jüdische Emanzipation in Deutschland setzen konnte. Er war 78 Jahre alt bei seinem Tode, um eine ganze Generation älter als seine Nichte, und der Bruch mit dem Bürgertum, den sie vollzog, mußte ihm fremd bleiben. In der Tat scheint ihr berühmt-berüchtigter Lebenswandel in der Berliner Bohème seinen Unwillen erregt zu haben, und in ihren Briefen ist uns eine interessante Reaktion auf seine Ermahnungen erhalten. In einem Schreiben vom 6.11.1909 an den englischen Germanisten Jethro Bithell heißt es dazu:

> *Sie sind der vornehm denkenste König, den ich fast kenne — ich empfinde das mit größter Sicherheit; da Sie meine Briefe auffassen wie sie sind mit meinem Blut geschrieben das schon Noah gepflanzt hat — das aber nur jetzt durch Gossen fließt und trüb aussieht oder bestäubt — im Kelch gereicht. So ist mein Fließen — ich bin bange bald ist es aus. Haben Sie gelesen mein Onkel in* Frankfurt Main, *dem die* Frankfurter Zeitung *gehört 'Sonnemann' ist gestorben — vielleicht hat er meiner gedacht, da er mir seit Jahrtausenden in den letzten Wochen schrieb — ich tat nicht nach seinem Willen und er schämte sich meiner. Das muß gerochen werden, so wahr ich Tino von Bagdad bin, so wahr ich die Dichterin von Arabien bin, ich schwöre es Dir, lieber König von Manchester, er schämte sich — bei Mohameds Gürtel es ist wahr, ich schwöre es Dir bei der weißen Taube. Ich sage Dir er kommt jeden Abend, nun ist er wieder vor der Thür — und möchte mit mir reden — Ich sitze wie ein steinerner*

Papst, ein kaltes Götzenbild mit tausend Fratzen, vielarmigver-
schlungenen Armen, die sich nicht heben zur Versöhnung — und
bin voll Demut sonst aus Mißachtung und Mitleid. — Glaubst Du
das wär wirklich wahr, daß er immer an die Thüre pocht, was ich
denke ist doch immer wahr.
(BR I, 40-41)

Wie auch später in ihrem Brief an Martin Buber führt sie ihre eigene
Existenz auf eine biblische Vergangenheit zurück, spricht von ihrem
Blut, das schon Noah gepflanzt hätte und das jetzt verschmutzt durch
Gossen fließe — und schreibt dann von ihrem Onkel, der sich ihrer
geschämt habe; deutlich ist Leopold Sonnemann hier als Repräsentant des bürgerlichen, assimilierten Judentums gezeichnet, das die
in altem jüdischen Erbgut wurzelnde Tiefe der Dichterin verkennt.

Überraschend aber ist die phantastische Strafe, die sie für seine
Seichtheit erfindet. Sie zieht sich hinter Masken zurück, in Un-
kenntlichkeit und Unantastbarkeit, wird zur Dichterin Arabiens,
zum steinernen Papst, zum kalten Götzenbild, nimmt nacheinander
die Symbolgestalten der anderen Weltreligionen an, des Islam, des
Christentums, und alle stehen dem Juden feindselig gegenüber:
selbst die 'vielarmigverschlungenen Arme' des Buddha heben sich
nicht zur Versöhnung.

In den Masken fremder Religionen, die sie ihrem Onkel abwehrend
entgegenhält, erreicht Else Lasker-Schülers Entfernung vom Judentum ihren weitesten Punkt. Und eine Frage, die schon der Vergleich zwischen ihrem *Peter Hille-Buch* und Martin Bubers *Legende
des Baalschem* aufgeworfen hat, stellt sich erneut: sind die Erlösergestalten ihrer Dichtung auch ein Ausdruck kollektiver, jüdischer
Sehnsucht — oder nur die Phantasiegebilde einer ihrem Ursprung
entfremdeten, seelisch vereinsamten Dichterin? Fehlt ihr am Ende
der Halt, den Martin Buber im ostjüdischen Chassidismus noch gefunden hat? Sind der Peter Hille ihres Buches, der Friedrich Nietzsche ihres Essays, ja selbst der eigene Vater in ihrem späteren
Schauspiel über Arthur Aronymus nur die Projektionen einer
Wunschvorstellung, die aus ganz privater Not erwachsen ist?

Am Bild des Buddha, der ihren Onkel unversöhnt abweist, läßt
sich diese Frage überprüfen. In der gleichen Zeit, in der sie den Brief
an Jethro Bithell schreibt, entsteht ein Gedicht, das sich zum Ver-

gleich anbietet. Es gehört zu den berühmtesten Zeilen ihres Werkes und trägt den Titel „Ein alter Tibetteppich":

> *Deine Seele, die die meine liebet,*
> *Ist verwirkt mit ihr im Teppichtibet.*
>
> *Strahl um Strahl, verliebte Farben,*
> *Sterne, die sich himmellang umwarben.*
>
> *Unsere Füße ruhen auf der Kostbarkeit,*
> *Maschentausendabertausendweit.*
>
> *Süßer Lamasohn auf Moschuspflanzenthron,*
> *Wie lange küßt dein Mund den meinen wohl*
> *Und Wang die Wange buntgeknüpfte Zeiten schon?*

(GW I, 164; SG, 103)

Bis ins sprachschöpferische Detail läßt sich verfolgen, wie Else Lasker-Schüler fernöstliche Bilder in deutsche Dichtung umsetzt. Im Brief an Bithell waren es die 'vielarmigverschlungenen Arme', die den Zauber einer fremden Religion wiedergaben, hier ist es ein so eigentümliches Wort wie 'maschentausendabertausendweit'; seine ins Unendliche greifende Geste verbindet Menschenleben zu Ewigkeit und läßt sie in der letzten Zeile zu 'buntgeknüpften Zeiten' werden.

Diese Mischung aus sinnlichen und metaphysischen Beziehungen ist uns bereits in den früheren Versen des Gedichtes „Weltende" begegnet. Dort sollte der Kuß die Trauer um einen vielleicht gestorbenen Gott überwinden, und auch hier steht neben der Sexualsymbolik des Moschuspflanzenthrons die Zeile von den Sternen, 'die sich himmellang umwarben' — aber hat der süße Lamasohn dieser Verse noch etwas mit einer religiösen Sehnsucht gemein, die sich als jüdisch bezeichnen ließe?

Auf den ersten Blick erscheint es unwahrscheinlich. Wie bei vielen Gedichten Else Lasker-Schülers ist auch für diese Zeilen eine Bezugsperson zu ermitteln, und daß es sich dabei um Karl Kraus (1874-1936) handelt, der ursprünglich Jude war, besagt zunächst nur wenig: gerade er gehörte zu den schärfsten Kritikern des zeitgenössischen Judentums und war schon 1898 zum Katholizismus übergetreten.

Im Jahre 1910 druckte er das Gedicht nach seinem ersten Erscheinen im *Sturm* noch einmal in der *Fackel* ab, nannt es eine 'neunzeilige Kostbarkeit', die für ihn zu den 'entzückendsten und ergreifendsten' Gedichten der deutschen Sprache gehörte, und dürfte auch selbst eine Inspiration für das Bild vom Lamasohn gewesen sein. In ihrem Aufsatz über Karl Kraus, der gleichzeitig mit dem Gedicht in der *Fackel* erschien, heißt es von ihm: „Manchmal nimmt sein Gesicht die Katzenform eines Dalai-Lama an, dann weht plötzlich eine Kühle über den Raum — Allerleifurcht. Die große chinesische Mauer trennt ihn von den Anwesenden." (GW II, 226) Und wenig später findet sich ein anderes, nicht weniger aufschlußreiches Bild: „Karl Kraus ist ein Papst. Von seiner Gerechtigkeit bekommt der Salon Frost, die Gesellschaft Unlustseuche. Ich liebe Karl Kraus, ich liebe diese Päpste" (GW II, 227).

Auch den konvertierten Juden Karl Kraus kleidet Else Lasker-Schüler also in die Masken fremder Religionen, die sie ihrem Onkel Leopold Sonnemann entgegenhält. Und doch ist es merkwürdig: gerade ihm widmet sie im Jahre 1913 den Band, in dem ihre tief empfundene jüdische Existenz den vollsten poetischen Ausdruck gewinnt — ihre *Hebräischen Balladen*.

Unter allen Maskierungen kommt auf eine oft überraschende Weise immer wieder ein jüdischer Grundzug hervor, und auch in dem scheinbar so unjüdischen Gedicht „Ein alter Tibetteppich" ist es so. Seine ersten Verse stellen eine Verbindung her, die in ihrer Deutlichkeit verblüfft, wenn man sie erst erkannt hat:

> *Deine Seele, die die meine liebet,*
> *Ist verwirkt mit ihr im Teppichtibet*

heißt es dort — und im *Hohelied* der Bibel heißt es: „Des Nachts auf meinem Lager suchte ich, den meine Seele liebt. Ich suchte, aber ich fand ihn nicht. Ich will aufstehen und in der Stadt umhergehen auf den Gassen und Straßen und suchen, den meine Seele liebt. Ich suchte, aber ich fand ihn nicht." (3, 1-2)

Das Gedicht, dem Anschein nach einem fernen Mythos verpflichtet, führt uns schon mit seinen ersten Worten mitten in die Welt des Judentums hinein, aus der so viele Verse Else Lasker-Schülers ihr Leben gewinnen. Wir begegnen wieder der suchenden Sulamith, und jetzt — wie in Antwort auf die Zeilen, in denen Peter Hille einst die jüdische Dichterin erkannt hatte — findet sie, wen ihre Seele liebt: auch der süße Lamasohn ist eine Erlösergestalt der Jüdin Else Lasker-Schüler.

Und wie schon in dem frühen Gedicht „Weltende" spricht sie auch hier nicht von einer physischen, sondern von einer metaphysischen Erlösung. „Deine Seele, die die meine liebet", heißt es, „Ist verwirkt mit ihr", und das bedeutet beides: die Seelen des Lamasohnes und der Dichterin sind bereits verwirkt, gestorben — doch zugleich sind sie gemeinsam in den Teppich verwoben und in die Unsterblichkeit seines Kunstwerks gerettet. „Ich sterbe am Leben und atme im Bilde wieder auf", schreibt Else Lasker-Schüler in *Mein Herz* (GW II, 357), und hier, an einem der tiefsten ihrer Gedichte, lernt man verstehen, wie sie das meint: der Tibetteppich, wie die Verse selbst, bannt einen Augenblick der Erlösung in sein kunstvolles Bild, der ihr in ihrem Leben nicht gegeben war.

Ihre Not, aus der sie nach Erlösung suchte, war immer auch eine jüdische Not. Nichts macht das deutlicher als das *Hohelied*-Motiv, das selbst die fremde Welt des Lamasohnes noch mit den Gestalten der Bibel verknüpft. In den Versen von der suchenden Braut Sulamith hatte Peter Hille den Schmerz der Jüdin Else Lasker-Schüler geahnt, und hält man sie neben das Gedicht vom Tibetteppich, so wird die gemeinsame Sehnsucht spürbar, die diese Zeilen verbindet:

Sulamith
O, ich lernte an deinem süßen Munde
Zuviel der Seligkeiten kennen!
Schon fühl ich die Lippen Gabriels
Auf meinem Herzen brennen . . . .
Und die Nachtwolke trinkt
Meinen tiefen Zederntraum.
O, wie dein Leben mir winkt!
Und ich vergehe
Mit blühendem Herzeleid
Und verwehe im Weltraum,
In Zeit,
In Ewigkeit,
Und meine Seele verglüht in den Abendfarben
Jerusalems.

(GW I, 310; SG, 182)

'Vergehe . . . verwehe . . . verglüht' — wie ein fernes Echo klingen diese Worte im Bilde der verwirkten Seelen nach, die im Tibetteppich zueinanderfinden. Der Tod, der diesem Wiederfinden des Erlösers vorausgeht, ist das Thema des Gedichtes „Sulamith": es sind die Lippen Gabriels, die auf ihrem Herzen brennen — immer wieder Else Lasker-Schülers Herz — es ist die Nachtwolke, die ihren Zederntraum trinkt, und der Übergang der Seele von der Zeit in die Ewigkeit, rythmisch der Höhepunkt des Gedichtes, ist zugleich auch seine zentrale Bewegung.

Aber die Ewigkeit, in die das Lied der Sulamith mündet, ist keine unbestimmte Ewigkeit — es sind die Abendfarben Jerusalems, in denen ihre Seele verglüht. Es ist der Ort, an dem die biblische Sulamith nach ihrem Geliebten sucht, aber es ist auch der Ort, auf den sich die Sehnsucht der jüdischen Generationen richtet. Jerusalem bildet die Horizontlinie dieses Gedichtes, und an ihr begegnen sich der Himmel und die Erde allen Judentums.

Nach der Zerstörung des Zweiten Tempels, als das lange Exil des jüdischen Volkes begann, wurde das *Hohelied* endgültig in den biblischen Kanon aufgenommen. Man las es nun als eine Allegorie der Liebe, die Gott und sein auserwähltes Volk Israel verbindet, als einen Trost, an dem man sich in den Leidenszeiten der Zerstreuung aufrichten konnte. Als ein solcher Ausdruck messianischer Hoffnung bot es sich Else Lasker-Schüler zum Thema für Verse an, mit denen sie zum erstenmal als jüdische Dichterin an die Öffentlichkeit trat.

Und wieder kehren wir zu der Frage zurück, die uns hier beschäftigt: als Else Lasker-Schüler ihr Gedicht von der Sulamith schrieb — identifizierte sie sich da nur als einsame Frau mit einer anderen einsamen Frau, von der die Bibel erzählt; oder sah sie sich auch als die allegorische Gestalt der Sulamith, in deren persönlichem Leid das Leid ihres ganzen Volkes Ausdruck findet? Hat sich auch Else Lasker-Schüler selbst als Repräsentantin ihres Volkes verstanden, darf ihr Werk als Dichtung eines kollektiven Schmerzes gelesen werden?

Auf diese Frage geben die Verse des Gedichtes Antwort, das im Mittelpunkt des folgenden Kapitels steht.

Drittes Kapitel

„Mein Volk"

Mein Volk

Der Fels wird morsch,
Dem ich entspringe
Und meine Gotteslieder singe . . .
Jäh stürz ich vom Weg
Und riesele ganz in mir
Fernab, allein über Klagegestein
Dem Meer zu.

Hab mich so abgeströmt
Von meines Blutes
Mostvergorenheit.
Und immer, immer noch der Widerhall
In mir,
Wenn schauerlich gen Ost
Das morsche Felsgebein,
Mein Volk,
Zu Gott schreit.

(GW I, 292; SG, 171-2)

Die Verse sind im Jahre 1905 erschienen, in Else Lasker-Schülers
zweitem Gedichtband *Der siebente Tag*. Gemeinsam mit „Sulamith"
gehören sie zu den frühesten ihrer *Hebräischen Balladen*, die 1913 gesammelt herauskamen, und schon der erste Blick läßt die Nähe erkennen, in der die beiden Gedichte zueinander stehen. Die Sehnsucht der Sulamith, deren Transzendenz im Übergang aus der Zeit in
die Ewigkeit bereits angedeutet war, ist hier in den Schrei zu Gott
verwandelt, in die letzte Form, die menschliche Sehnsucht anneh-
men kann; und die Dichterin identifiziert sich nicht nur mit der einsamen Braut, sondern zugleich mit der allegorischen Gestalt, in der
Sulamith ihr ganzes Volk vertritt — wie sie verwandelt sich auch Else

Lasker-Schüler selbst in ihr jüdisches Volk. Stellt man die Gedichte „Sulamith" und „Mein Volk" nebeneinander, so kann man an ihnen ein Stück der Geschichte jüdischer Bibelexegese verfolgen: in den früheren Versen ist die fast wörtliche Interpretation einer uralten Liebesbeziehung nachgedichtet, in den späteren Versen findet sich die allegorische Interpretation der Sehnsucht des Volkes Israel nach seinem Gott.

Die Frage nach Else Lasker-Schülers kollektiver Bindung ist also positiv zu beantworten. Aber diese Bindung ist nichts weniger als eindeutig. Im vorigen Kapitel wurde das prekäre Verhältnis gezeigt, in dem sie zu ihren jüdischen Zeitgenossen stand, und das Gedicht muß deshalb nicht nur als poetischer Ausdruck der jüdischen Identität, sondern auch der jüdischen Problematik Else Lasker-Schülers gelesen werden.

Eine vierfache Bewegung trägt die beiden Strophen des Gedichtes, und schon die erste dieser Bewegungen enthält die Ambivalenz, mit der sie ihrem Judentum gegenübersteht. „Der Fels wird morsch,/Dem ich entspringe" kann beides bedeuten: die Morschheit des Felsens führt vielleicht zu einer Lockerung des Haltes, den er ihr bietet, und dann beschreibt das Wort 'entspringe' ihre Flucht von diesem Felsen, ihr Abbrechen der Verbindung; oder aber das Hauptgewicht dieser Eingangszeilen liegt auf den Gottesliedern, die sie dem Felsen singt — und dann beschreibt das Wort 'entspringe' nicht ihre Flucht, sondern ihre Abstammung von diesem Felsen, nicht das Abbrechen, sondern die Unlösbarkeit ihrer Verbindung zu ihm.

Die zweite Bewegung des Gedichtes beginnt mit dem Satz „Jäh stürz ich vom Weg". Er deutet an, daß es sich wohl eher um eine Flucht handelt, die sie fortträgt von dem Felsen, 'fernab' und 'allein'. Versucht man sich aber den Raum vorzustellen, in dem diese Bewegung abläuft, so steht man vor einer Erscheinung, die sich bei Else Lasker-Schüler immer wieder findet. „Und riesele ganz in mir/Fernab" steht dort geschrieben: ein Innenraum öffnet sich — das Innere der Dichterin selbst, in das sie uns im Bilde ihres Herzens oft Einblick gewährt — und nimmt sie auf.

Die zweite, dem Felsen abgewandte Bewegung führt schließlich „dem Meer zu". Es ist ein merkwürdiges, zunächst schwer verständliches Bild, für das es in diesem Innenraum gar keinen Platz zu geben scheint, aber wir sind ihm schon im vorigen Kapitel begegnet: auch

Martin Buber gegenüber bezeichnet sie sich später als 'ein Meer ohne Strand, ein Bett das sich auftrank' und verwendet die Metaphern ihres Gedichtes „Mein Volk" nicht zufällig in einem Brief, der ihren Haß auf die Juden ausdrückt.

Ganz deutlich wird ihre Abwendung vom Judentum dann in der dritten Bewegung des Gedichtes. Sie bildet den Anfang seiner zweiten Strophe und besteht aus den Zeilen „Hab mich so abgeströmt/ Von meines Blutes/Mostvergorenheit". Auch das Bild von ihrem Blute als verdorbenem Wein ist uns bereits begegnet, in dem Brief an Jethro Bithell, in dem sie ihrem Unwillen gegen den verstorbenen Onkel Leopold Sonnemann Ausdruck gibt. Ihre Briefe, heißt es dort, seien 'mit ihrem Blut geschrieben, das schon Noah gepflanzt hat — das aber nur jetzt durch Gossen fließt und trüb aussieht oder bestäubt — im Kelch gereicht'.

Diese dritte Bewegung des Gedichtes bezeichnet den weitesten Punkt der Entfernung vom Felsen, und zugleich ihren Endpunkt. „*Hab* mich so abgeströmt", heißt es: die Bewegung ist bereits vollendet, die Entfernung scheint abgeschlossen zu sein.

Doch dann, am vermeintlichen Ruhepunkt des Gedichtes, beginnt der Umschwung. „Und immer, immer noch der Widerhall/In mir" leitet die vierte Bewegung ein, die zugleich die längste und überraschendste ist. Plötzlich — in ihrem eigenen Inneren, in das die Dichterin sich vor dem Felsen zurückgezogen hat — steht sie ihm wieder gegenüber: es ist das „morsche Felsgebein/Mein Volk", dessen Gottesschrei ihr aus der eigenen Tiefe entgegenhallt und den Worten des Gedichtes einen neuen Klang verleiht. Die 'Gotteslieder' sind jetzt ein Echo des Echos, das den Innenraum seiner Verse erfüllt; das Wort 'entspringe' wird zum Ausdruck der unerschütterlichsten Abstammung, die selbst ihr Knochengerüst noch zu Felsen von diesem Felsen macht; und auch das 'Klagegestein', über das sie dem Meer zugerieselt war, wird zu einem Teil der Tempelmauer, an der die Juden zu Gott schreien — wieder erhebt sich Jerusalem als ferne Horizontlinie und verbindet „Mein Volk" mit den Versen über die Sulamith.

Der neue Klang der Verse aber gibt ihnen auch einen neuen Sinn. Das Wort 'schreit', mit dem sie enden, ist kein Verb der Bewegung, und nun, da der Widerhall des Schreies alle Worte der beiden Strophen neu färbt, wird auch die Bewegung der anderen Verben fragwürdig: 'entspringe' bedeutet jetzt nur noch Abstammung, erstarrt zur Bewegungslosigkeit; 'stürz' und 'riesele' bezeichneten zuerst die Abwendung vom Felsen, führen aber schließlich in die umgekehrte Richtung, als die Dichterin den Felsen in sich selbst entdeckt; und 'abgeströmt', in seiner Vollendung, hatte den Ruhepunkt einer Entfernung bezeichnet, die sich am Ende als scheinbar erweist.

Die Fortbewegung vom Felsen, die in den Strophen des Gedichtes durchgeführt ist, findet in Wirklichkeit nicht statt. Das ist der neue Sinn dieser Verse, den erst ihr Ende sichtbar werden läßt, und zugleich erklärt er auch den überraschenden Effekt der letzten Zeilen. Als die Dichterin ihr Judentum erfährt, gibt es ihr weder Befriedigung noch Sicherheit, wie man es nach dem Wiederfinden ihrer eigenen Identität vermuten könnte, es jagt ihr vielmehr einen tiefen Schrecken ein. Das Echo, das den Innenraum ihres Gedichtes erfüllt, hallt wider wie der Schrei ihres Volkes zu Gott, 'schauerlich gen Ost', und gibt die wahre Natur der vier scheinbaren Bewegungen zu erkennen, von denen die Zeilen getragen werden: es sind Else Lasker-Schülers Versuche einer Flucht vor diesem morschen Felsen ihres Volkes, und das Scheitern dieser Fluchtversuche läßt alle Bewegung zu einer letzten, endlosen Geste erstarren — zum Schrei nach Erlösung.

„Ich bin ganz gottverlassen oder gerade zwischen seinen Geweiden eingeklemmt", schreibt sie Jahre später, am 23.5.1914, an Karl Kraus (BKK, 74). Dieser Polarität verleihen die Verse „Mein Volk" stärksten Ausdruck, und sie bilden darin ein genaues Gegenstück zu dem Gedicht „Ein alter Tibetteppich". In ihm entsteht ein Bild der Erlösung, weil ein Wort wie 'maschentausendabertausendweit' den Raum bereitstellt, in dem sich Sehnsucht zur Unendlichkeit entfalten kann; in „Mein Volk" dagegen tritt das Umgekehrte ein: alle Bewegung des Gedichtes erweist sich als Scheinbewegung, aller Raum, den die Bewegung auszufüllen scheint, stürzt in sich zusammen — und die Unendlichkeit der Sehnsucht, die sich nicht entfalten kann, schafft die enorme Spannung, in der auseinanderstrebende Kräfte auf engstem, schon nicht mehr vorhandenem Raum zusammengehalten sind.

Eine solche Spannung kann nicht lange ertragen werden, und auch Else Lasker-Schüler hat sie nicht ertragen. Aber wie der Tibetteppich später einen Augenblick der Erlösung ins Bild faßt, so fassen hier die Zeilen von der Dichterin, deren Knochengerüst ihr eigenes, zu Gott schreiendes Volk ist, ihre nach einer Erlösung drängende

Spannung ins Bild. Die Sehnsucht der Verse kann sich nicht freisetzen, weil sie im Zusammenstoß der Dichterin mit ihrer Innenwelt zum Schrei erstarrt, doch gerade in dieser Erstarrung ballt sich alle schöpferische Energie des Lebens und der Dichtung Else Lasker-Schülers.

Es ist ihr Judentum, aus dem sich diese Energie speist, daran läßt das Gedicht „Mein Volk" keinen Zweifel. Aber zugleich machen die Verse auch deutlich, daß das Judentum ihre Energie nicht freigibt, sondern in diametrale Kräfte zerlegt, die sich gegenseitig fesseln. Wer verstehen will, wie Else Lasker-Schüler diese Fessel zu lösen versuchte, muß die Wege verfolgen, auf denen sie gegangen ist und die sie zuweilen — wenn auch nur scheinbar, wie das Gedicht es beweist — von ihrem Judentum entfernten.

Am 7. Mai 1904 starb Peter Hille, 1905 erschien das Gedicht „Mein Volk", 1906 das *Peter Hille-Buch*. Die Daten sind aufschlußreich, weil sie das Verhältnis erhellen, das zwischen den äußeren Lebensereignissen und der inneren Entwicklung Else Lasker-Schülers besteht. Im *Peter Hille-Buch* haben wir die Legende ihrer eigenen Erlösung kennengelernt, und in den zur gleichen Zeit entstehenden Versen „Mein Volk" findet sich das dichterische Bild der metaphysischen Spannung, der diese Legende ihre Entstehung verdankt. Hier liegt der tiefere Grund für die Ambivalenz, mit der das jüdische Volk in der Gestalt der Jerusalemiter Eingang findet in das Buch über Peter Hille: dieses Volk war der Kern ihres Leidens, und vor ihm suchte sie Schutz bei Hille, den sie nach seinem Tode zu ihrem Befreier umdichten konnte.

Hille gehört zu den frühesten Erlösergestalten ihres Werkes, und der christliche Unterton seiner Dichtung ist für diesen Zusammenhang nicht bedeutungslos. Schon in ihrem ersten Gedichtband *Styx* aus dem Jahre 1902 finden sich Verse, die die Wege beleuchten, auf denen Else Lasker-Schüler dem schauerlichen Widerhall des jüdischen Gottesschreis auszuweichen versuchte:

Du, Mein
(Meinem Bruder Paul zu eigen)

Der Du bist auf Erden gekommen,
Mich zu erlösen,
Aus aller Pein,
Aus meiner Furie Blut,
Du, der Du aus Sonnenschein
Geboren bist,
Vom glücklichsten Wesen
Der Gottheit
Genommen bist,
Nimm mein Herz zu Dir
Und küsse meine Seele
Vom Leid
Frei.

(GW I, 47; SG, 30-31)

Das Gedicht ist ihrem verstorbenen Bruder Paul zugeeignet, der vor seinem Tode im Jahre 1882 zum Katholizismus übertreten wollte. Er wurde schon im Kapitel über Else Lasker-Schülers westfälische Jugend erwähnt, sie hat ihn in ihren späteren Erinnerungen 'Mönch' genannt, hat vom Sonntag gesprochen, an dem er gestorben sei, und auch die hier zitierten Zeilen werden von ähnlichen Bildern getragen. Das Christentum, das ihr in ihrem eigenen, geliebten Bruder nahekam, mußte der Dichterin als einer der möglichen Auswege aus dem Leid erscheinen, das in „Mein Volk" Ausdruck findet, und auch in seinen Versen selbst ist davon eine Spur geblieben — der Felsen, der dort morsch wird, ist in der christlichen Terminologie metaphorisch mit dem Begriff der Kirche verbunden, und noch in der Vieldeutigkeit der Worte dieses Gedichtes bietet sich also eine Alternative an. Sie ist durchaus nicht abwegig: in dem zu dieser Zeit entstehenden Buch über Peter Hille bezeichnet Else Lasker-Schüler ihn immer wieder als Petrus, und selbst die Gleichsetzung von Blut und Wein könnte so noch einen anderen, nicht jüdischen Sinn erhalten.

Eindeutiger aber sind die Verbindungslinien, die von dem Gedicht „Mein Volk" zu einem weiteren Mitglied der „Neuen Gemeinschaft" führen, zu dem dritten bedeutenden Juden, der ihr neben

Else Lasker-Schüler und Martin Buber zeitweilig angehörte: zu Gustav Landauer (1870-1919). Die kurzlebige Gemeinschaft brachte eine noch kurzlebigere Flugschriftenreihe unter dem Titel *Das Reich der Erfüllung* heraus. Im zweiten Heft dieser Reihe, das im Jahre 1901 erschien und auch schon ihr letztes war, findet sich auf den Seiten 45-68 ein Aufsatz von Landauer, der für das Verständnis des Gedichtes und die in ihm enthaltene Problematik nicht uninteressant ist.

Der Aufsatz trägt den Titel „Durch Absonderung zur Gemeinschaft". Landauer geht vom Zusammenbruch aller überkommenen Werte aus, der es der bürgerlichen Gesellschaft nicht mehr möglich mache, den in ihr lebenden Menschen einen Halt zu geben. Durch Absonderung von dieser sich selbst entfremdeten Gesellschaft müsse man zu einer neuen Gemeinschaft vorstoßen, und das sei nur durch Einkehr 'bei uns selber' zu erreichen. Auf Seite 58 heißt es:

> *Kehren wir aber bei uns selber ein, dann kann es uns schließlich gelingen, über das autonome Individualgefühl hinauszukommen: was wir sind, das sind unsere Vorfahren in uns, die in uns wirksam, thätig, lebendig sind, die mit uns sich an der Außenwelt reiben und wandeln, die aus uns heraus und mit uns zusammen in unsere Nachkommen wandeln. Es ist eine gewaltige Kette, die vom Unendlichen herkommt und ins Unendliche weiterreicht, wenn auch einzelne Glieder abreißen und umständlichere Wandlungen erleiden. Denn auch unsere Werke, was wir wirken, solange wir leben, sind Teile, die uns mit dem All verbinden, auch unser Leichnam ist eine Brücke, auf der wir weiter in die Welt hineinschreiten.*

Als einen neuen Halt in der zerbröckelnden Welt des Bürgertums schlägt Landauer also die Rückbindung an eine Ahnenkette vor, und man spürt die Anziehungskraft, die dieser Appell einer „Neuen Gemeinschaft" für die Dichterin haben mußte, als sie das bürgerliche Haus ihres assimilierten Ehemannes Berthold Lasker verließ. Hört man aber genauer hin, so ist bei Gustav Landauer etwas ganz anderes gemeint als die Entdeckung, die Else Lasker-Schüler schließlich nach ihrer Einkehr bei sich selbst machen wird; vom 'All' ist dort die Rede, von der 'Welt', in die wir hineinschreiten, und ein wenig später, auf Seite 61, lesen wir:

*Die individuellen Leiber, die von Anbeginn an auf der Erde gelebt
haben, sind nicht bloß eine Summe von abgesonderten Individuen,
sie alle zusammen bilden eine große, durchaus wirkliche Körperge-
meinschaft, einen Organismus. Einen Organismus, der sich ewig
verwandelt, der sich ewig in neuen Individualgestalten manife-
stiert... Nicht ein abstrakter, toter Begriff ist uns daher die Mensch-
lichkeit; die Menschheit ist das Wirkliche und Lebende, die einzelnen Menschen sind mitsamt ihrer Bewußtheit die auftauchenden,
wandelbaren und wieder untergehenden, das heißt von neuem ver-
wandelten Schattenbilder, durch welche die Menschheit sichtbar
wird.*

Else Lasker-Schüler spürt das morsche Felsgebein des jüdischen
Volkes in ihren Knochen — und Gustav Landauer spricht von 'Schat-
tenbildern, durch welche die Menschheit sichtbar wird'. Im Abstand
zwischen ihrem innersten Lebensgefühl und diesem amorphen
Wunschdenken der „Neuen Gemeinschaft" erkennen wir wieder
den Grund für ihre Unfähigkeit, sich mit den zeitgenössischen Ant-
worten auf die metaphysische Not des Materialismus zu begnügen:
hier ist vorausgenommen, was sie schließlich auch von Herwarth
Walden trennen sollte, der sich wie Landauer als ein Diener der
Menschheit verstand.

Martin Buber hat die „Neue Gemeinschaft" verlassen, weil er in
seiner Suche nach kollektiver Identität im Chassidismus ein viel le-
bensnäheres Ziel fand, das es sich zu erforschen lohnte. Auch Gustav Landauer hat sich bald nicht mehr mit der verschwommenen
Ahnenkette zufriedengegeben, von der er in seinem Aufsatz aus
dem Jahre 1901 spricht. Er ist schnell wieder aus der „Neuen Gemeinschaft" ausgetreten, weil er Sozialist war und zum politischen
Aktivismus drängte, dem er schließlich zum Opfer fiel; nach dem Ersten Weltkrieg trat er in den Zentralrat der bayrischen Räterepublik
ein und wurde 1919 von antirevolutionären Soldaten erschlagen.

Aber das, wie auch das Ende Herwarth Waldens, gehört zur Tragik eines anderen Menschen und einer anderen Weltanschauung.
Die Tragik Else Lasker-Schülers liegt im Gedicht „Mein Volk" verschlüsselt, im Bannkreis des Judentums, der ihren Lebensweg umschreibt. Es entstand zur gleichen Zeit, als sie im *Peter Hille-Buch*
noch einmal die Legende der „Neuen Gemeinschaft" dichtete, die
Legende ihrer eigenen Erlösung, und seine Verse sind der bleibende

Ausdruck ihres Bewußtseins, daß alle Fluchtversuche sinnlos waren.

Deshalb konnte Peter Hille auch nicht die letzte Erlösergestalt ihres Werkes bleiben. Wir haben andere kennengelernt – den tibetanischen Lamasohn etwa, der selbst in seiner weit entfernten Welt noch über das *Hohelied*-Motiv mit dem Judentum verbunden war – und es mußten viele Jahre vergehen, ehe in ihrer Dichtung über den eigenen Vater das Kind Arthur Aronymus nicht dem Christentum übergeben wurde, weil es zur langen Reihe seiner 'Väter, Väter, Väter' gehörte: erst dort verlor das Echo der jüdischen Vorfahren seinen schauerlichen Klang für die Dichterin, gab ihr ein Gefühl der Sicherheit – und selbst dort noch, in ihrem fast gleichzeitig entstehenden Essay über Friedrich Nietzsche, schuf sie sich neben dem eigenen Vater auch eine Erlösergestalt aus anderen, nicht jüdischen Welten.

Schon früher ist uns in der Phantasiegestalt ihres Urgroßvaters Uriel eine weitere der zahlreichen Figuren begegnet, die in ihrem Werk die Funktion des Erlösers erfüllt. Im Jahre 1925, in der Streitschrift *Ich räume auf!*, beschreibt sie ihn mit den Worten: „Die Legende erzählte: Er habe sein Herz aus der Brust nehmen können, was er nach kühnen staatlichen Konferenzen zu tun pflegte, um den Zeiger des roten Zifferblatts wieder nach Gottosten zu stellen." (GW II, 532) Das Zitat wurde schon im Kapitel über ihre westfälische Jugend gebracht, aber erst jetzt, auf dem Hintergrund des Gedichtes „Mein Volk", wird die befreiende Wirkung der Geste ganz verständlich: mit einem Griff zum eigenen Herzen ist die Verbindung mit Gott wiederhergestellt.

Eine Handbewegung des Urgroßvaters Uriel erreicht das Ziel, auf das die Dichtung Else Lasker-Schülers gerichtet ist. Sie bringt den jüdischen Gottesschrei zum Schweigen, unter dessen Widerhall sie leidet. Auch Else Lasker-Schüler will diese Sehnsucht stillen, die sie in ihrem Inneren spürt, und wie sehr sie den Weg in die eigene Tiefe sucht, zeigt schon ihr frühes Gedicht „Weltflucht":

Ich will in das Grenzenlose
Zu mir zurück,
Schon blüht die Herbstzeitlose
Meiner Seele,
Vielleicht — ist's schon zu spät zurück!
O, ich sterbe unter Euch!
Da Ihr mich erstickt mit Euch.
Fäden möchte ich um mich ziehn —
Wirrwarr endend!
Beirrend,
Euch verwirrend,
Um zu entfliehn
Meinwärts!

(GW I, 14; SG, 12)

Die Verse stehen in ihrem ersten Gedichtband *Styx* aus dem Jahre 1902. Sie nehmen die nach innen gerichtete Bewegung in „Mein Volk" voraus, und der Vergleich ist nicht uninteressant. Die hier gewünschte Flucht ist 'meinwärts' gerichtet, auf ein völlig isoliertes Ich, und die Bilder dieser Flucht — das Grenzenlose, das Gift der Herbstzeitlose, die Fäden, die an die sich selbst einspinnende Seidenraupe erinnern — sind zugleich Wunschbilder des Todes und des Überganges in ein Jenseits des Friedens. In „Mein Volk" dagegen, wo diese Flucht nach innen dann vollzogen scheint, findet das Ich seine Isolation nicht; es findet das morsche Felsgebein eines ganzen Volkes, in dessen Gottesschrei nicht der Frieden des Jenseits, sondern nur eine endlose Sehnsucht nach ihm spürbar wird.

Es lohnt sich, diese Variationen einer Einkehr in sich selbst genauer zu betrachten. Sie sind der dichterische Spiegel einer Erscheinung, die uns bei Else Lasker-Schüler oft begegnet: in schroffer Abwendung kehrt sie sich immer wieder von der Welt ab — drückt in ihrem Brief an Martin Buber ihren Haß auf die jüdischen Zeitgenossen aus, flieht aus dem Hause ihres ersten Ehemannes, bricht den Schulbesuch in Elberfeld ab — und schafft damit eine Verwirrung, wie das Gedicht „Weltflucht" sie wünscht.

In ihrer Schrift *Ich räume auf!*, in der sie ihren Urgroßvater Uriel die Sehnsucht nach Gott stillen läßt, findet sich ein merkwürdiger Kommentar zu diesem Gedicht:

100

*Ich räume auf, für mich, für meine dichtenden Freunde, für die le-
benden und toten Dichter, zunächst im Interesse der Dichtung. Die
Gedichte meines ersten Buches: Styx, das im Verlag Axel Juncker
erschien, dichtete ich zwischen 15 und 17 Jahren. Ich hatte damals
meine Ursprache wiedergefunden, noch aus der Zeit Sauls, des Königlichen Wildjuden herstammend. Ich verstehe sie heute noch zu
sprechen, die Sprache, die ich wahrscheinlich im Traume einatme-
te. Sie dürfte Sie interessieren zu hören. Mein Gedicht Weltflucht
dichtete ich u.a. in diesem mystischen Asiatisch.*
(Ich räume auf!, GW II, 520)

Und es folgen die vierzehn Zeilen des Gedichtes in einer Privatspra-
che, von denen hier der Anfang als Leseprobe genügen mag:

> *Elbanaff:*
> *Min salihihi wali kinahu*
> *Rahi hatiman*
> *fi is bahi lahu fassun —*

Ich räume auf! ist eine gegen ihre Verleger gerichtete Streitschrift, in
der sie sie der kapitalistischen Ausbeutung aller Poesie anklagt. Sie
ist ein Dokument der antibürgerlichen Haltung Else Lasker-Schülers, und die Erwähnung des Gedichtes „Weltflucht" in dieser Schrift
legt zunächst eine soziale Interpretation der Verse nahe: sie stellen
die Flucht aus der bürgerlichen Welt dar, die die Dichterin auch in ihrem wirklichen Leben vollzogen hat.

Aber der Kommentar läßt eine noch schärfer umrissene Deutung
dieser Flucht zu. Es heißt, daß sie die Verse 'zwischen 15 und 17 Jahren' gedichtet hätte, und das verweist uns auf die Zeit der biographischen Lücke zurück, die zwischen dem Abbruch ihres Schulbesuches um 1880 und der Jahrhundertwende klafft. Entscheidend dabei
ist der Zusatz, daß sie damals ihre 'Ursprache' wiedergefunden hätte,
'noch aus der Zeit Sauls, des Königlichen Wildjuden herstammend':
Else Lasker-Schüler assoziiert hier bereits ein frühes Gedicht, das
von ihrem isoliertesten Ich handelt, mit einer kollektiven jüdischen
Erinnerung, die erst später im Gedicht „Mein Volk" eindeutig Ausdruck findet.

Ob „Weltflucht" wirklich so früh entstanden ist, wie sie es in *Ich
räume auf!* behauptet, sei dahingestellt. Wichtig ist der Kommentar

auch weniger als biographisches Indiz, sondern als ein Zeugnis ihres künstlerischen Bewußtseins, das in ihrem Judentum einen zentralen Impuls sieht, der schon ihrer frühesten Dichtung zugrundeliegt.

Ihre Selbstdeutung wird durch die Tatsache bestätigt, daß im Bande *Styx* neben dem Gedicht „Weltflucht" auch das Gedicht „Sulamith" steht. Die Verse über die Braut des *Hohenliedes* halten eine Mittelstellung zwischen „Weltflucht" und „Mein Volk", zwischen Else Lasker-Schülers Isolierung und ihrer Identifikation mit dem Judentum, und sie deuten die Polarität an, die die Welt der Dichterin beherrscht.

Aber die Assoziation, die sie in *Ich räume auf!* zwischen ihrer jüdischen Existenz und ihrer frühen Dichtung herstellt, muß uns noch von einem anderen Standpunkt interessieren. Sie führt auf die Spur eines eigentümlichen Weges, auf dem sie der Qual ihres unerlösten Judentums zu entkommen suchte.

Der Leser deutscher Gedichte, der mit semitischen Sprachen nicht vertraut ist, könnte das 'mystische Asiatisch', in dem sie „Weltflucht" gedichtet haben will, für biblisches Hebräisch halten. Dieser Eindruck, von Else Lasker-Schüler sicher beabsichtigt, wäre falsch: die oben zitierte 'Ursprache' der Verse hat selbst phonetisch keine Ähnlichkeit mit dem Hebräischen. Else Lasker-Schüler beherrschte die Sprache der Bibel nicht und hat sie auch später nicht gelernt, als sie in Jerusalem lebte.

Ebenso hat der 'Königliche Wildjude Saul' seinen Ursprung nicht in der Bibel, sondern in der Phantasie Else Lasker-Schülers. Das Wort 'Wildjude' erinnert an den Ausdruck, den sie schon in ihrem Brief an Martin Buber verwendet — 'Basileus mit einem Wildherzen' nennt sie sich dort — und es ist aufschlußreich, daß dieses Wort in einem Brief fällt, in dem sie von ihrem Haß auf die Juden spricht. 'Wildjude' ist eine poetische Metapher für ihre Sehnsucht nach einem 'ursprünglichen' Judentum, zu dem sie zurückkehren will, weil sie das zeitgenössische Judentum verachtet.

In der 'Ursprache' des 'Wildjuden Saul' drückt sich diese Verachtung aus. Der Brief an Martin Buber, elf Jahre vor *Ich räume auf!* geschrieben, enthält fast wörtlich schon den gleichen Gedanken. „Ich *hasse* die Juden, da ich David war oder Joseph", hieß es dort, „ich hasse die Juden, weil sie meine Sprache mißachten, weil ihre

Ohren verwachsen sind und sie nach Zwergerei horchen und Gemauschel."

Else Lasker-Schülers Kommentar bestätigt, daß ihre Flucht aus dem Bürgertum immer wieder auch eine Flucht aus dem jüdischen Bürgertum war, und er wirft daher sein bezeichnendes Licht auf die Verse „Mein Volk": die Dichterin verachtet das bürgerliche Judentum, stellt seiner Schwäche das 'wilde' Judentum ihrer Phantasie entgegen, kann sich aber auch nicht der Macht des Judentums entziehen, dem Widerhall seines Gottesschreis — und beides, die Schwäche und die Macht, ist in der Sprache dieser Verse ausgedrückt: der Fels des Judentums wird morsch, und sie will ihm entfliehen; aber zugleich ist dieser Fels auch ihr Knochengerüst, das Rückgrat ihrer Existenz.

In diesem doppelten Verhältnis sind die phantastischen Begriffe der 'Ursprache' und des 'Wildjuden Saul' begründet. Sie setzen Else Lasker-Schüler nicht zu dem Judentum ihrer Wirklichkeit in Beziehung, sondern zu einem Judentum ihres Wunschdenkens, das der Dichterin einen Fluchtweg bietet. Den 'Wildjuden Saul' hat es nie gegeben, wie es auch ihre 'Erlösung' durch Peter Hille nie gegeben hat, aber gerade an den Phasen dieses Wunschdenkens läßt sich in einer über Jahre ausgebreiteten Entwicklung beobachten, was „Mein Volk" in die Aussage weniger Zeilen verschließt: daß ihre Flucht vor dem Felsen, so weit sie ihre Phantasie auch forttragen mochte, am Ende immer wieder zu diesem Felsen zurückführen mußte, weil sich seine Existenz nicht verleugnen ließ.

Nicht nur im gleichzeitig mit „Mein Volk" entstehenden *Peter Hille-Buch,* sondern auch in zahlreichen anderen Werken findet diese Flucht vor der Wirklichkeit statt. Hille hatte ihr einst den Namen 'Tino' gegeben, und 1907 erschien ihr Buch *Die Nächte der Tino von Bagdad,* in der sie als mohammedanisch-orientalische Prinzessin auftritt. „Und da ich zu den Nächten sang, fiel in meinen Schoß das Gold der Sterne", heißt es dort, „— und ich baute Jehovah einen Tempel vom ewigen Himmelslicht. Erzvögel sitzen auf seinen Mauern, Flügelgestalten, und suchen nach ihren Paradiesliedern. Und ich bin eine tanzende Mumie vor seiner Pforte. . ." (GW II, 68)

Jahre später, 1919, erschienen ihre Briefe an Franz Marc unter dem Titel *Der Malik.* „Wie soll ich mich zerstreuen?" fragt sie in ihnen. „Ich werde eine Zeitschrift gründen: Die Wilden Juden; eine kunstpolitische Zeitschrift" (GW II, 402). Dieser Wunschvorstellung von den wilden Juden verdankt auch der Prinz Jussuf seine Entstehung, als der sie hier und in vielen anderen ihrer Werke auftritt. Er ist die berühmteste ihrer pseudo-jüdischen Masken geworden, weil sie sich oft in seiner Gestalt gezeichnet hat und diese Zeichnungen ihren Büchern als Illustrationen beizugeben pflegte.

Schon 1914 erschien ihr Geschichtenbuch *Der Prinz von Theben*, in dem es heißt:

> *Die zarten Hälse der Abendländerinnen heben sich aus dem Rand ihrer durchsichtigen Kleider, darinnen ihre Leiber wie in gläsernen Vasen stehen. Ich aber trage den lammblutenden Hirtenrock Jussufs, wie ihn seine Brüder dem Vater brachten.*
> *(Der Prinz von Theben, GW II, 103)*

Unschwer läßt sich Jussuf hier als eine Metamorphose des biblischen Joseph erkennen, und welche Funktion diese aus dem Judentum herausgehobene Phantasiegestalt in der Welt Else Lasker-Schülers erfüllt, zeigt ein späteres Kapitel des Geschichtenbuches. Dort hat der Prinz den König von Theben getötet, er läßt sich selber zum König ausrufen und nennt sich Abigail der Dritte. Die Taten, die er bald darauf vollbringt, zeigen die Ziele an, auf die das Wunschdenken von den wilden Juden gerichtet ist:

> *Und Abigail und seine Häuptlinge drangen in die Häuser der alten Bürger ein, die noch festhielten an den wunderlichen Gesetzen des zweiten Machthabers; zwangen die Väter zur Herausgabe ihrer gefangenen Söhne. Und 25000 Jünglinge zogen unter ihrem Melech in eine heilige Schlacht, um die Landschaft Eden.*
> *(Der Prinz von Theben, GW II, 123)*

Der heiligen Schlacht um die Landschaft Eden geht der Kampf gegen die 'alten Bürger' voraus, die 'noch festhielten an den wunderlichen Gesetzen des zweiten Machthabers': immer wieder koppelt Else Lasker-Schülers Phantasie ihre Sehnsucht nach Gott mit der Opposition gegen das konservative jüdische Bürgertum ihrer Zeit. Von einer neuen Ordnung ist die Rede, von einem Wechsel der Generationen, doch dann, in ihrem späteren Werk, tritt das Unerwartete ein: es ist ein Vertreter der älteren Generation, der schließlich mit dem Zeiger des roten Zifferblattes seines Herzens den Weg zur Landschaft Eden weist — ihr Urgroßvater Uriel.

Schon im *Prinz von Theben,* ihrem Geschichtenbuch über die Heldentaten des wilden Juden Jussuf, findet sich die Gestalt eines Urgroßvaters. Man muß sie genauer betrachten, denn an dieser frühen Form der Erlöserfigur des Uriel läßt sich ein Wandel ablesen, den Else Lasker-Schülers Verhältnis zu ihrer jüdischen Wirklichkeit durchläuft.

Die erste Geschichte des Buches heißt „Der Scheik" und beginnt mit den folgenden Worten:

> *Mein Vater hat mir schon so oft die Geschichte aus dem Leben meines Urgroßvaters erzählt, ich glaube nun, ich habe sie selbst erlebt... Nicht einmal der Insektenabwehrer durfte hinter dem großen Straußenwedel dem Gespräche lauschen, das mein Urgroßvater, der Scheik, allabendlich führte mit seinem Freund, dem jüdischen Sultan Mschattre-Zimt. Vom schlichten Dach des jüdischen Sultans führte eine Wolke herüber zum gastlichen Dach meines Urgroßvaters, des Scheiks, des obersten Priesters aller Moscheen. Oft vergaß der Scheik sein Abendgebet zu sprechen vor Ungeduld nach seinem Freund.*
> *(Der Prinz von Theben,* GW II, 95)

Der spätere Landesrabbiner ist hier 'der oberste Priester aller Moscheen'. Else Lasker-Schüler beschreibt sich nicht als Mitglied einer jüdischen, sondern einer mohammedanischen Familie, deren Oberhaupt mit einem Juden befreundet war: der Brief an Jethro Bithell aus dem Jahre 1909, in dem sie von dem gespannten Verhältnis zu ihrem Onkel Leopold Sonnemann erzählt und sich als 'Dichterin von Arabien' bezeichnet, steht also nicht vereinzelt, er hat seine Parallelen in ihrer Dichtung.

Und nicht nur in der Dichtung, sondern auch in der traurigen Wirklichkeit ihres Lebens hat er seine Parallelen. Else Lasker-Schüler war nun eine Frau von über vierzig Jahren, das Scheitern ihrer zweiten Ehe führte zu einer tiefen Identitätskrise. „Also: ich trage 3 oder 4 von meinen arabischen Erzählungen auf *arabisch* in London vor dabei sitzt ein Dolmetscher auch auf dem Podium", schreibt sie am 22.3.1910 an Jethro Bithell, „der übersetzt *jeden* Satz, den ich auf arabisch sage dem Publikum feierlich ins Englische. Dann sitzt am Vorhang ein 10jähriger Negerjunge in feuerrot, Fez etc. und reicht mir immer das Manuskript." (BR I, 55-6)

Neben dem seelischen Druck, den der Zusammenbruch ihrer Ehe auf sie ausübte, trat die chronische Geldnot, in der die Dichterin sich ihr Leben lang befand. Ein Brief, den sie am 8.4.1910 an Max Brod schrieb, gibt Aufschluß über den Hintergrund, auf dem dieses arabische Maskenspiel zu verstehen ist:

> *Lieber Prinz von Prag.*
> *Abba-Graham Gouverneur – Pascha von Syrien.*
> *Ich schreibe eigentlich jeden Tag an Sie, lieber Prinz Abba-Graham, aber immer ohne Feder – vielleicht könnte ich Sie beleidigen mit meinem Plan. Ich mag kein Vagabund mehr sein von Raub leben – und das Blut der Philister schmeckt mir auch nicht mehr. Aber ein Palast möchte ich mir bauen, mir einen Tempel nach meinem Gebet bauen lassen und einen weißen Rosengarten will ich haben mit einem bunten Springbrunnen. Wenn Sie es nicht wiedersagen, so will ich Ihnen meinen Plan erzählen und wenn Sie ihn mit mir ausführen wollen, so komme ich nach Prag oder Sie kommen hierher, Abba Graham und wir proben zusammen. Ich spreche doch syrisch, ich bin doch mein halbes Leben in Asien gewesen, ich habe meine Dichtungen, die in Asien und Afrika spielen übersetzt ins Syrische. Ich möchte als Syrerin auftreten mit meinem herrlichen Nasenknopf und meiner unschätzbar wertvollen Schleife.*
> (BR II, 25-6)

Nicht nur metaphysische, sondern auch physische Not steht hinter Else Lasker-Schülers Flucht in arabische Phantasien. An der Erzählung „Der Scheik" aus dem Geschichtenbuch *Der Prinz von Theben* ist abzulesen, wie sich diese Flucht zu ihrem Judentum verhält. Es wäre ihr Vater gewesen, heißt es dort, der ihr die Geschichte aus dem Leben des Urgroßvaters überliefert hätte. In der Ableitung über die Generationen ist schon ein Element der Familienlegende vorausgenommen, die später in *Arthur Aronymus* niedergelegt wird, und eine noch deutlichere Beziehung zu dieser Legende stellen gleich darauf auch andere Sätze her: „Mein Urgroßvater hatte dreiundzwanzig Söhne, unter ihnen einen Zwilling. Der jüngste der dreiundzwanzig Söhne war mein Großvater und hieß: Schû." (GW II, 96) Auch in der Familie des Arthur Aronymus wird es später dreiundzwanzig Kinder geben, und der Austausch einer mohammedanischen gegen eine jüdische Ahnenreihe ist hier schon vorbereitet.

Uns soll zunächst das Verhältnis interessieren, das zwischen dem mohammedanischen Urgroßvater und seinem jüdischen Freund besteht. „Ob Allah oder Jehovah der einzige Gott der Erde sei — wurde zum streitenden Amen ihres Abends", schreibt die Dichterin (GW II, 96). Darüber erzürnt der Jude oft, und wenig später heißt es dazu:

> *Und wenn Schû am Morgen, von seinem Vater bewogen, den jüdischen Sultan schon bei der ersten Waschung überraschte, kam es nicht selten vor, daß dieser sich verschwor, niemals wieder seinen Vater zu besuchen; heimlich aber dachte er: In ganz Bagdad findet Jehovah keinen jüdischen Knecht, auf den er mit größerem Wohlgefallen blicken würde wie auf den mohammedanischen Priester aller Moscheen. Denn Mschattre-Zimt bewunderte heimlich den ungezähmten Eifer seines Freundes.*
> *(Der Prinz von Theben, GW II, 96-7)*

Auch hier ist der Übergang von 'mohammedanischer' zu jüdischer Überlieferung bereits angedeutet, vielleicht nur unbewußt: es ist ein innerer Monolog des *Juden,* den wir lesen — ein unerwarteter Perspektivenwechsel, der die Urenkelin des Oberpriesters aller Moscheen plötzlich auf der jüdischen Seite des religiösen Streitgespräches erscheinen läßt.

Das Ereignis, um dessentwillen die Geschichte erzählt wird, findet nach dem Tode des Juden statt. „Es war ein Jahr nach Mschattre-Zimts Tod", heißt es,

> *als es ganz geheimnisvoll an die Wand des Palastes klopfte. Mein Urgroßvater saß an der Tafel, um ihn seine dreiundzwanzig Söhne, und speiste. Die schwarzen Diener, die gegangen waren, den Gast einzulassen, sahen niemand, der Einlaß begehrte; es klopfte unaufhörlich — aber sie brachten denselben Bescheid.*
> *(Der Prinz von Theben, GW II, 97)*

Unter der Leitung des Urgroßvaters macht man sich auf die Suche nach dem unheimlichen Gast, und sie führt schließlich auf den jüdischen Friedhof. Dort endet die Erzählung mit folgenden Worten:

> *Mschattre-Zimt war aus seinem Grabe gestiegen, um seine feinblitzende Stirne den Turban Mose — und die Hand hatte er erhoben, wie*

er sie erhob gläubig zu seinem Gotte, wenn er den Freund vor Mitternacht erzürnt zu verlassen pflegte. Seine braunen schüchternen Augen waren aus den Höhlen getreten, verwitterte Kuppeln, rissige Synagogen. Ein Schauer ergriff den Leib des Scheiks. Versöhnend legte er den Freund zurück in seine Gruft.

In dem Tore von Bagdad ruhen eingeschnitten die Bilder meines Urgroßvaters, des Scheiks, des obersten Priesters aller Moscheen, und seines Freundes, des jüdischen Sultans Mschattre-Zimt.
(Der Prinz von Theben, GW II, 98)

Die Bilder dieser 1914 erschienenen Erzählung weisen zurück und voraus. 'Verwitterte Kuppeln' und 'rissige Synagogen' nehmen das Motiv des morschen Felsens aus „Mein Volk" wieder auf, und selbst das Wort 'Schauer' erinnert noch an das Gedicht; aber auch ein Motiv aus der späteren Dichtung *Arthur Aronymus* klingt an: schon hier bildet die Versöhnung der Religionen den dramatischen Höhepunkt.

Einen Übergang vom *Prinz von Theben* zum Werk über den eigenen Vater, von einem mohammedanischen zum jüdischen Urgroßvater Uriel bildet dann das Zwischenglied, das sich im siebzehnten ihrer Briefe an Franz Marc findet. In der Buchform des *Malik* sind diese Briefe erst 1919 erschienen, aber entstanden sind sie schon 1914, also gleichzeitig mit dem Geschichtenbuch über Jussuf. Liest man den siebzehnten Brief, so wird verständlich, weshalb die Erzählung „Der Scheik" plötzlich zur Perspektive des Juden überwechselt: Else Lasker-Schüler hatte sie sich nicht nur in einer mohammedanischen, sondern auch in einer jüdischen Version ausgedacht.

In diesem Brief spielt ihr Vater bereits die übermütige, befreiende Rolle, in der wir ihn im Essayband *Konzert* kennengelernt haben. Er „war der wilden Juden Tyll Eulenspiegel und sein Gebet zu der Hochzeit mit Gott riß sich von seinen Lippen los wie ein Trinkspruch", heißt es in dem Brief. „Er hatte nie an den Wassern zu Babel gesessen und geklagt, er war nie durch den Trauerregen der Straßen des Ghettos gebeugt geschlichen. Alles war hell in ihm und sprudel. Die Stadt gehörte ihm und jedes Haus, und jeder Mensch und jedes Vermögen zum Verschenken. Und er baute Türme, die bedrohten alle Dächer, wenn der Sturm kam. Die Uhr mochte er nicht, da sie die Zeit kontrollierte." (GW II, 409)

Die Geschichte, die er seiner Tochter erzählt, ist ein Ereignis aus dem Leben seines Großvaters:

Sein Motiv war sein ganzes Lebelang die Großschauergeschichte seines Großvaters, der Oberpriester war. Der saß am Abend des Versöhnungstages an der Tafel und speiste, um ihn seine dreiundzwanzig Söhne und deren unzählige Söhne und Töchter und Enkel und mein Vater, der der jüngste der zwölf Brüder des dreiundzwanzigsten Sohnes meines Urgroßvaters war. Als es leise an das Tor des Hauses klopfte, da erhob sich Babel, der älteste Sohn meines Urgroßvaters, aber er brachte den späten Gast nicht, der Einlaß begehrte.
(Der Malik, GW II, 409-10)

Es wiederholt sich, was auch in *Der Prinz von Theben* steht — nur findet die Szene am Abend des Versöhnungstages statt, und der Urgroßvater ist ein jüdischer 'Oberpriester': hier haben wir die Familienstruktur, von der dann auch *Arthur Aronymus* getragen wird, bereits deutlich vor uns.

Am Schluß des Briefes heißt es:

Und mein Urgroßvater ließ sich seine Füße waschen und eilte mit seinen Kindern und Kindeskindern und Kindeskindeskindeskindern und seinem ganzen Hausstand und den auserlesenen Armen — auf den Friedhof; dort lag sein innigster Gefährte von den Christen ausgegraben, seinem letzten Hemde entblößt, die Augen aufgetan, wie er sie öffnete im Leben, wenn sein geweihter Freund ihn besuchte.
(Der Malik, GW II, 410)

Ob es ein jüdischer oder ein christlicher Friedhof ist, wird nicht gesagt; und wir wissen nicht, wer dieser 'innigste Gefährte' ist — ein von den Christen ausgegrabener Jude oder ein judenfreundlicher Christ. Auch das Ende der Szene bleibt offen, keine versöhnende, den Toten in sein Grab zurückbettende Geste schließt sie ab. Noch ist der jüdische Urgroßvater nicht zu der Erlösertat fähig, die er später vollbringen wird: in *Ich räume auf!*, wo er das Herz aus der Brust nimmt, um seinen Zeiger nach Gottosten zu stellen; und schließlich als Symbolgestalt, die gottnah über *Arthur Aronymus* steht, der Dichtung vom Frieden der Religionen.

In dem Schauspiel aus dem Jahre 1932 ist es Else Lasker-Schülers eigener Vater, der seine von den Christen bedrohte Schwester Dora vor dem Scheiterhaufen rettet. Wir haben gesehen, daß dieses Werk einen Teil seiner Handlung aus der Geschichte des westfälischen Judentums bezieht, aber erst die phantastische Genealogie der vielköpfigen Familie des Arthur Aronymus macht deutlich, wie schwer es der Dichterin wurde, einen Weg zu der Wirklichkeit ihres jüdischen Lebens in Deutschland zu finden.

Es war ein schwerer Weg, doch er war unvermeidlich. Die Verse „Mein Volk" sind das Gedicht von der Sinnlosigkeit aller Fluchtversuche vor dem Felsen, und sie sind schon 1905 erschienen, denn Else Lasker-Schüler hat sehr früh um die Unentrinnbarkeit aus ihrem Judentum gewußt: sie schreibt in allen diesen Jahren auch eine Reihe weiterer Gedichte, die sie trotz ihrer Flucht in christliche und mythische, in tibetanische und mohammedanische Phantasien den Kontakt mit ihrem wirklichen Judentum nicht verlieren lassen. Die Gedichte erscheinen vereinzelt in ihren ersten Sammlungen *Styx* und *Der siebente Tag,* sie erscheinen 1911 in *Meine Wunder,* und gesammelt erscheinen sie erstmals im Jahre 1913 als das Buch, unter dessen Titel sie bekannt geworden sind: als *Hebräische Balladen.*

Auch sie, zumeist von einer biblischen Thematik, führen aus der Gegenwart ihres zeitgenössischen Judentums in eine weite Vergangenheit zurück. Aber sie entfernen Else Lasker-Schüler nicht von ihrem Judentum, weil sie in ihnen nicht nur zu eigenen Mythen flieht, sondern auch die kollektiven Mythen ihres Volkes aufnimmt und durch sie ihren inneren Spannungen Ausdruck verleiht.

Ein Beispiel ist die Gestalt des Joseph, aus dem sie so oft ihre Maske des Prinzen Jussuf macht. „Ich aber trage den lammbluten-den Hirtenrock Jussufs, wie ihn seine Brüder dem Vater brachten", hieß es an der schon zitierten Stelle in *Der Prinz von Theben* (GW II, 103). Die biblische Vorlage ist hier noch deutlich zu erkennen, und ein ähnliches Zitat, aus dem Essay „Der letzte Schultag" im Bande *Konzert,* haben wir schon in dem Kapitel über ihre Elberfelder Jugend kennengelernt: „In der Religion, hätte ich beinahe zu melden vergessen, war ich eine gute Schülerin, tiefen Eindruck machte auf mich die Josephgeschichte. Einmal weinte ich so bitterlich bei der Stelle, als Josephs schöner, bunter Samtrock in Blut von den Brüdern getaucht wurde, daß mich der Geistliche gerührt nach Hause schickte." (GW II, 697)

In ihrem gespannten Verhältnis zum jüdischen Volk gewann der von seinen Brüdern verkaufte Lieblingssohn Jakobs eine große Anziehungskraft auf die Dichterin. Auch in ihrem schon nach dem Erscheinen der *Hebräischen Balladen* geschriebenen Brief an Martin Buber heißt es noch: „Ich *hasse* die Juden, da ich David war oder Joseph", und es ist deshalb aufschlußreich, die beiden hebräischen Balladen, die sie über ihn geschrieben hat, auf ihren Zusammenhang zu überprüfen.

Die eine von ihnen gehört streng genommen nicht zu dem ursprünglichen Zyklus. Sie entstand Anfang der zwanziger Jahre, aber die Zeilen sind thematisch so eindeutig mit ihm verbunden, daß wir sie hier betrachten müssen. Else Lasker-Schüler nennt sie „Joseph wird verkauft" und nimmt den brüderlichen Verrat damit schon in ihren Titel auf:

Die Winde spielten müde mit den Palmen noch,
So dunkel war es schon um Mittag in der Wüste,
Und Joseph sah den Engel nicht, der ihn vom Himmel grüßte,
Und weinte, da er für des Vaters Liebe büßte,
Und suchte nach dem Cocos seines schattigen Herzens doch.

Der bunte Brüderschwarm zog wieder nach Gottosten,
Und er bereute seine schwere Untat schon,
Und auf den Sandweg fiel der schnöde Silberlohn.
Die fremden Männer aber ketteten des Jakobs Sohn,
Bis ihm die Häute drohten mit dem Eisen zu verrosten.

So oft sprach Jakob inbrünstig zu seinem Herrn,
Sie trugen gleiche Bärte, Schaum, von einer Eselin gemolken.
Und Joseph glaubte jedesmal, — sein — Vater blicke aus den Wolken....
Und eilte über heilige Bergeshöhen, ihm nachzufolgen,
Bis er dann ratlos einschlief unter einem Stern.

Die Käufer lauschten dem entrückten Knaben,
Des Vaters Andacht atmete aus seinem Haare;
Und sie entfesselten die edelblütige Ware.
Und drängten sich, zu tragen Kanaans Prophet in einer Bahre,
Wie die bebürdeten Kamele durch den Sand zu traben.

Ägypten glänzte feierlich in goldenen Mantelfarben,
Da dieses Jahr die Ernte auf den Salbtag fiel.
Die kleine Karawane — endlich — nahte sie dem Ziel.
Sie trugen Joseph in das Haus des Potiphars am Nil.
An seinem Traume hingen aller Deutung Garben.

(GW I, 298; SG, 175)

Das biblische Ereignis, das hier wiedergegeben ist, muß uns vor allem in den Veränderungen interessieren, die es erfährt. Zunächst fällt die Verdichtung auf, mit der Else Lasker-Schüler die gesamte Josephslegende in den engen Raum der Strophen zusammendrängt; die Ballade nimmt ihren Ausgang bei dem Anschlag der Brüder und Josephs Fall, aber sie endet mit seiner Erhöhung und der symbolischen Voraussage seines Aufstiegs in Ägypten.

Schon die dritte Zeile der ersten Strophe — „Und Joseph sah den Engel nicht, der ihn vom Himmel grüßte" — deutet an, daß die Ballade nicht nur vom Verkauf, sondern auch von der Erlösung des Joseph erzählt. Es ist das zentrale Thema Else Lasker-Schülers, dem wir auch hier wieder begegnen, und an seiner Durchführung in diesen Zeilen läßt sich verfolgen, wie sie die Mythen ihres Volkes mit den Mythen ihrer eigenen Dichtung verbindet.

Die Inbrunst des Jakob, mit der er zu seinem Herrn spricht, befreit Joseph aus den Ketten: „Des Vaters Andacht atmete aus seinem Haare." Die Liebe des Vaters, für die er am Anfang büßt, bringt ihm schließlich die Erlösung, und auch wir, wie Joseph, bleiben ratlos vor der Frage, ob es Gott ist oder sein Vater, der aus der Höhe auf ihn niederblickt.

So steht es nicht in der Bibel, aber so steht es bei Else Lasker-Schüler. Die bis in den Himmel reichende Ahnenkette ist ein Merkmal ihrer symbolischen Welt, und der Urgroßvater Uriel hat seine Vorläufer in sehr frühen Gedichten. Die ihrem verstorbenen Bruder Paul zugeeigneten Verse „Du, Mein" wurden wegen ihrer christlichen Konnotation bereits zitiert; und schon „Chronica", das erste Gedicht ihres ersten Bandes *Styx,* beginnt mit den Zeilen:

Mutter und Vater sind im Himmel
Und sprühen ihre Kraft
An singenden Fernen vorbei,
An spielenden Sternen vorbei
Auf mich nieder.

(GW I, 11; SG, 11)

Die Mythen verknüpfen sich in Else Lasker-Schülers Dichtung. In den zwanziger Jahren, als die Familienlegende des Arthur Aronymus mit dem Urgroßvater Uriel ihre metaphysische Kontur erhält, entsteht die späte hebräische Ballade über den verkauften Joseph, und mit der erdichteten Erlösung durch seines Vaters Jakob Andacht stellt Else Lasker-Schüler eine Vaterfigur ihres eigenen Werkes in die biblische Welt: sie blendet ihre Wunschvorstellungen in die Bilder der jüdischen Überlieferung ein, in der sie nicht mehr nur den Schauer, sondern auch den Trost des Gottesschreies empfindet.

Aber in der Ballade wird auch eine zweite, noch bedeutendere Veränderung der Bibelgeschichte vorgenommen. Da es Jakobs Inbrunst ist, die seinen Sohn befreit, findet Josephs Erhöhung nicht erst nach langer Bewährung in Ägypten statt, sondern sofort − er trifft bereits als 'Kanaans Prophet' im Hause Potiphars ein. Die schnelle, trabende Bewegung seiner Träger deutet die Zeitraffung an, mit der die Legende hier verkürzt wird, und Josephs weiteren Weg faßt Else Lasker-Schüler in das Bild einer einzigen Zeile: „An seinem Traume hingen aller Deutung Garben."

Es ist ein vielschichtiges Bild, das noch einmal den Zwiespalt zeigt, in dem die Dichterin zu ihrem Judentum steht. Die Garben weisen auf die Zeit voraus, in der Joseph das hungernde Ägypten mit Getreide versorgen wird, sie sind ein Symbol seiner Größe; zugleich aber sind sie auch der Grund für den Haß, den seine Brüder gegen Joseph hegen, denn in der Bibel heißt es: „Israel aber hatte Joseph lieber als alle seine Söhne, weil er der Sohn seines Alters war, und machte ihm einen bunten Rock. Als nun seine Brüder sahen, daß ihn der Vater lieber hatte als alle seine Brüder, wurden sie ihm feind und konnten ihm kein freundliches Wort sagen. Dazu hatte Joseph einmal einen Traum und sagte seinen Brüdern davon; da wurden sie ihm noch mehr feind. Denn er sprach zu ihnen: Höret doch, was mir geträumt hat. Siehe, wir banden Garben auf dem Felde, und meine

Garbe richtete sich auf und stand, aber eure Garben stellten sich ringsumher und neigten sich vor meiner Garbe. Da sprachen seine Brüder zu ihm: Willst du unser König werden und über uns herrschen? Und sie wurden ihm noch mehr feind um seines Traumes und seiner Worte willen." (1. Mose 37, 3-8)

Das Bild der Garben reflektiert die Größe und das Leid des Joseph. Seine ganze Tiefe aber gewinnt es erst als ein Spiegel der Dichterin selbst: im letzten Wort der Verse über den Verkauf des Bruders ist der genaue Anknüpfungspunkt an das zweite Gedicht gegeben, das deutlich macht, wie sehr Else Lasker-Schüler sich mit diesem Leid und dieser Größe des biblischen Joseph identifiziert.

Es erschien zuerst im Bande *Meine Wunder* aus dem Jahre 1911 und wurde 1913 in den *Hebräischen Balladen* wieder abgedruckt:

Pharao und Joseph

Pharao verstößt seine blühenden Weiber,
Sie duften nach den Gärten Amons.

Sein Königskopf ruht auf meiner Schulter,
Die strömt Korngeruch aus.

Pharao ist von Gold.
Seine Augen gehen und kommen
Wie schillernde Nilwellen.

Sein Herz aber liegt in meinem Blut;
Zehn Wölfe gingen an meine Tränke.

Immer denkt Pharao
An meine Brüder,
Die mich in die Grube warfen.

Säulen werden im Schlaf seine Arme
Und drohen!

Aber sein träumerisch Herz
Rauscht auf meinem Grund.

Darum dichten meine Lippen
Große Süßigkeiten,
Im Weizen unseres Morgens.

(GW I, 299; SG, 176)

Ein merkwürdiges Bild eröffnet diese Verse: Joseph verdrängt die 'blühenden Weiber', die nach den 'Gärten Amons' duften, und Pharaos Kopf ruht auf seiner Schulter, denn sie 'strömt Korngeruch aus'. Auch hier ist das Motiv der Garben deutlich spürbar, aber Else Lasker-Schüler hebt es aus der Welt der Bibel heraus und webt es in ihre eigenste Symbolik ein. Das Gedicht verharrt auf dem Höhepunkt der Josephslegende, den die spätere Ballade nur andeutet, und die Erlösung des Joseph, wie oft in diesem Werk, drückt ein Liebespaar aus: der 'Joseph' dieser Zeilen nimmt weibliche Züge an und gibt sich als die Frau zu erkennen, die ihn erdichtet hat.

In den gleichen Jahren ist „Ein alter Tibetteppich" entstanden, und manches erinnert an seine Verse: auch hier ist eine Liebesgeste zu Ewigkeit erstarrt; auch hier – im Pharao aus Gold, dessen Augen wie 'schillernde Nilwellen' gehen – wird die Gestalt eines Götzen geschaffen, die das Gesetz der Bibel bricht; und auch hier, wie im Tibetteppich des Lamasohnes, verschenken Lippen ihre Süßigkeiten.

Wieder verknüpfen sich Else Lasker-Schülers eigenste Mythen mit den kollektiven Mythen ihres Volkes, und wieder sind in dieser Verknüpfung Hinwendung und Abwendung zugleich. Pharao, der fremde Gott, wird der Schutzherr Josephs, denn immer denkt er an seine Brüder, die ihn in die Grube warfen. Im Schlaf werden seine Arme zu drohenden Säulen, und hier, im Schlafe des Pharao – in seinem träumerischen Herzen, das auf Josephs Grunde rauscht – ist der Traum gestaltet, an dem schon 'aller Deutung Garben' der späteren Ballade hängen: im 'Weizen unseres Morgens' gehen sie auf und in den Süßigkeiten, die Else Lasker-Schülers Josephslippen dichten.

Es sind bedeutende, für das Selbstverständnis dieser deutschen Jüdin entscheidende Zeilen. Von seinem Ende her gewinnt die Fruchtbarkeitssymbolik des Gedichtes – der Korngeruch, die Nilwellen, der Weizen – einen überraschenden Sinn, und wie auch am Schluß der späteren Ballade, wie schon in der Bibel selbst, wird Joseph hier zu einem Deuter von Träumen, mit dem Else Lasker-Schüler sich identifiziert. Weil er immer an meine Brüder denkt, die mich in die Grube warfen – so deutet sie mit Joseph den Traum des Pharao – weil im Schlafe seine Arme zu Säulen werden, die den Verrätern drohen: deshalb verschenke ich an diesen Fremden die Garben meiner Dichtung.

„Ich *hasse* die Juden, da ich David war oder Joseph", schreibt sie an Martin Buber, „ich hasse die Juden, weil sie meine Sprache mißachten." In den Zeilen ihrer Josephsgeschichte finden diese Worte ihre tiefste Deutung.

„Mein Volk" sind die Verse der Ambivalenz, mit der Else Lasker-Schüler ihr Judentum trägt, und immer wieder begegnet sie uns, in den *Hebräischen Balladen* nicht weniger als in den Produkten ihrer ungezügelten Phantasie. Auch der Rückzug in die biblische Vergangenheit befreit sie nicht von den Spannungen der Gegenwart, von der Zerrissenheit ihrer deutsch-jüdischen Existenz. „Immer seit Mose", schreibt sie am 15.12.1909 an Jethro Bithell, „bin ich in der Wüste, verdurste, verbrenne am brennenden Dornstrauch. Und erwürge die Leute, die ums goldene Kalb tanzen." (BR I, 46)

Es sind die späten Folgen einer trügerischen Emanzipation, die in der Dichtung Else Lasker-Schülers ihren Ausdruck finden. Zwischen dem bürgerlichen Lager ihres ersten Ehemannes Berthold Lasker und dem radikalen Lager ihres zweiten Ehemannes Herwarth Walden verliert ihr Leben seinen Halt. Beide Spielarten dieser jüdischen Assimilation stoßen sie ab, weil sie auf die wesentlichsten Teile einer eigenen Kultur verzichten, die ihr unentbehrlich sind.

Heinrich Heine, dem Herwarth Walden seinen anderen Namen Wilhelm von Kevlaar verdankt, spiegelt in seinem Werk eine frühere Phase der Pendelbewegung, in der die deutsch-jüdische Geistesgeschichte verläuft. Es gehörte zu der unbequemen Eigenart dieses Dichters, daß er in der dialektischen Spannung seiner historischen Lage oft die Opposition vertrat, weil er die Schwäche der Gegenseite, die sich zufällig an der Macht befand, allzu klar durchschaute. So kam es, daß dieser getaufte Jude gerade nach 1848, als sich Materialismus und Positivismus durchzusetzen begannen, einen Rückweg zu den eigenen Quellen fand. In seinen *Geständnissen* aus dem Jahre 1854 erinnert er sich an die Legende des Nebukadnezar, „dieses babylonischen Königs, der sich selbst für den lieben Gott hielt, aber von der Höhe seines Dünkels erbärmlich herabstürzte", und er empfiehlt sie nicht nur dem Hegelianer Ruge, sondern „auch meinem noch viel verstocktern Freunde Marx, ja auch den Herrn Feuerbach, Daumer, Bruno Bauer, Hengstenberg und wie sie sonst heißen mögen, diese gottlosen Selbstgötter, zur erbaulichen Beherzigung".

Wenig später kommt Heine auf die Gestalt des Moses zu sprechen. Das längere Zitat aus den *Geständnissen* wird hier vollständig gebracht, weil es einen aufschlußreichen Vergleich zu Else Lasker-Schüler bietet:

> Diese große Figur hat mir nicht wenig imponiert. Welche Riesengestalt! Ich kann mir nicht vorstellen, daß Ok, König von Basan, größer gewesen sei. Wie klein erscheint der Sinai, wenn der Moses darauf steht! Dieser Berg ist nur das Postament, worauf die Füße des Mannes stehen, dessen Haupt in den Himmel hineinragt, wo er mit Gott spricht – Gott verzeih mir die Sünde, manchmal wollte es mich bedünken, als sei dieser mosaische Gott nur der zurückgestrahlte Lichtglanz des Moses selbst, dem er so ähnlich sieht, ähnlich in Zorn und in Liebe – Es wäre eine große Sünde, es wäre Anthropomorphismus, wenn man eine solche Identität des Gottes und seines Propheten annähme – aber die Ähnlichkeit ist frappant.
> Ich hatte Moses früher nicht sonderlich geliebt, wahrscheinlich weil der hellenische Geist in mir vorwaltend war, und ich dem Gesetzgeber der Juden seinen Haß gegen alle Bildlichkeit, gegen die Plastik, nicht verzieh. Ich sah nicht, daß Moses, trotz seiner Befeindung der Kunst, dennoch selber ein großer Künstler war und den wahren Künstlergeist besaß. Nur war dieser Künstlergeist bei ihm, wie bei seinen ägyptischen Landsleuten, nur auf das Kolossale und Unverwüstliche gerichtet. Aber nicht wie die Ägypter formierte er seine Kunstwerke aus Backstein und Granit, sondern er baute Menschenpyramiden, er meißelte Menschen-Obelisken, er nahm einen armen Hirtenstamm und schuf daraus ein Volk, das ebenfalls den Jahrhunderten trotzen sollte, ein großes, ewiges, heiliges Volk, ein Volk Gottes, das allen anderen Völkern als Muster, ja der ganzen Menschheit als Prototyp dienen konnte: er schuf Israel! Mit größerm Rechte als der römische Dichter darf jener Künstler, der Sohn Amrams und der Hebamme Jochebet, sich rühmen, ein Monument errichtet zu haben, das alle Bildungen aus Erz überdauern wird!

(Heinrich Heine, *Werke,* Frankfurt am Main 1968; Vierter Band, S. 508-9)

So – fünfzig Jahre vor Entstehung der Verse „Mein Volk" – sieht ein anderer jüdischer Dichter den Felsen, der bei Else Lasker-Schüler morsch geworden ist. Es sind stolze Worte, die Heine hier schreibt, aber es sind zugleich pathetische Worte, die die Verzweiflung eines

117

entwurzelten Romantikers hinter dem Kolossalgemälde seiner eigenen Erfindung zu verbergen suchen.

Auch Else Lasker-Schüler hat ihre Kolossalgemälde entworfen, im 'Wildjuden Saul', im Prinzen Jussuf, in der Erlösergestalt des *Peter Hille-Buches*. Der Anthropomorphismus aber, für den sich Heine ironisch entschuldigt, steht unüberbrückbar zwischen seinem 'Menschen-Obelisken' und dem Felsen ihres Gedichtes „Mein Volk". Jetzt, ein halbes Jahrhundert später, im Schatten der Katastrophe, die auf das deutsche Judentum zukommt, kann sie an ein unzerstörbares Menschenwerk nicht mehr glauben, kann der Gottesschrei für sie eine Antwort nicht mehr in der Gleichsetzung von Gott und seinem Propheten finden. Moses verkündete: Gott schuf. In seiner tiefsten Bedeutung ist der Fels in Else Lasker-Schülers Versen, was er schon bei Israels Propheten war, bei Samuel und bei Jesaja: der *Tsur Israel,* der 'Felsen Israels' — Gott selbst.

Else Lasker-Schüler hat anders über Moses geschrieben als Heinrich Heine. Eine ihrer späteren *Hebräischen Balladen* trägt den Titel „Moses und Josua":

> *Als Moses im Alter Gottes war,*
> *Nahm er den wilden Juden Josua*
> *Und salbte ihn zum König seiner Schar.*
>
> *Da ging ein Sehnen weich durch Israel —*
> *Denn Josuas Herz erquickte wie ein Quell.*
> *Des Bibelvolkes Judenleib war sein Altar.*
>
> *Die Mägde mochten den gekrönten Bruder gern —*
> *Wie heiliger Dornstrauch brannte süß sein Haar;*
> *Sein Lächeln grüßte den ersehnten Heimatstern,*
>
> *Den Mosis altes Sterbeauge aufgehn sah,*
> *Als seine müde Löwenseele schrie zum Herrn.*

(GW I, 300; SG, 176-7)

Das 'Alter Gottes', das Moses in diesen Zeilen erreicht, hat mit dem Anthropomorphismus Heinrich Heines nichts gemein. Moses wird nicht so alt wie Gott, er erreicht nur das Alter, in dem Gott ihn zu sich nimmt: er erreicht das Jahr seines Todes. Nicht von der Unsterblichkeit des Moses ist in dem Gedicht die Rede, sondern von der

Tragik des Propheten, der das Gelobte Land nicht betreten wird.

Und doch ist es einer der seltenen Augenblicke, in denen Else Lasker-Schüler ihren Frieden findet. Sehnsucht und Erfüllung stehen dicht beieinander. Ein 'wilder Jude', Josua, erweckt ein Sehnen und stillt es zugleich; ein Bild der Liebesbeziehungen – „Die Mägde mochten den gekrönten Bruder gern" – deutet schon die nahende Erlösung an; und der sterbende Moses, den Gott nun zu sich nehmen wird, erhält eine Antwort, wo früher nur Widerhall war: auch seine müde Löwenseele schreit zum Herrn – und fängt doch alle Schönheit und Versöhnung dieser Zeilen auf.

Viertes Kapitel

Späte Berliner Jahre

Fast vierzig Jahre hat Else Lasker-Schüler in Berlin gelebt. Auf den ersten Blick scheint die Tragik dieser langen Zeitspanne von einer persönlichen Natur zu sein und im Privatbereich zweier gescheiterter Ehen zu liegen. Aber schon der Zusammenbruch dieser Ehen steht in einem deutlichen Bezug zum polarisierten Sozialgefüge des deutschen Judentums. In ihm kann die Dichterin ihren Platz nicht mehr finden, und auch ihr Werk, das während der frühen Berliner Jahre entsteht, wird daher von der inneren Spannung einer nur scheinbar emanzipierten Jüdin im wilhelminischen Deutschland getragen.

Dann tritt das Ereignis ein, das die bisher nur von wenigen empfundene Notlage allgemein spürbar werden läßt: der Erste Weltkrieg bricht aus und macht die Brüchigkeit der Grundlage bewußt, auf der das deutsche Bürgertum seine Scheinwelt gebaut hat. Der Umbruch ergreift alle Gesellschaftsschichten, und auch die Juden werden von ihm betroffen. Wie oft in der wandelbaren Geschichte des Landes — nach dem Wiener Kongreß, nach der gescheiterten Revolution von 1848, in der Wirtschaftskrise der Gründerjahre — wenden sich Deutschlands enttäuschte Bürger drohend gegen sie, um schließlich die Entwicklung zuzulassen, die das jüdische Schicksal besiegelt: die Machtergreifung Hitlers.

Und wie alle Krisen des Bürgertums hat auch seine letzte Krise in der Geistesgeschichte des deutschen Judentums ihre tiefgreifenden Folgen. Es treten nun Wandlungen im jüdischen Selbstverständnis ein, die nicht zu übersehen sind, wenn man sich den späten Berliner Jahren Else Lasker-Schülers zuwendet. Am Ende dieser Zeit schreibt sie ihr Werk *Arthur Aronymus und seine Väter,* und das Kapitel über ihre Elberfelder Jugend hat schon gezeigt, wie sehr hier das persönliche und das allgemeine jüdische Schicksal in Deutschland verknüpft sind. So müssen wir auch die letzten Jahre der Dichterin zu verstehen suchen, bevor sie ins Exil getrieben wurde; nur in der

Verbindung der beiden Ebenen — der allgemeinen und der persönlichen — gewinnt der Weg der Else Lasker-Schüler seinen Sinn.

I

Als die Dichterin im Jahre 1914 das Buch *Der Prinz von Theben* herausbringt, stehen die phantastischen Heldentaten dieses wilden Juden in traurigem Gegensatz zu der Wirklichkeit ihres eigenen Lebens. Seit ihre Ehe mit Herwarth Walden im Jahre 1912 endgültig auseinandergeht, besitzt sie nie wieder eine eigene Wohnung und lebt fast nur noch in Hotelzimmern. Zeitweise ist sie völlig mittellos, hängt von Geldsammlungen ab, zu denen Karl Kraus in der *Fackel* aufruft, und setzt sich damit dem Spott der bürgerlichen Presse aus.

Schlimmer noch als die erniedrigende Armut ist ihre Vereinsamung in diesen Jahren. 1912 stirbt ihre Schwester Anna, der sie eng verbunden war, und zu Beginn des Jahres 1914 geht Johannes Holzmann in einem russischen Kerker zugrunde. Wegen angeblich subversiver Tätigkeit war der anarchistische Schriftsteller 1907 verhaftet worden. 1913, zwei Monate vor seinem Tode, fährt Else Lasker-Schüler nach Rußland, besucht den Freund in der Irrenanstalt des Gefängnisses, wo er seine letzten Jahre zubringt, und macht den aussichtslosen Versuch, seine Freilassung zu erwirken. In ihrem Werk nennt sie ihn 'Senna Hoy', 'Sascha', 'Prinz von Sibirien', und viele ihrer Gedichte gelten seinem Andenken.

Der Weltkrieg bricht aus, und sie verliert andere Freunde. Es fällt der Rechtsanwalt Hugo Caro, dem sie nahestand; es fallen die Dichter Hans Ehrenbaum-Degele und Peter Baum, denen sie viele Verse gewidmet hat; und es fällt ihr Blauer Reiter Franz Marc, an den sie die Briefe ihres Buches *Der Malik* richtet. 'Mein Halbbruder Ruben' nennt sie ihn in diesen Briefen — nach dem einzigen der Brüder Josephs, der sich nicht an dem Verkauf beteiligt hatte.

Was diese Verluste für Else Lasker-Schüler bedeuteten, läßt sich am Beispiel Georg Trakls ermessen. Auch er war im November 1914 aus der Welt gegangen, hatte sich in Krakau das Leben genommen. Als sie die Nachricht erhielt, telegraphierte sie an Ludwig von Ficker, der die Zeitschrift *Der Brenner* herausgab und zu Trakls Freundeskreis gehört hatte: „Bin trostlos wäre nach Krakau gekommen aber Karte nicht erhalten. Depesche entsetzt mich wo die Beerdigung ich weine Jussuf" (BR I, 108).

Die Karte, die sie in dem Telegramm erwähnt, traf wegen der Kriegswirren erst lange nach Trakls Tod bei Else Lasker-Schüler ein. Wie unauslöschlich sich diese Verspätung ihrem Gedächtnis eingeprägt hat, geht aus einem Schreiben hervor, das sie elf Jahre später, am 18.3.1926, an Ludwig von Ficker richtete. Er hatte ihr sein Erinnerungsbuch an Georg Trakl geschickt, und sie antwortete ihm: „Wie danke ich Ihnen für das liebe Buch mit Georg Trakls Bild. Ich will mich sicher nicht überheben, aber ich hätte ihn, wenn ich es gewagt hätte, froh machen können. Damals kam die Karte zu *spät,* ich wäre ja sofort abgereist. Ich sah ihn doch in meinem Zimmer, (wie es in *meinem Gedicht steht)* als 15jähriger im Havelok seinem Mantelkragen — durch mein Zimmer gehen. *Sicher* am Tage in der Stunde seines Sterbens. Jedenfalls erreichte mich ein Gedanke von ihm." (BR I, 114).

Das Gedicht, von dem sie hier spricht, hat sie nach Trakls Tod geschrieben, in Erinnerung an ihn. In seine wenigen Zeilen zieht es alle Lebensproblematik Else Lasker-Schülers zusammen: es gestaltet Georg Trakl zu einer himmlischen Figur und gibt damit ihrem Wunsch nach Erlösung Ausdruck; es setzt ihr eigenes Judentum von Trakls Christentum ab und deutet zugleich die Versöhnung der Religionen an, die im gemeinsamen Gottesglauben liegt; und das Abendmotiv, in dem es ausklingt, erinnert an die frühen Verse „Sulamith" — es verbindet den Tod, der in den Jahren des Weltkriegs über Europa hereinbricht, mit der Sehnsucht nach dem verlorenen Freund, um den die Braut im jüdischen Mythos klagt.

Georg Trakl

Seine Augen standen ganz fern.
Er war als Knabe einmal schon im Himmel.

Darum kamen seine Worte hervor
Auf blauen und auf weißen Wolken.

Wir stritten über Religion,
Aber immer wie zwei Spielgefährten,

Und bereiteten Gott von Mund zu Mund.
Im Anfang war das Wort.

Des Dichters Herz, eine feste Burg,
Seine Gedichte: Singende Thesen.

Er war wohl Martin Luther.

Seine dreifaltige Seele trug er in der Hand,
Als er in den heiligen Krieg zog.

— Dann wußte ich, er war gestorben —

Sein Schatten weilte unbegreiflich
Auf dem Abend meines Zimmers.

(GW I, 256; SG, 151-2)

Der Erste Weltkrieg bringt tiefes Unglück über Else Lasker-Schüler, aber er schafft damit keine neue Wirklichkeit in ihrem Leben. Der physische Schmerz, der sich in metaphysische Sehnsucht ausdehnt, begegnet uns nicht erst in ihren Versen über Georg Trakl, er kennzeichnet schon ihr frühes Werk, das vor dem Krieg entstand. Die Selbstzerfleischung Europas zerstört ihr keine Illusionen, weil sie trotz aller Träume, die sie in ihrer Dichtung gestaltet, in Wahrheit keine Illusionen hat.

Das unterscheidet sie nicht nur von dem breiten Kollektiv der deutsch-jüdischen Öffentlichkeit, sondern auch von vielen seiner geistigen Führer. In Hermann Cohen haben wir bereits den jüdischen Denker kennengelernt, der seinen durch das Prisma der preußisch-protestantischen Akademie gesehenen Idealismus empfahl. Es ist aufschlußreich, daß sein letztes, 1919 posthum veröffentlichtes Werk den Titel *Religion der Vernunft aus den Quellen des Judentums* trägt — in ihm wird noch einmal eine Verbindung von deutschem und jüdischem Gedankengut angedeutet und die Illusion einer geistigen Symbiose heraufbeschworen, die zu diesem Zeitpunkt schon nahe vor ihrem katastrophalen Ende stand.

Für den Neukantianer Cohen bedeutete das immerhin eine Rückwendung zum Judentum, die typisch ist für die Zeit. Er verbrachte die Kriegsjahre in Berlin und arbeitete an den seit 1916 erscheinenden *Neuen jüdischen Monatsheften* mit. Sie dokumentierten das grausame Schicksal des Ostjudentums, das zwischen den Truppen des Zars und der Mittelmächte aufgerieben wurde. Vor den Augen des alternden Hermann Cohen schloß sich so der geistesgeschichtliche Kreis und ließ einen Teil der erschütternden Wahrheit sichtbar werden: der mit Moses Mendelssohn begonnene Anschluß des Judentums an die deutsche Kultur konnte auch im besten Falle die

Existenzgefahr nicht abwenden, die den im Osten lebenden jüdischen Massen drohte.

Daß die Vernichtung der Juden Osteuropas einst von Deutschland ausgehen würde, wußte man damals noch nicht. Ein neues Solidaritätsgefühl mit den leidenden Menschen des eigenen Volkes ergriff das assimilierte deutsch-jüdische Bürgertum. Man war den zahlreichen Flüchtlingen auf ihrem Weg in den Westen behilflich, so gut es ging, und auch innerhalb Deutschlands hatte das ein Aufbrechen der Standesschranken zur Folge. Im Berliner Scheunenviertel etwa, wo das aus dem Osten zugezogene jüdische Proletariat lebte, wurde 1916 ein Volksheim gegründet, in dem Gustav Landauer, der die Eröffnungsrede hielt, einen ersten Schritt auf dem Weg zum jüdischen Sozialismus sah.

Vergeblich wird man nach Spuren einer aktiven Beteiligung Else Lasker-Schülers an dieser durch den Krieg verursachten Organisation des deutschen Judentums suchen. Ihre Distanz zu ihm hat sich selbst in dieser Krisenzeit kaum verringert. Das ist umso bemerkenswerter, da die politischen Umwälzungen auch zu einem geistigen Aufbruch des Judentums führten, dem sich die Dichterin vielleicht hätte anschließen können.

Gegen Ende des Krieges entsteht ein Werk, das für die Spätphase der deutsch-jüdischen Geistesgeschichte bezeichnend ist: Franz Rosenzweig (1886-1929) schreibt sein Buch *Der Stern der Erlösung,* und der Titel macht den Wandel deutlich, der nun eintritt. Im Krieg sind die geistigen Prämissen der bürgerlichen Philosophie hinfällig geworden, auf denen die illusorische Emanzipation des Judentums beruhte; die Suche nach einem Ausweg beginnt.

Schon seine kuriose Entstehung weist das Buch als ein Kriegsprodukt im wahrsten Sinne des Wortes aus. Rosenzweig, der sich an der Front befand — eine Begegnung mit dem Ostjudentum Warschaus im letzten Kriegsjahr hatte entscheidenden Einfluß auf seine Entwicklung — sandte den ersten Teil des Textes auf Feldpostkarten an seine Mutter in Kassel und beendete das Manuskript kurz nach seiner Entlassung im Dezember 1918.

Mit ihm tritt eine neue Generation deutsch-jüdischer Denker auf. Als Sohn eines wohlhabenden, assimilierten Hauses wollte er ursprünglich zum Protestantismus übertreten, hatte aber am Versöhnungstag des Jahres 1913 ein Bekehrungserlebnis, das seinen weiteren Weg bestimmte. Die Wirkung dieses Erlebnisses war es, die später im *Stern der Erlösung* ihren vollsten Ausdruck fand.

Das Werk erinnert schon in seinem Titel an Else Lasker-Schüler: 'Erlösung' nimmt das Motiv auf, das ihre Dichtung seit Jahrzehnten beherrscht, und das Buch enthält dann auch in seinem dritten Teil eine Schilderung des Versöhnungstages, die einen interessanten Vergleich zu dieser Dichtung bietet — Rosenzweig beschreibt ihn als Höhepunkt des geistlichen Jahres der Juden, an dem der Mensch aus der Welt in die Ewigkeit tritt und seinem Schöpfer gegenübersteht:

> *So wie Gott ihn einst richten wird, ihn allein nach seinen eigenen Taten und nach den Gedanken seines eigenen Herzens, und wird ihn nicht fragen nach den andern, die ihn umgaben, und was wohl deren Schuld und Verdienst an ihm sei, sondern er allein wird gerichtet: so tritt er hier in vollkommener Einsamkeit, ein Gestorbener mitten im Leben, und Glied einer versammelten Menschheit, die sich alle wie er selbst mitten im Leben schon jenseits des Grabes gestellt haben, vor das Auge des Richters. Alles liegt hinter ihm.*
> (*Der Stern der Erlösung*, Frankfurt am Main 1921; Dritter Teil, S. 85)

Der jüdische Schrei nach Gott, von dem Else Lasker-Schüler in „Mein Volk" dichtet, findet für Franz Rosenzweig also im göttlich geregelten Jahr des gläubigen Juden seine Antwort. Aber die Weise, in der sich für ihn diese göttlich-menschliche Begegnung vollzieht, ist sehr anders als bei der Dichterin:

> *Und solch gemeinsam-einsamem Flehen einer Menschheit in Sterbekleidern, einer Menschheit jenseits des Grabes, einer Menschheit von Seelen, neigt sein Antlitz der Gott, der den Menschen liebt vor seiner Sünde wie nachher, der Gott, den der Mensch in seiner Not zur Rede stellen darf, warum er ihn verlassen habe, der barmherzig ist und gnädig, langmütig, voll unverdienter Huld und voll Treue, der seine Liebe aufbewahrt dem zweimaltausendsten Geschlecht und vergibt Bosheit und Trotz und Schuld und begnadigt den, der umkehrt. Also daß der Mensch, dem so das göttliche Antlitz sich neigte, aufjubelt in dem Bekenntnis: Er, dieser Gott der Liebe, er allein ist Gott.*
> (*Der Stern der Erlösung*, Dritter Teil, S. 85-6)

Der Jubel, in dem die Szene endet, deutet auf den Grund, aus dem Franz Rosenzweigs Buch entstanden ist: wir haben es mit den Folgen einer Bekehrung zu tun, die er vor dem Übertritt zum Christentum erfuhr. Wir erleben die Freude seiner Rückkehr zum Judentum und seiner Abwendung vom deutschen Idealismus, den er als Schüler Hermann Cohens gründlich kannte — noch 1920 erschien sein Buch *Hegel und der Staat*. Sein *Stern der Erlösung* beschreibt die Entdeckung eines neuen Weges und wird so zum Dokument einer letzten Pendelbewegung der deutsch-jüdischen Geistesgeschichte; nach einer langen Periode der Assimilation folgt hier noch einmal die Absonderung.

Als Leiter des Freien Jüdischen Lehrhauses in Frankfurt am Main hat Rosenzweig diesen neuen Weg später auch anderen gewiesen. Ihm verdankte er schließlich die Kraft, mit der er trotz der 1922 infolge einer Kriegserkrankung einsetzenden Körperlähmung sein produktives Leben weiterführte; dieser Geist hat das deutsche Judentum in seinen letzten Jahren mitgeprägt.

Doch im Vergleich zur Dichtung Else Lasker-Schülers wird schnell der Abstand sichtbar, der hier besteht. Für sie war das Judentum kein neuer Weg, keine Befreiung von einer im Weltkrieg endgültig zusammengebrochenen bürgerlichen Philosophie, an die sie auch vorher nie geglaubt hatte. Für sie war das Judentum ein Schicksal, dem sie nicht entrinnen konnte, auch wo sie es wollte, und der Schrei ihres Volkes nach Gott erfüllte sie nicht mit Jubel, sondern mit Schauer.

Die Erlösung, von der ihre Dichtung spricht, ist nicht die Erlösung, die Franz Rosenzweig meint. „Es war der Kreislauf eines Volkes", schreibt er an der zitierten Stelle seines Buches über das geistliche Jahr der Juden, und dann heißt es:

> *Ein Volk war in ihm am Ziel und wußte sich am Ziel... Es lebt in seiner eigenen Erlösung. Es hat sich die Ewigkeit vorweggenommen. In dem Kreislauf seines Jahres ist die Zukunft die bewegende Kraft; die kreisende Bewegung entsteht gewissermaßen nicht durch Stoß, sondern durch Zug; die Gegenwart verstreicht, nicht weil die Vergangenheit sie weiterschiebt, sondern weil die Zukunft sie heranreißt.*
>
> (*Der Stern der Erlösung*, Dritter Teil, S. 86)

Für Franz Rosenzweig, den in der Spätphase des deutschen Judentums zum Glauben seiner Väter bekehrten Sohn eines assimilierten Hauses, ist die Erlösung eine messianische Gewißheit, deren Stern unverrückbar am Himmel steht. Für die niemals assimilierte, an ihrem Judentum leidende Else Lasker-Schüler aber ist Erlösung stets etwas anderes gewesen: nicht ewige Verheißung, sondern ewige Sehnsucht.

Es ist nie zu einem Kontakt zwischen ihr und Franz Rosenzweig gekommen. Und bezeichnender noch: auch ihr Kontakt mit Martin Buber hat sich in diesen Jahren kaum erneuert.

Im geistigen Aufbruch des deutschen Judentums nach dem Ersten Weltkrieg ist eine fruchtbare Zusammenarbeit begründet, die sich zwischen Buber und Rosenzweig entfaltete. Buber lebte jetzt in der Nähe von Frankfurt, oft trug er im Freien Jüdischen Lehrhaus vor und hielt Seminare ab. Die Hauptaufgabe aber, in die sich beide teilten, schloß einen weiteren Kreis der deutsch-jüdischen Geistesgeschichte, die nun ihrem Ende entgegenging: gemeinsam übersetzten sie die Bücher der Bibel aus dem Hebräischen ins Deutsche. Auch Moses Mendelssohn hatte einst eine solche Übersetzung geschaffen, denn er wollte den Juden ein eigenes Erbe auf den Weg in die deutsche Kultur mitgeben. Buber und Rosenzweig jedoch übersetzten die Bibel mit dem umgekehrten Ziel — indem sie auf das hebräische Original zurückgriffen, wollten sie das ursprünglich jüdische Wesen der Schrift wieder herausarbeiten, das im christlich-abendländischen Kontext verlorengegangen war. Nicht ein Werk der Assimilation war ihre Übersetzung, sondern ein Werk der Absonderung.

Der Selbstbestimmung des Judentums galt auch ein anderes Unternehmen, das Martin Buber in den Jahren des Krieges begonnen hatte: seit 1916 gab er eine Zeitschrift heraus, die den Titel *Der Jude* trug. Im politischen und sozialen Umbruch, den der Krieg mit sich brachte, wurde sie zum entscheidenden geistigen Forum des deutschen Judentums, und zahlreiche jüdische Autoren haben sich auf ihren Seiten an der Diskussion der neuen Lage beteiligt — nur Else Lasker-Schüler nicht.

Ihre Distanz zu diesem zeitgenössischen, durch Martin Buber vertretenen Judentum führt an den Punkt im Jahre 1914 zurück, an dem sich ihre Wege trennten. Die Dichterin hatte in ihrem Brief an

Buber vom Haß auf die Juden gesprochen, der Philosoph hatte seine in die Glaubenswelt des Chassidismus ausweichende Antwort gegeben, und die Verbindung war bald darauf abgebrochen.

Erst am 28.10.1918 findet sich wieder ein Brief Else Lasker-Schülers an Martin Buber, auch er ein in Ton und Inhalt merkwürdiges Schreiben, in dem es unter anderem heißt:

> *Und nun bitte grüßen Sie mir Ihre liebe verehrte Frau Gemahlin und die Kinder und ich habe eine große Bitte wegen einer Frau an den Zionismus zu richten, deren Mann zwar ein wütendes Scheusal war, aber als erster vor 100 Jahren im Zionismus obwaltete: Bambus. Seine Frau ein* hilfloses *armes idealistisches Geschöpf ließ er in eine Irrenanstalt bringen, sie durfte nicht einmal ihr Kind sehen, er aber verband sich mit einer zweiten Frau, die er schon vor der Scheidung sozusagen liebete.*
> (BR I, 120)

Dann beschreibt Else Lasker-Schüler die Leiden der Frau und spricht gegen Ende des Briefes ihre Bitte an Buber aus:

> *Nun dachte ich aber, wenn nun die Zionistische Bewegung ihrer gedenkt, so daß Frau B. etwa (wenn es noch geht) in ein Erholungsheim käme oder Extra Esssachen nach dem Frieden bekäme? Ich will selbst vorher fragen bevor der Zionismus sich ankündigt, wir könnten die Ärzte, die scheints zu Frau B. gut sind, stutzig machen. Bitte, lieber guter Herr Doktor von mir hochverehrter Palästinäer, denken Sie mit mir darüber. Ihr Prinz von Theben*
> (BR I, 121)

Es ist schwer zu sagen, wie weit die Bitte Else Lasker-Schülers ernst zu nehmen ist. Manches an ihrer Formulierung — „bevor der Zionismus sich ankündigt", oder „lieber guter Herr Doktor von mir hochverehrter Palästinäer" — läßt eine ironische Interpretation zu. Vor Jahren hatte sie Buber ihren Haß auf die Juden bekundet, und man kann sich auch hier nicht des Eindrucks einer unterschwelligen Provokation erwehren, mit der sie sich an den geistigen Führer des deutschen Judentums wendet, an den Herausgeber seiner einflußreichsten Zeitschrift: tun Sie doch etwas für die benachteiligten Mitglieder Ihres Volkes, scheint sie zu sagen und nimmt sich dabei vielleicht auch selbst nicht von den Hilfsbedürftigen aus.

128

Die Bitte scheint keinen Erfolg gehabt zu haben. „Ich bin verschuldet", schreibt sie am 27.1.1926 an Felix Pinkus, einen ihrer jüdischen Gläubiger, „meist nahm ich beladen von eigenen Dingen noch andere Säcke auf meine Schulter, wie damals die einer kranken Frau, die nur noch an mich glaubte auf der Welt." Damit ist noch einmal Frau Bambus gemeint, und deutlich bricht an einer anderen Stelle des Briefes ihre Verbitterung über das zeitgenössische Judentum durch, von dem sie sich im Stich gelassen fühlt: „Die Kabala und die Testamente sind tote Exemplare, die nur lebendig werden indem man sie einatmet. Aber dieser göttliche Odem ersetzt bei allen Liebhabern der Religion — kalte Geschäfte." (BR I, 151)

Den schärfsten Ausdruck jedoch erhält Else Lasker-Schülers Abwendung von Martin Buber dort, wo alle Bewegungen ihrer Seele Niederschlag finden: in ihrem Werk. Als sie 1914 einen Teil ihrer Briefe an Franz Marc in Ludwig von Fickers Zeitschrift *Der Brenner* veröffentlicht, verleiht sie in dem damals noch nicht numerierten 43. Brief Martin Buber die Statthalterei der Provinz Irsahab ihres Reiches Theben (IV. Jahrgang, 19. Heft, S. 854). In *Der Malik* aber, der endgültigen Buchform der Briefe — sie erscheint 1919, also nach der Korrespondenz um Frau Bambus — heißt es an der gleichen Stelle: „Ich habe Daniel Jesus neben Mareia-Ir die Statthalterei in Irsahab angeboten. Er soll versuchen, die Irsahabaner Meinem Herzen näher zu führen." (GW II, 424)

Else Lasker-Schüler erteilt Martin Buber die härteste Strafe, die sie kennt — sie verbannt ihn aus dem Reich ihrer Dichtung. Statt des jüdischen Religionsphilosophen ist es nun der von ihr 'Daniel Jesus' genannte Prager Dichter Paul Leppin, der den Posten des Statthalters bekleiden soll. Die Distanz, die sich schon im Kapitel über ihre frühen Berliner Jahre beobachten ließ, hat sich also eher noch vergrößert, und hier soll dieser Distanz ein wenig nachgegangen werden; sie macht Else Lasker-Schülers isolierte Stellung in der Spätphase der deutsch-jüdischen Geistesgeschichte besser verständlich.

Wie bei vielen Denkern der Zeit führte der Erste Weltkrieg auch bei Buber zu einem Lösungsversuch der unhaltbar gewordenen geistigen Situation. In einem Werk, das seinen Ruhm und seine fortwährende Popularität begründete, legte er 1923 das Ergebnis seines neuen Denkens vor — *Ich und Du.*

„Das Ereignis aber, dessen Weltseite Umkehr heißt, dessen Gottesseite heißt Erlösung", lautet der Schlußsatz dieses Werkes, und er deutet zugleich die Nähe und die Ferne an, in der es zu der Dichtung Else Lasker-Schülers steht. Auch in Bubers Denken ist jetzt die Erlösung als Leitmotiv zu erkennen, aber anders als die Dichterin glaubt er einen durchdachten, systematisch darstellbaren Weg anbieten zu können, der zur Erlösung führt – den Weg der Umkehr.

Es ist ein Weg, den auch Rosenzweig in seinem *Stern der Erlösung* meint, und doch ist er anders. Rosenzweig hatte in erster Linie von der Umkehr des Juden zum Glauben seiner Väter gesprochen, Buber aber weist einer ganzen Menschheit die Umkehr zum rechten Weg. In den Titelworten seines Werkes, in „Ich und Du", ist das Wesen dieses rechten Weges umrissen: für Buber besteht das geistige Übel der Zeit in einer Verdinglichung der Welt – 'Eswelt' nennt er das – und erst durch diese Verdinglichung habe der Mensch sein Verhältnis zur Welt verloren. Es gelte nun, dieses verlorengegangene Verhältnis zurückzugewinnen, indem man das 'Es' in ein 'Du' verwandle und sich öffne vor Umwelt und Mitmenschen, um schließlich in Gott – denn das ist Bubers letztes Ziel – das gemeinsame Zentrum wiederzuentdecken.

Wie sich der Philosoph die solchermaßen erlöste Welt vorstellt, sagt er gegen Ende seines Werkes:

> *Die echte Bürgschaft der Dauer besteht darin, daß die reine Beziehung erfüllt werden kann im Du-werden der Wesen, in ihrer Erhebung zum Du, daß das heilige Grundwort sich in allen austönt; so bildet sich die Zeit des Menschenlebens zu einer Fülle der Wirklichkeit auf, und ob es auch das Esverhältnis nicht überwinden kann und soll, ist das Menschenleben dann so von Beziehung durchwirkt, daß sie in ihm eine strahlende, durchstrahlende Stetigkeit gewinnt; die Momente der höchsten Begegnung sind da nicht Blitze in der Finsternis, sondern wie aufsteigender Mond in einer klaren Sternennacht. Und so besteht die echte Bürgschaft der Raumstetigkeit darin, daß die Beziehungen der Menschen zu ihrem wahren Du, die Radien, die von all den Ichpunkten zur Mitte ausgehn, einen Kreis schaffen. Nicht die Peripherie, nicht die Gemeinschaft ist das erste, sondern die Radien, die Gemeinsamkeit der Beziehung zur Mitte. Sie allein gewährleistet den echten Bestand der Gemeinde.*
> *(Ich und Du,* Heidelberg 1974 [Achte Auflage], S. 135-6)

Die neuen Worte, die Buber hier macht, lassen noch die älteren Phasen seiner geistigen Entwicklung erkennen: schon früher — anfangs bei den Gebrüdern Hart, später im Chassidismus — war er auf der Suche nach 'Gemeinschaft' gewesen; schon seine *Reden über das Judentum* hatten die 'Einheit' als erstrebenswertes Ziel hervorgehoben. Hier nun, aufgerüttelt durch den universalen Zusammenbruch des Ersten Weltkrieges, erklimmt auch sein Denken universalistische Höhen — er spricht die ganze Menschheit an und entwirft ihr die Utopie einer besseren Welt.

In der historischen Perspektive werden die Mittel sichtbar, die dabei zur Anwendung kommen. Das 'Du-werden der Wesen', das dem 'Esverhältnis' gegenübertritt, paraphrasiert noch einmal die Hoffnung auf das Freiwerden des Geistes, der seit der Mitte des 19. Jahrhunderts in einer von Materialismus und Positivismus beherrschten Welt erstarrt ist. Die 'Umkehr', die einer ganzen Menschheit ans Herz gelegt wird, meint nichts anderes als die Umkehr aus dieser seither verdinglichten Welt, und das Bild des in seinem göttlichen Zentrum zusammengehaltenen Menschenkreises, in dem Bubers Utopie gipfelt, ist seine Antwort auf ein philosophisches Schlagwort der Kulturkrise — auf den 'Verlust der Mitte'.

Es ist das Kennzeichen dieser von Hinwendung und Abwendung getragenen Spätphase der deutsch-jüdischen Geistesgeschichte, daß sich Buber einerseits in seiner Zeitschrift *Der Jude* und später in seiner Bibelübersetzung um ein neues Selbstverständnis des Judentums bemüht und andererseits der Umwelt ein Mittel gegen den Ungeist anbietet, der sich ihrer bemächtigt hat. Er findet seinen Utopien schöne Worte — das 'heilige Grundwort' nennt er sein 'Du', verspricht auch menschliche Beziehungen von 'strahlender, durchstrahlender Stetigkeit' — und nicht ohne Grund wird der Text hier aus der achten Nachkriegsauflage des Werkes im Jahre 1974 zitiert. Sie ist leichter zugänglich als die Originalausgabe des Jahres 1923, und sie belegt die Popularität, die das Wunschdenken eines jüdischen Philosophen zu einer Zeit gewinnen konnte, als man in der Bundesrepublik um die Verdrängung der unbewältigten Vergangenheit bemüht war — eine späte Popularität, die auch für Else Lasker-Schüler nicht bedeutungslos bleibt: sie erklärt, wes Geistes Kind die alle historischen Tatsachen verdeckende Rezeption war, die die Dichterin nach dem Zweiten Weltkrieg erfuhr.

Die historische Perspektive zeigt nicht nur den geistesgeschichtlichen Hintergrund, auf dem Martin Bubers *Ich und Du* zu sehen ist. Sie zeigt auch die Fragwürdigkeit dieser Philosophie, die Illusionen schuf, wo kein Platz für Illusionen war. Bubers Plädoyer für die 'Umkehr', weit davon entfernt, ein Zeitalter der 'höchsten Begegnung' heraufzuführen, verstellte den Blick für die Tatsache, daß die Verdinglichung der Welt — ihre Ent-Menschlichung, die für das jüdische Volk erst in den Gaskammern von Auschwitz ihren grausamen Höhepunkt erreichen sollte — auch mit den schönsten Worten nicht mehr rückgängig zu machen war: die Scheinruhe, mit der Buber einst dem Haßbrief Else Lasker-Schülers entgegengetreten war, um sein eigenes Dilemma zu verdecken, ist in *Ich und Du* zum klaffenden Abstand zwischen Schein und Sein geworden.

Auch die neueste Philosophie ihres zeitgenössischen Judentums hatte Else Lasker-Schüler daher nicht viel anzubieten. Was dort stand, wußte sie längst. Aber sie ahnte noch mehr, und schon die Zeilen ihres frühen Gedichtes „Weltende" machen das deutlich. Wir haben sie bereits im Kapitel über ihre ersten Berliner Jahre kennengelernt, und die letzte Strophe soll hier noch einmal im Vergleich zu Martin Bubers *Ich und Du* zitiert werden.

> *Du! wir wollen uns tief küssen —*
> *Es pocht eine Sehnsucht an die Welt,*
> *An der wir sterben müssen.*

Die Zeilen sind 1905 erschienen, fast zwanzig Jahre vor Bubers Werk. Schon damals kannte Else Lasker-Schüler sein 'heiliges Grundwort', das 'Du'; schon damals dichtete sie menschliche Beziehungen, in denen Leben metaphysisch sinnvoll wurde; und schon damals ahnte sie, was Bubers Lehre verschweigt: daß die Sehnsucht, die dort an die Welt pocht, vielleicht Erlösung bringen würde — aber auch den Tod.

Die Distanz, die Else Lasker-Schüler zu diesem Teil des zeitgenössischen Judentums hielt, war gegenseitig. 1922 brachte der jüdische Welt-Verlag in Berlin ein Buch unter dem Titel *Juden in der deutschen Literatur* heraus, und der dort abgedruckte Artikel über sie bezeugt die Vorsicht, mit der ein deutsch-jüdisches Establishment die Dichterin der *Hebräischen Balladen* genoß.

Das Buch ist in vielen seiner Beiträge dem Geiste Martin Bubers verpflichtet. Im Vorwort huldigt ihm der Herausgeber Gustav Krojanker, der auch in der Zeitschrift *Der Jude* veröffentlichte, als dem 'hervorragendsten Repräsentanten einer jüdischen Moderne' (S. 9-10), und wenig später umreißt er das Ziel des Buches als Beitrag zu einem „verständnisvollen Miteinander" von Juden und Nichtjuden in Deutschland: „Dafür ist erst in dem Augenblick ein Grund gelegt, wo der Jude seiner unlösbaren Zugehörigkeit zur deutschen Kultur so sehr als einer selbstverständlichen Tatsache sich bewußt ist, daß vom Trennenden getrost die Rede sein kann, und wo der Deutsche im Juden den Mitbürger gerade auch wegen seiner Andersartigkeit schätzt." (S. 12)

Assimilation und Absonderung in temperierter Mischung — das ist das Ziel des Wunschdenkens, das diesem Teil des deutschen Judentums im letzten Jahrzehnt vor Hitlers Machtergreifung vorschwebt, und höchsten Ausdruck verleiht ihm Martin Buber selbst. Seine geistige Arbeit stärkt das Selbstbewußtsein der Juden, die nun einen Rückweg zur eigenen Kultur suchen, zugleich aber durchbricht er die Schranken des Stammes und schreibt mit *Ich und Du* ein menschheitsbewußtes Werk.

Beide, Gustav Krojanker und Martin Buber, haben sich schließlich nach Palästina gerettet. Schwerer hatte es Meïr Wiener, der in diesem Sammelband den Artikel über Else Lasker-Schüler schrieb: wie Herwarth Walden ging auch er später in die Sowjetunion und ist im Zweiten Weltkrieg bei der Verteidigung Moskaus gefallen.

Wiener (1893-1941) ist ein typischer Vertreter der jüdischen Intelligenz Europas in der Generation vor ihrer Vernichtung. In Krakau geboren, wo er eine traditionelle Erziehung erhielt, lebte er seit Ausbruch des Weltkrieges in der Schweiz, in Wien und Berlin und suchte im Wirbel der neuen Zeit einen Weg, ohne ihn immer zu finden. Er veröffentlichte eine Auswahl aus der Lyrik der Kabbalah in deutscher Übersetzung, schrieb expressionistische Erzählungen in jiddischer Sprache und wandte sich schließlich dem radikalen Sozialismus zu. Wieners gesammelte Studien zur Geschichte der jüdischen Literatur im 19. Jahrhundert, die nach seinem Tode in der Sowjetunion erschienen, sind auch heute noch von Interesse.

Im geistigen Klima der Nachkriegszeit geriet sein eklektisches Denken schnell unter den charismatischen Einfluß Martin Bubers. *Der Jude* brachte seine Artikel, und als Mitarbeiter im Buber-Kreis verfaßte er dann in Krojankers Sammelband auch den Aufsatz „Else Lasker-Schüler" (S. 179-192).

Gegen Ende des Textes macht er eine allgemeine Aussage über die Literatur der Zeit, die zugleich den Kern seiner Kritik an der Dichterin bildet. Auf Seite 191-2 heißt es:

> An der Dichtung unserer Zeit haften Züge des tragischen Dilettantismus in seinen hervorstechendsten Kundgebungen, die da sind: Unbeherrschtheit, Launenhaftigkeit, Skurrilität, Eigenwille, unbestimmtes übertriebenes Wollen. . . . Zum Teil ist dies wohl auf den immer mehr überhand nehmenden Einfluß orientalischen Geistes zurückzuführen, der in ungemäßer Umgebung entartet. Der rein okzidentale, objektiv-künstlerische Geist weicht einem Mischlingsausdruck, der auch Orientalisches in sich hat. Die Erfüllung solcher Tendenz wäre das Ende der Kunst; Dichter wagen sich heute an Dinge heran, auf die wirkliches Können und wirkliche Kunst instinktiv verzichten, sie hoffen mit der Darstellung erlittener Wirkung wirken zu können. Was herauskommt, sind Mosaiken, aus allerlei Abstraktionen zusammengesetzt, während sie unendlich mehr sein wollen.
> Darum sind die Gedichte der Lasker-Schüler so persönlich, fast intim, und setzen beim Leser so viel Verhältnis zu den Erlebnissen voraus. In ihrer Unausdrückbarkeit verkannt, sollen Erlebnisse, von schwachen Händen lose geformt, wirken; sie sprechen aber nicht aus eigener Kraft. . . Sie setzen zu viel voraus. Sie sind zu sehr 'passives' Erlebnis. Oft nur neckische Spielereien, witzig, liebenswürdig, für einen Privatkreis gedichtet, also keine eigentliche Kunst.

Man weiß im Buber-Kreis anscheinend nicht recht, worauf man hinauswill. In der Einführung des Sammelbandes preist Krojanker noch das 'verständnisvolle Miteinander' gegensätzlicher Mentalitäten an, hier aber tadelt Wiener den 'Mischlingsausdruck' von 'orientalischem' und 'okzidentalem' Geist in Else Lasker-Schülers Werk, in dem sich das Ende der Kunst ankünde. Seine Kategorien sind offensichtlich den an vagen Abstraktionen nicht armen Denkmodellen Martin Bubers entlehnt, in dessen *Reden* auch „Der Geist des Orients und das Judentum" besprochen wird. Aber als sie ihre Probe aufs Exempel der Dichtung Else Lasker-Schülers bestehen müssen, gelingt ihnen das nicht ganz.

Wiener glaubt den orientalischen Geist an der Weise zu erkennen, wie er seine Vergleiche zieht. Das „östliche Gleichnis will welt-abgewandt, in sich verschlossen verhüllen, das westliche weltzuge-wandt enthüllen", schreibt er, „das erste will zweckfrei (unsachlich) schmücken, das andere zweckvoll (sachlich) entblößen." (S. 181)

Als ein Beispiel für das orientalische, 'unsachliche' Gleichnis bringt Wiener bald darauf die Bibelstelle, an der der Prophet Jere-mias klagt: „Wer gäbe, daß mein Haupt Wasser wäre, meine Augen Tränenquellen, so würde ich beweinen Tag und Nacht die Erschlage-nen meines Volkes" (Jer 8, 23), und er schreibt dazu den folgenden, qualifizierenden Kommentar:

> *Der westliche Geschmack wird nicht umhin können, an diesen tief-empfundenen wirklich ergreifenden Worten die Unanschaulich-keit der Bilder zu tadeln: der Prophet wünscht sich, daß sein Haupt Wasser wäre, seine Augen Tränenquellen, und das rationalistische westliche Gefühl sträubt sich gegen solche Unwirklichkeit.*
> (S. 186)

Es ist fraglich, ob Wiener hier den Kern des westlichen Geistes trifft. Der Begriff der 'Wirklichkeit', mit dem dieser Geist gekoppelt wird, befand sich seit Jahren in Auflösung, und längst hatte der Weltkrieg seine Scheinhaftigkeit bloßgestellt. Nur Meïr Wiener wollte das nicht wahrhaben und blieb lieber den Vorstellungen seines Lehr-meisters verhaftet, dessen *Ich und Du* in den Jahren des Zusammen-bruchs noch einmal die Illusion einer heilen Welt beschwor.

Seine Kritik an Else Lasker-Schüler, der er gleich darauf die Fehler des Jeremias nachweist, steht auf schwankender Grundlage. „Jetzt braucht nur noch hinzugefügt werden", schreibt er,

> *daß die ganze Dichtung der Lasker-Schüler aus ähnlichen unan-schaulichen, auf abstraktes Schauen zielenden Bildern und Tro-pen zusammengesetzt ist, und wir werden die Erklärung haben, wa-rum sie noch jüdischer anmutet 'als Heine'. Wenn ein Lied bei ihr anfängt:*
> > *Hinter meinen Augen stehen Wasser,*
> > *Die muß ich alle weinen*
> *so muß es nicht als Erinnerung an die erwähnte Jirmijahstelle ge-deutet werden, sondern einfach als unbewußter Ausdruck ähnli-cher geistiger Eigenart.*
> (S. 186)

Ein erstaunliches Maß an Blindheit legt Meïr Wiener hier an den Tag. Man braucht nur an die 'unanschaulichen, auf abstraktes Schauen zielenden Bilder' der modernen Kunst zu denken, die überall in Europa entstanden, während er seinen Artikel schrieb, um den Unsinn seines Argumentes zu erkennen: nicht der Geist des Orients ist es, der in dieser Dichtung Ausdruck findet, sondern der Geist ihrer Zeit.

Doch der Unsinn des Argumentes, mit dem Else Lasker-Schüler ihre Kunst abgesprochen wird, ist zugleich schon sein Sinn. Meïr Wieners Artikel macht deutlich, welhalb ein Teil des zeitgenössischen Judentums sie kaum akzeptieren konnte. Angeleitet von Martin Buber und dem Wunschdenken seiner Philosophie versteifte er sich auf einen Wirklichkeitsbegriff, den es nicht mehr gab, und er mußte daher einer Dichterin, die ihm in jedem Vers und jeder Zeile ihres Werkes diese 'Wirklichkeit' bestritt, ablehnend gegenüberstehen.

Nicht alle Teile des damaligen Judentums sind der Herausforderung ausgewichen, die in der Dichtung Else Lasker-Schülers lag. Jude war auch Paul Cassirer, der ab 1919 ihre gesammelten Werke herausbrachte und dessen Zeitschrift *Pan* der literarischen Moderne als Forum diente; jüdisch war auch das Verlagshaus der Familie Mosse, in dem das demokratische *Berliner Tageblatt* erschien, das während der zwanziger Jahre einen großen Teil ihrer später in *Konzert* gesammelten Essays veröffentlichte.

Ein zeitgenössisches Bild der Dichterin aber, das ihre jüdische Erlösungssehnsucht sichtbar werden läßt, muß man am anderen Ende des Spektrums suchen, wo auch der letzte Rest eines Wunsches nach Assimilation abgestreift ist. Dort stand der Dichter Uri Zwi Greenberg, der 1926 seinen Aufsatz über Else Lasker-Schüler schrieb. Er ist in der Literatur über die Dichterin nicht bekannt, weil er in der Sprache verfaßt ist, in der die nationale Renaissance des Judentums ihren Ausdruck suchte: im Hebräischen.

Wie Wiener ist auch Greenberg (1894-1981) in der letzten Generation vor der Vernichtung des europäischen Judentums geboren. Auch er stammt aus dem Osten, auch er hat eine traditionelle Erziehung erhalten und begann seine literarische Laufbahn im Jiddischen — aber dann ist er einen völlig anderen Weg gegangen.

Entscheidend für ihn wurde das Trauma des polnischen Judenpogroms, den er 1918 in seiner Heimatstadt Lemberg miterlebte und der ihm die unerschütterliche Gewißheit gab, daß Europas Judentum verloren war. Schon 1922, in seinem jiddischen Gedichtband *Im Reiche des Kreuzes,* sah er die Katastrophe voraus, die schließlich eingetreten ist, und bald darauf – nach einem Jahr in Berlin, wo er Else Lasker-Schüler kennenlernte – ging er nach Palästina, schrieb seither nur noch hebräisch und muß heute als einer der großen Lyriker der israelischen Literatur angesehen werden.

Es ist die Affinität der Verzweiflung, die ihn das Wesen Else Lasker-Schülers erkennen ließ. Der Artikel, den er am 26.2.1926 in der Tel Aviver Tageszeitung Davar veröffentlichte – zu einem vermeintlichen 50. Geburtstag, der in Wirklichkeit schon der 57. war – macht das auf überraschende Weise deutlich. Trotz seiner pathetischen, noch dem Expressionismus verpflichteten Sprache trägt er das Kennzeichen des Kunstwerkes; in der historischen Perspektive versteht man ihn besser als zum Zeitpunkt seines Erscheinens.

Greenberg nennt den Artikel „Deborah in der Gefangenschaft" und beginnt ihn mit den folgenden Zeilen:

> *„Ich bin in Theben (Ägypten) geboren, wenn ich auch in Elberfeld zur Welt kam im Rheinland. Ich ging bis 11 Jahre zur Schule, wurde Robinson, lebte fünf Jahre im Morgenlande, und seitdem vegetiere ich."* Sie lügt, die liebste aller Frauen, die Dichterin Else Lasker-Schüler. Aber es ist eine heilige Lüge. Sie kam nicht in Elberfeld zur Welt, und nicht in Theben. Sie kam an Deck des römischen Schiffes zur Welt, das die in Ketten gelegten Gefangenen aus dem versinkenden Juda zur Siegesfeier am römischen Forum brachte – zur Feier der Niederlage Israels. Oder genauer noch – im alten Jerusalem kam sie zur Welt, im Schatten jenes Felsens, mit dem plötzlichen Wissen: „Er wird morsch." Und nach 'fünf Jahren im Morgenlande' wurde sie Robinson – denn sie lebt in Europa, eine deutsche Dichterin, wie es heißt.
> Stefan Zweig dachte so, und viele denken so. Alle, die so denken, sind Juden. Nur der hellsichtige Christ St. Peter Hille sagte: Was Deborah! Und so – ist es wahr!
> In fremde Gefäße ist hier hebräische Sprache abgeschöpft. Das Alphabet des Hohenliedes, des Kohelet, des Psalters und des Buches Ruth, die Sätze unseres Erbes, in ihrem Duft und ihrem Rhythmus – in gotischer Schrift.

Greenberg führt Else Lasker-Schülers Lebensgefühl auf den Beginn der jüdischen Zerstreuung zurück, er beruft sich auf die Worte Peter Hilles — seit der Leipziger Ausgabe ihrer *Gesammelten Gedichte* im Jahre 1917 stellte sie dieses Porträt den Bänden ihrer gesammelten Lyrik voraus — und richtet seine Spitze gegen das assimilierte Judentum.

„Aber sie nennt sich nicht Deborah", schreibt er wenig später. „Sie nennt sich Abigail. Auch mir befahl sie, sie so zu nennen. Und den Fremden in Berlin befahl sie: Prinz Jussuf von Theben. . . So wie sie ist, mitten in Berlin."

Bald darauf zitiert er die Eingangszeilen des Gedichtes „Mein Volk". Dann setzt er fort:

> *Und plötzlich, mit Schrecken, erkennt sie: weit, in Zeit und Raum, ist sie von ihrem königlichen Jerusalem entfernt. Für sie, die immer träumt, pausenlos träumt, ist das hebräische Königreich nicht untergegangen, es besteht auch heute noch. Saul und Jonathan und 'Abigail' gehen noch immer unter Palmen. Nur zu ihr — so fühlt sie mit einem fast kindlichen Schmerz — kommt kein Schiff, um sie aus Berlin zu erretten, aus dem lateinischen Alphabet. . .*
> *Königlich würde sie die Seeleute aller Welt belohnen, aber grausam sind sie zu ihr und kommen nicht auf Schiffen, ihre Dichterin zu holen.*

So bereitet Greenberg das Bild des Meeres vor, mit dem er gleich darauf seine Interpretation des Gedichtes „Mein Volk" verbindet:

> *Wie das Erwachen nach einer Operation im fremden Krankenhaus ist's. Der Schmerz des Zusammenwachsens mit dem Felsen des eigenen Stammes. . . Es war nicht poetische Freiheit, sondern die bittere Wahrheit, als sie sagte — „Jäh stürz ich vom Weg und riesele ganz in mir fernab, allein über Klagegestein dem Meer zu".*
> *Dem Meer, das sie nach Palästina tragen wird — denn „immer, immer noch der Widerhall in mir, wenn schauerlich gen Ost das morsche Felsgebein, mein Volk, zu Gott schreit."*
> *Wie gewaltig ist der Verlust. Eine große hebräische Dichterin dämmert einsam in Berlin, im Romanischen Café, im Hotel Koschel, im Verlagshaus Flechtheim. . . „Uri", schrieb sie mir am 22.2.1925 hierher, „kannst Du glücklich werden im auserwählten Land, und*

in der düsteren Welt weint Abigail nach Jerusalem ——".. .
Was kann ich für dich tun, meine große Schwester in Deutschland?
Jerusalem ist untergegangen, Abigail, und deshalb sitzt du des
Abends nicht an den Toren deiner Stadt, im 'Sternenmantel' und in
'goldenen Schuhen', deshalb hört man an der Stadtmauer nicht,
wie du deine Gotteslieder singst.
In Berlin bist du, eine deutsche Dichterin, wie es heißt, und dein Na-
me — Else Lasker-Schüler.

Die Bilder vom 'Sternenmantel' und den 'goldenen Schuhen' sind einem ihrer Gedichte entnommen, auf das sich Greenberg auch in der Fortsetzung seines Artikels bezieht. Das Gedicht heißt „Abschied" und soll hier zum besseren Verständnis zitiert werden:

> *Aber du kamst nie mit dem Abend —*
> *Ich saß im Sternenmantel.*
>
> *. . . Wenn es an mein Haus pochte,*
> *War es mein eigenes Herz.*
>
> *Das hängt nun an jedem Türpfosten,*
> *Auch an deiner Tür;*
>
> *Zwischen Farren verlöschende Feuerrose*
> *Im Braun der Guirlande.*
>
> *Ich färbte dir den Himmel brombeer*
> *Mit meinem Herzblut.*
>
> *Aber du kamst nie mit dem Abend —*
> *. . . Ich stand in goldenen Schuhen.*

(GW I, 234; SG, 138)

Auf diese Verse spielt Greenberg an, als er gegen Ende seines Artikels den Traum und die Wirklichkeit Else Lasker-Schülers gegenüberstellt:

Das Schönste am Gedicht ist seine Lüge. Jetzt weiß ich es: das Schönste ist sein Schmerz. Wieder lügt sie, auch sich selbst belügt sie. Wenn es Abend wird, sitzt sie im 'Sternenmantel' und wartet auf ihren Erlöser; und er, der Ersehnte, kommt nicht.

Sie stand in goldenen Schuhen.
Ach, welcher Sternenmantel?
Welche goldenen Schuhe?
Willst du auch mich und dich belügen, Abigail?
Tage des Hungers und der Armut in Berlin . . . Ich erinnere mich an
den breiten Tisch, an dem gebeugt Prinz Jussuf saß und blau-gold-
blutrot den 'Bund der wilden Juden' malte, in das Buch von der Ver-
wandlung Else Lasker-Schülers, mit armutklammen Fingern — ich
hab's mit eigenen Augen gesehen . . .
Und doch war er schöner als ein Königreich, unser Abend am Kur-
fürstendamm, als Jerusalems Abigail zu mir sagte, in schmerzli-
chem Deutsch, hungersmüde:
Wir wollen ins Fleisch unserer Lippen ritzen: Jerusalem.
Und ich erwiderte: ja. Wir wollen ins Fleisch unserer Lippen ritzen:
Jerusalem.

Worte, wie Uri Zwi Greenberg sie schreibt, hörte das assimilierte Judentum im Deutschland der Weimarer Republik nicht gerne. Aber sie sind wichtig, als offener Ausdruck einer verheimlichten Wahrheit, als Gegenstück zu Meïr Wieners lächelnder Kritik. Sie zeigen, wie sichtbar das Leid der deutschen Jüdin Else Lasker-Schüler auch damals schon war — für jeden, der es sehen wollte.

II

Die auch bei Greenberg zu Beginn seines Artikels zitierte Autobiographie von wenigen Zeilen, die sie für Kurt Pinthus' expressionistische Anthologie *Menschheitsdämmerung* geschrieben hat, ist 1920 erschienen und endet mit den Worten '. . . seitdem vegetiere ich'. Sie ist ein Ausdruck der Resignation, mit der sie am Ende des Krieges ihr Leben überblickt und gegen die sie in ihrer Dichtung immer wieder die Kraft der Phantasie setzt.

Nach außen hin gewinnt ihr Werk in den letzten Jahren, die sie in Berlin lebt, ein gewisses Maß an Anerkennung. Das vor dem Krieg erschienene Schauspiel *Die Wupper* wird 1919 erstmals an Max Reinhardts Deutschem Theater inszeniert, 1927 noch einmal am Staatstheater Berlin; und 1932 erhält sie den angesehenen Kleistpreis. Aber diese Lichtpunkte haben auch schon ihre Schattenseiten: eine dritte, für das Jahr 1933 in Köln angesetzte Aufführung der *Wupper* wird vom Spielplan genommen; und im Jahr vor Hitlers Machtergreifung erhält Else Lasker-Schüler den Kleistpreis nicht mehr alleine, sie muß ihn bereits mit dem Dichter Richard Billinger teilen, in dessen Werk sich eine Blut-und-Boden-Ideologie mitunter schwer übersehen läßt.

Oft droht der Fluß ihrer Dichtung im letzten Jahrzehnt vor ihrer Emigration ins Stocken zu geraten, und immer wieder werden die Hemmungen spürbar, gegen die er anzukämpfen hat. Eine Folge dieser Hemmungen ist es wohl auch, daß sie sich gerade jetzt, in ihrer impulsiven Anklageschrift *Ich räume auf!* aus dem Jahre 1925, als produktive Dichterin darstellt, die von ihren Parasiten, den Verlegern, kapitalistisch ausgenutzt wird. Sie schreibt nun weniger Gedichte und malt eher Illustrationen für die Presse oder veröffentlicht Essays in Zeitungen, die später gesammelt in *Konzert* erscheinen. „Es ist so komisch", schreibt sie am 23.1.1926 an Felix Pinkus, „wenn man sich Geld geben läßt für Dinge, die man aus Herz webt. Aber ich habe jede Sentimentalität niedergedrückt; ich machte auch die Beobachtung, Sentimentalität ist die Kehrseite der Brutalität — diese Menschen können nie wirklich traurig oder froh sein und darum auch bin ich nicht zu Mus geworden unter den Dichtern im Gegenteil, ich will weiter, ich will wieder fliegen, ich will wieder aufs Meer. Verstehen Sie das?" (BR I, 149)

Verse, die schon 1920 erschienen sind — fast gleichzeitig also mit der kurzen, resignierten Autobiographie für Kurt Pinthus — machen das Wesen dieser dichterischen Hemmung deutlich. In ihrer eigenen, unverkennbaren Sprache drücken sie aus, worunter Else Lasker-Schüler leidet und sind bezeichnend für ihr Werk, das in der Nachkriegszeit entsteht.

Die Verse heißen „Gott hör . . .":

Um meine Augen zieht die Nacht sich
Wie ein Ring zusammen.
Mein Puls verwandelte das Blut in Flammen
Und doch war alles grau und kalt um mich.

O Gott und bei lebendigem Tage
Träum ich vom Tod.
Im Wasser trink ich ihn und würge ihn im Brot.
Für meine Traurigkeit fehlt jedes Maß auf deiner Waage.

Gott hör, in deiner blauen Lieblingsfarbe
Sang ich das Lied von deines Himmels Dach.
Und wurde doch für deinen ewigen Hauch zu wach.
Mein Herz schämt sich vor dir fast seiner tauben Narbe.

Wo ende ich, o Gott, denn in die Sterne,
Auch in den Mond sah ich, in alle deiner Früchte Tal.
Der rote Wein wird schon in seiner Beere schal
Und überall die Bitternis in jedem Kerne.

(GW II, 493)

Scharf tritt die Bildwelt Else Lasker-Schülers in den Blick. Wieder wird der Innenraum sichtbar, aus dem ihre Dichtung lebt, das Blut, das der Puls in Flammen verwandelt, das Herz, das sich fast seiner tauben Narbe schämt; wieder, wie schon im Innenraum des Gedichtes „Mein Volk", ist es eine ständige Hinwendung zu Gott, die diese Zeilen beherrscht; und wieder klingt diese Hinwendung in unerfüllter Sehnsucht aus.

Der Gott dieser Zeilen erscheint anders als in „Mein Volk". Er ist näher, und leise, fast intim, spricht die Dichterin ihn an. Doch gerade deshalb ist das Gedicht hoffnungsloser: die Nähe bringt keine Rettung, denn Gott kann nicht helfen, und für die Traurigkeit, von der die Verse klagen, gibt es kein Maß auf seiner Waage. Nicht erst im Blut der Dichterin ist der Wein vergoren, sondern schon in der Beere verdirbt er, in jedem bitteren Kern seiner Schöpfung.

„Gott hör. . ." sagt Else Lasker-Schüler — und es ist ihre Antwort auf das zentrale Gebet der jüdischen Liturgie, auf das *Sch'ma Israel,* das „Hör Israel, der Herr, unser Gott, ist einzig". Dem Gebot dieses Satzes antwortet sie: Wo ende ich? Ich habe überall nach dir gesucht, mein Gott, in den Sternen, im Mond, in aller deiner Früchte Tal — und die Welt, in der du dich mir offenbarst, wie sieht sie aus?

Viele Jahre später wird der Gottesschrei des Gedichtes „Mein Volk" hier zum Zwiegespräch mit Gott, und das Ergebnis, so scheinen die Verse zu sagen, ist eine bittere Enttäuschung. Franz Rosenzweig begegnet seinem Gott am jüdischen Versöhnungstag und läßt sich von ihm richten; Else Lasker-Schüler kehrt die Begegnung um — sie spricht ihr Urteil über Gottes versagende Schöpfung. Wie Martin Buber findet auch sie ihre Beziehung zu Gott im Ich und Du — nirgends aber bringt sie ihr Erlösung.

Und dennoch: auf ihre eigene, schöpferische Weise, abseits von den Strömungen der deutsch-jüdischen Geistesgeschichte, geht auch Else Lasker-Schüler in den Jahren vor der Katastrophe ihren Weg der Einkehr. In den zwanziger Jahren sucht auch sie einen anderen Zugang zu ihrem Judentum und findet schließlich ein ausgeglicheneres Verhältnis zu ihm, das in *Arthur Aronymus* seinen vollsten Ausdruck erhält.

Auch das Gedicht „Gott hör . . ." ist ein Schritt auf diesem Weg, und schon der Ort, an dem Else Lasker-Schüler diese Verse veröffentlicht, gibt sie als einen neuen Ausdruck ihres Judentums zu erkennen: 1921 stellt sie die bereits vorher erschienenen Zeilen noch einmal einer Erzählung voran, die den Titel *Der Wunderrabbiner von Barcelona* trägt.

Die Erzählung bildet eines der Glieder im Werke Else Lasker-Schülers, über die sich ihre Wendung von einer orientalischen, pseudo-islamischen Genealogie zur jüdischen Familienlegende vollzieht. Später wird diese Wendung in das aus Wahrheit und Dichtung gemischte Bild des westfälischen Judentums münden, das sie in *Arthur Aronymus* entwirft, und auch eine frühere Phase dieser Entwicklung haben wir im vorigen Kapitel schon kennengelernt: dort vertauscht sie den mohammedanischen Urgroßvater in der Geschichte „Der Scheik" gegen den jüdischen Urgroßvater im 17. Brief an Franz Marc.

Hier nun — nicht zufällig in einer Erzählung, die in Spanien spielt, wo jüdische und arabische Kultur während des Mittelalters in fruchtbare Berührung gekommen waren — gestaltet Else Lasker-Schüler weitere Elemente der Familienlegende, aus der schließlich die Erlösergestalten ihres Urgroßvaters Uriel und ihres Vaters Arthur Aronymus hervorgehen. Auch hier, wie später in der Dichtung über den Vater, werden die handelnden Personen zu Repräsentanten des jüdischen Kollektivs, die vorangestellten Verse „Gott hör . . ." zu Klageworten eines ganzen Volkes. Schon die ersten Zeilen der Erzählung lassen erkennen, daß nicht vereinzelte Menschen, sondern alle Juden Barcelonas in ihrem Brennpunkt stehen:

Die Bevölkerung von Barcelona befleißigte sich in den Wochen, da Eleasar in Alt-Asien in frommen Betrachtungen verlebte, die Juden zu verfolgen. Sie waren es wieder, die den Handel mit übermäßigen

*Preisen den spanischen Kaufleuten erschwerten, zu gleicher Zeit
aber mit ihrem Erlöserehrgeiz sich breit machten in den unteren armen Schichten der Stadt. Apostelgestalten predigten Gleichheit
und Brüderlichkeit und sie brachen ihr Herz in der Brust und reich-
ten es den Armen, wie Jesus von Nazareth unter ihnen teilte seines
blauen Herzens Brot. Doch wie sich auch die Juden gebärdeten, sie
erregten Ärgernisse, die im Grunde von einem einzigen enttäuschten Spanier herrührten, der irgend eine ungünstige Auseinander-
setzung mit einem Hebräer erlebt hatte, und in das Volk geschickt
gespielt wurden.*
(*Der Wunderrabbiner von Barcelona*, GW II, 494)

Auch hier also, wie später in *Arthur Aronymus,* ist es der drohende Pogrom, der die Handlung in Gang setzt. Durch das ferne Spanien wird
er verfremdet, und mehr noch durch die 'frommen Betrachtungen'
des Wunderrabbiners in 'Alt-Asien', die die Erzählung jeder zeitgenössischen Wirklichkeit zu entrücken scheinen. Aber die aktuellen
Bezüge zum Antisemitismus in der Weimarer Republik lassen sich
nicht übersehen. Deutlich werden sie in den Juden, die 'mit ihrem
Erlöserehrgeiz sich breit machten in den unteren armen Schichten
der Stadt'; im Jahre 1919, kurz vor dem Erscheinen der Erzählung,
war nicht nur Gustav Landauer ermordet worden, den die Dichterin
noch aus den Jahren der „Neuen Gemeinschaft" kannte, sondern
auch andere jüdische Sozialisten wie Kurt Eisner und Rosa Luxem-
burg.

Es sind merkwürdige Ereignisse, die in der Erzählung schließlich
zum Pogrom führen. Ein Mädchen aus der jüdischen Gemeinde Barcelonas und der christliche Sohn des Bürgermeisters verliebten sich
ineinander; ihre Liebe findet auf wunderbare Weise Erfüllung; und
die erzürnten Christen fallen über die Juden her.

Aufschlußreich ist zunächst, wie Else Lasker-Schüler die erste
Begegnung des Liebespaares schildert:

*Es lebte eine Dichterin im Judenvolke Barcelonas, Tochter eines
vornehmen Mannes, der mit dem Bau der Aussichtstürme der großen Städte Spaniens betraut war. Arion Elevantos im Wunsch nach
einem Bauerben erzog Amram, seine Tochter, wie einen Sohn. Amram bestieg jeden frühen Morgen mit ihrem Vater die Neubauten,
die höchsten Gerippe der Stadt, daß sie oft glaubte, bei Gott zu Gast*

gewesen zu sein. Auch hatten ihre Augen groß geschaut in die Höhle der Kuppel, die aus Libanonholz und purem Gold Arion wölbte über das Dach des herrlichen Hauses von den reichen Juden gespendet, ihren Wunderrabbiner zu schirmen vor Ungemach. Beim Herabsteigen der Leiter, die von der noch unbefestigten Krone führte, stürzte die voreilige kleine Amram vom heiligen Bau auf sandigen Hügel, worauf Pablo, des Bürgermeisters Söhnchen, spielte. Und der Knabe dachte, die bleiche Amram sei ein Engel, der vom Himmelreich aus einer Wolke gepurzelt sei, und staunte sie an. Seitdem lächelte Amram im Traum, immer wenn Pablo an sie gedacht hatte.

(Der Wunderrabbiner von Barcelona, GW II, 496-7)

Ein kleines Mädchen erlebt diese Dinge, und zugleich ist die Rede von einer 'Dichterin im Judenvolke': unverkennbare Züge verbinden das Barcelona Else Lasker-Schülers mit der Welt ihrer eigenen Kindheit, wie sie sie in ihrem Werk darstellt. Schon im Kapitel über ihre Elberfelder Jugend wurde die Figur dieses Vaters erwähnt, der 'mit dem Bau der Aussichtstürme der großen Städte Spaniens betraut war' — wie Else Lasker-Schülers Vater selbst, der angeblich die Türme ihrer Heimatstadt errichtet hatte, auch den Turm, von dem sie sich im Essay „Der letzte Schultag" ihrer Mutter entgegenstürzt.

Der hier geschilderte Turmsturz ist scheinbar von einer glücklicheren Natur. Der kleine Pablo hält das Judenmädchen, das neben ihm auf dem Sandhügel landet, für einen Engel — nicht ganz unberechtigt, da es ja aus der goldenen Kuppel des Rabbinerhauses stürzt — und er verliebt sich in sie.

Als die Kinder aber heranwachsen, erweist sich, daß auch dieser Turmsturz wie sein Gegenstück in „Der letzte Schultag" nichts Gutes bedeutet. Ihrer Liebe steht der Haß entgegen, mit der die Christen Barcelonas die Juden verfolgen: „... Amram fühlte einen fremden Erdteil wachsen zwischen sich und dem Senor Pablo, dem Bürgermeistersohn", heißt es wenig später (GW II, 498), und die Lösung bringt erst das Mittel, mit dem sich Erdteile überbrücken lassen — ein Schiff:

Eines Tages stand ein großes Schiff auf dem Marktplatz. Menschenmühen, Pferde und Ochsenkraft vermochten das rätselhafte

Fahrzeug nicht zu entfernen aus der Stadt, das den Handel beein-
trächtigte und seinen Markt.
(*Der Wunderrabbiner von Barcelona,* GW II, 499)

Immer wieder bricht Else Lasker-Schülers Spott über die von Markt
und Handel besessenen Bürger durch. Angesichts der kostspieligen
Störung suchen sie sich Rat, ohne ihn zu finden, und inzwischen geschieht das Wunder der Liebe:

> *Nur des Bürgermeisters großer langbehaarter Hund, Abraham, eil-*
> *te unruhig durch die Stadt, durch Barcelonas Straßen, immer wie-*
> *der das Schiff beschnüffelnd, das die Sehnsucht zweier tiefer Men-*
> *schen erhört hatte über Nacht. Am offenen Steuer in der Sonne*
> *spielten unbekümmert Senor Pablo und Amram, die Judendichte-*
> *rin, genau so wie sie auf dem heiligen Hügel des Eleasars Palast*
> *nach dem kleinen Unfall sich freuten als Kinder so oft ihrer Einfäl-*
> *le. Verklärt von übergroßer Liebe blieben sie unsichtbar hinter dem*
> *Fittich des Segels. Und der Hund nur war Augenzeuge gewesen, wie*
> *der ungeheure Meeresbote, von der Liebe bewegt, leicht über den*
> *Marktplatz, durch die Straßen der Stadt, die sich andächtige*
> *Arme ausbreiteten, dann durch das Tor behutsam wie ein feierli-*
> *cher Brautwagen verschwand.*
(*Der Wunderrabbiner von Barcelona,* GW II, 500)

Es scheint, als würde die Erzählung über den Wunderrabbiner von
Barcelona in einem bei Else Lasker-Schüler seltenen Bild der völligen Erlösung gipfeln. Liebe, die im Zeichen des Engels ihren Anfang
findet, erfüllt sich in Wundern, die an die Bibel erinnern – in einer
Umkehrung des Auszugs aus Ägypten, in der nicht Menschen durch
ein Meer ziehen, sondern ein Schiff über Land.

Doch der Schein trügt. Erst ihre Fortsetzung läßt die Rolle erkennen, die diese Erzählung aus dem Jahre 1921 in der Entstehungsge-
schichte des Werkes Else Lasker-Schülers spielt: sie ist das Negativ
der hellen Bilder, in denen später ihre Dichtung *Arthur Aronymus* enden wird.

Auf seine wunderbare Weise verläßt das Liebespaar die Stadt –
und der Pogrom gegen die Juden beginnt. Die Wut der Spanier trifft
den Vater der jüdischen Dichterin, den Bauherrn der Türme.
„Schlagt ihn tot, den alten Kuppler!" schreien die Christen, und es

folgt eine Szene, deren Grausamkeit in Else Lasker-Schülers Dichtung selten ist:

Sie knebelten ihn; er aber lachte in seiner Bestürzung, wie er als Knabe aufzujauchzen pflegte, wenn ein Spielgefährte ihn packte im Räuber- und Gendarmspiel; bis das Weib des Bürgermeisters nahte und die schon betroffenen Leute aufpeitschte, den Vater der Judentochter, die ihren Sohn entführt habe, zu töten. Sie selbst riß dem unschuldigen Opfer das Herz aus der Brust, einen roten Grundstein zu legen, daran die herrenlosen Hunde ihr Geschäft verrichten sollten. Und die Juden, die an den Namen Jehovahs immer von neuem erwacht waren, lagen alle verstümmelt, zerbissen, Gesichte vom Körper getrennt, Kinderhände und Füßlein, zartestes Menschlaub auf den Gassen umher, in die man die Armen wie Vieh getrieben hatte.
(Der Wunderrabbiner von Barcelona, GW II, 501)

Die Szene setzt sich aus Bildern zusammen, die genaue Gegenstücke zu den Motiven in *Arthur Aronymus* bilden: dort wird die von den Christen geliebte Gestalt des Vaters zum Retter vor dem Pogrom, hier wird sie zu seinem ersten Opfer; dort wird das Herausnehmen des Herzens zur Erlösergeste des Urgroßvaters Uriel, hier wird es zum Symbol der Vernichtung. Was in der Dichtung über Arthur Aronymus von seiner Lichtseite her dargestellt wird, enthüllt in der Erzählung über den Wunderrabbiner von Barcelona seine Schattenseite.

Besonders deutlich wird diese Kontrastbeziehung der beiden Werke an ihrem Ende. *Arthur Aronymus* klingt in der feierlichen Versöhnung der Religionen aus; der spanische Wunderrabbiner aber kennt nach dem Pogrom gegen seine Gemeinde keine Versöhnung mehr:

Und Eleasar wartete im Vorhof seines Palastes auf Gott, den ersehnten Gast. Endlich bot der Unsichtbare dar dem Ungeduldigen seine Vaterhand. Mitten im Innern des feierlichen Gemaches aber sah des Priesters bebender knieender Knecht, da sein großer heiliger Maëstros in den erkühlten Schein der Luft griff, ihn packte wie der mutige Torero in der Arena das Horn des Stiers — und dann — auf den Steinarabesken der blutende Wunderrabbiner lag. Der kämpfte weiter die ganze Nacht in Rätseln mit Gott; dunkelte und

wand sich von ihm. An die Säulen seines Hauses rüttelte der Prie-
ster, bis sie brachen wie Arme. Ihr Dach rollte in schweren Blöcken
herab und zertrümmerte die Häuser der Straße. Ein ungeheurer
Steinbruch aber, Er, der große Wunderrabbiner, ein Volk stürzte
sich vom heiligen Hügel, den das goldene zerbröckelte Mosaik der
Kuppel verklärte, auf die Christen Barcelonas, die den letzten ge-
quälten Juden reuevoll zur Ruhe legten, und erlosch ihre Erleuch-
tung, zermalmte ihre Körper.
(Der Wunderrabbiner von Barcelona, GW II, 503-4)

Wieder rufen die Bilder biblische Assoziationen wach. Das Schiff,
das durch die sich weitenden Straßen Barcelonas gefahren war, hatte
an den Auszug aus Ägypten erinnert; das Ende der Erzählung be-
schwört die Gestalt des Simson, der Rache nimmt an den Philistern.
Die goldene Kuppel des Rabbinerhauses, aus der das Judenmädchen
einst wie ein Engel gefallen war, stürzt jetzt auf die Häuser der Spanier, die die Juden Barcelonas ermordet haben.

Gott selbst erscheint dem Wunderrabbiner, der deutlich als die
Schattenvariante des Urgroßvaters Uriel zu erkennen ist. Er „kämpfte weiter die ganze Nacht in Rätseln mit Gott; dunkelte und wand
sich von ihm". Im *Wunderrabbiner von Barcelona* zeichnet Else Lasker-Schüler das verborgene Bild der Ereignisse, die in *Arthur Aronymus* vom Lichterglanz der Versöhnung überdeckt werden. Hier findet statt, was die Erlösergestalt des Vaters später verhindert; hier
steht im Vordergrund, was in der späteren Dichtung nur noch den
drohenden Hintergrund bildet. Im Kapitel über die Elberfelder Jugend der Dichterin haben wir die Pogromangst, die *Arthur Aronymus*
beherrscht, aus den historischen Ereignissen abgeleitet, auf denen
das Werk beruht; im *Wunderrabbiner von Barcelona* hinterläßt diese
Pogromangst noch eine schärfere, unmittelbarere Spur.

Angst ist das Gefühl, mit der Else Lasker-Schüler nach dem Ersten Weltkrieg ihr zeitgenössisches Judentum wiederentdeckt, nach
langen Fluchtversuchen in den Orient und in die Bibel ihrer Dichtung. Wie einst in den Versen „Mein Volk" steht sie noch einmal vor
dem Felsen, vor dem sie sich zurückzuziehen suchte, und erschrok-
ken erkennt sie ihn wieder: „Ein ungeheurer Steinbruch aber, Er, der
große Wunderrabbiner, ein Volk stürzte sich vom heiligen Hügel" —
ein Symbol der Rache, in dem sie ihr morsches Felsgebein aufbrechen läßt.

148

Uri Zwi Greenberg hatte nicht unrecht, als er in seinem Artikel von den Schiffen schrieb, auf die Else Lasker-Schüler wartete. Im *Wunderrabbiner von Barcelona* ist es ein Schiff, das die Judendichterin vor dem Haß der Christen rettet, und auch außerhalb ihres Werkes, in der nachweisbaren Wirklichkeit ihres Lebens, ist in den zwanziger Jahren oft davon die Rede. „Lieber guter verehrter Erwin von Jaffa", schreibt sie am 7.8.1925 an den Zionisten Erwin Loewenson. „Also wie weit sind Sie gekommen? *Sollen wir doch* mit dem Peer Gynt fahren denn eine Seereise wäre doch herrlich 3 Wochen." (BR II, 94)

Gemeint ist eine Reise nach Palästina, die sie in diesen Jahren plant und häufig in ihren Briefen erwähnt. „Lieber lieber verehrter Sabathey", heißt es am 12.2.1926, wiederum an Loewenson, „vielen vielen vielen vielen Dank: für die *herrlichen* Jerusalemperlen und für die lieben Wünsche. . . Wir gehen selbstredend zunächst zu zweit. . . nach Jerusalem. Schiff schon gesattelt. Viele viele viele liebe liebe Grüße Ihr Prinz Jussuf" (BR II, 100).

Das Datum und der Inhalt dieses Briefes zeigen noch einmal, wie sich die Ereignisse im Leben der Dichterin immer wieder gegen sie verbünden. Anfangs Februar 1926 scheint das Schiff bereitzustehen, das sie nach Palästina bringen soll, die Reise erfüllt sie mit freudiger Aufregung – und wenige Tage später trifft sie die Nachricht, mit der die schwersten Jahre dieser leidgeprüften Frau beginnen: sie erfährt, daß ihr Sohn Paul an Lungentuberkulose erkrankt ist.

Zweiundzwanzig Monate, vom Februar 1926 bis zum Dezember 1927, zieht sich das Sterben ihres Sohnes hin. Den größten Teil dieser beiden Jahre verbringt er in einem Schweizer Sanatorium, wo ihn Else Lasker-Schüler pflegt, so oft sie zu ihm fahren kann. Erst gegen Ende seiner Krankheit kommt Paul nach Berlin, und die Dichterin bringt ihn vom September 1927 bis zu seinem Tode im Atelier eines ihr bekannten Malers unter.

In der Vereinsamung ihres Lebens, die nach dem Zusammenbruch ihrer zweiten Ehe immer bedrückender wurde, hatte Paul einen letzten Lichtblick bedeutet. Alle Liebe, die nun kaum noch Ziele fand, hatte die Mutter auf dieses eine Kind konzentriert, hatte ihr weniges Geld auf seine teure Erziehung in der berühmten Odenwaldschule verwendet, hatte geglaubt, daß der zeichnerisch begabte Junge zu einem großen Maler heranwachsen würde. Schon seine Geburt als Sohn eines nicht mehr zu ermittelnden Vaters hatte die Problematik ihrer Existenz erhellt; sein Tod besiegelt ihre

Hoffnungslosigkeit.

Das langsame Sterben ihres einzigen Sohnes bildet den tiefsten Einschnitt im Leben Else Lasker-Schülers. Während Uri Zwi Greenberg in einer hebräischen Tageszeitung das Unglück der in Deutschland gefangenen jüdischen Dichterin beschreibt, bricht ein Leid über sie herein, gegen das alles andere seine Bedeutung verliert. Die „Qual der vergangenen Jahre war dagegen nur Lapalie", schreibt sie am 24.9.1927. „Das glauben Sie mir. Keinen Hunger noch Not gleichen der Pein, die ich durchmachte." (BR I, 184-5)

Die Zeilen sind einem der zahllosen Briefe entnommen, die Else Lasker-Schüler in der Sterbezeit ihres Sohnes an Paul Goldscheider richtet. Sie bilden ein merkwürdiges Kapitel in ihrer umfangreichen Korrespondenz und werfen Licht auf die Weise, in der die Dichterin ihr tiefstes Unglück trug.

Schon der Beginn des Briefwechsels hängt mit der Erkrankung des Sohnes zusammen. Goldscheider, ein junger Medizinstudent in Wien, hatte ihr ein bewunderndes Schreiben geschickt, als die böse Nachricht der Diagnose gerade eingetroffen war, und Else Lasker-Schüler vergaß es ihm nie: „. . . da ich Ihren ersten Brief gerade in dem Augenblick bekam, da ich tief im Dunklen stand und mich vielleicht oder sicher verirrt hätte", schreibt sie noch am 4.9.1927 an ihn, fast zwei Jahre später, wenige Monate vor dem Tode ihres Sohnes (BR I, 180).

„Da ich tief im Dunkeln stand", sagt Else Lasker-Schüler, und das ist das Merkwürdige an diesen Briefen: sie erinnern an den Schmerz und an die Lüge, die Uri Zwi Greenberg in ihrem Werk entdeckt. Die Dichterin sagt Paul Goldscheider nicht, welches Unglück sie befallen hat – daß es ihr eigener Sohn ist, der im Sterben liegt. Zwei lange Jahre verheimlicht sie es ihm, trifft ihn auch nie in dieser Zeit – erst später lernt sie ihn kennen, nach dem Tode ihres Sohnes – und bleibt unsichtbar für ihn hinter den Briefen, in denen sie mit ihm die Feste ihrer Phantasie feiert, ihn 'Inka' nennt, 'Indianer', und sich selber einen 'blauen Jaguar'.

Das Unglück verschlüsselt sie in die poetischen Bilder ihrer Briefe. In einem Schreiben vom 1.11.1927 heißt es:

Lieber mir teurer Indianer
Euer Brief kam angeschnellt, ein Pfeil mit rosenroten Federn und
in weitem Bogen über die Hecke meines Herzens! – Mein Schiff liegt

*Karantäne und ich schlummere etwas. Dieses Ungenaue Fühlen
und Wissen von der Welt von Nord und Süd und Ost und West ist
momentan gut. Mein Compass zeigt gen Himmel und meine Segel
ruhen sich aus. Wenn Ihr wüßtet wie ich herumtreibe, Ihr kämet mit
einem großen Boot oder einem Frack, darauf ich einst nach Afrika
fuhr zwischen arabischen Kaufleuten und ihren Kameelen und
Fässern.*
(BR I, 185-6)

Sie ist schon sehr durcheinander hier — es sind die letzten Tage ihres
Sohnes — und das Wort 'Frack', das sie aufs Papier wirft, soll wahrscheinlich 'Frachter' heißen. Doch gerade deshalb ist es umso erstaunlicher, wie genau sie die Darstellung bestätigt, die Uri Zwi
Greenberg fast zwei Jahre zuvor von ihr gegeben hat: sie wartet in ihrer Not auf ein Schiff, das sie aus dem Lande retten soll, in dem sie ge-
strandet ist.

Es scheint noch einmal der Orient ihrer Phantasie zu sein, in den
sie entfliehen will. Aber wenig später gibt sie das Ziel an, auf das sich
ihr Wunschdenken richtet. Am 30.11.1927, zwei Wochen vor dem Tode ihres Sohnes, schreibt sie an Goldscheider:

*Ich will ja kein Geld behalten, aber ich muß so viel haben denn das
Meer verbraucht mich und die Matrosen auf meinem wilden Floß
sind rauh. Sehr viel sehr viel unzählbar viel, gehe ich auch mal auf
nackten Füßen nach Jerusalem. Das Herz ist das Herz Davids, der
mir erschien, einmal lange Zeit vor drei Weihnachtsabenden vor
meinem Bett an einem Tisch saß im Turban und im langen Mantel.
Er sah sehr ernst und ergeben aus, seine Augen waren eingesunken
wie meine nun. Euer Jaguar.*
(BR I, 189)

Schon ihre frühesten jüdischen Gedichte, „Sulamith" oder „Mein
Volk", zeichnen ein fernes Bild Jerusalems. Was dort in der Unbe-
grenztheit des Symbols erscheint, nimmt während der späten Berliner Jahre Else Lasker-Schülers auch die konkrete Form eines geogra-
phischen Ortes an. Nach dem Tode ihres Sohnes taucht der Gedanke
der Palästinareise fast sofort wieder in ihren Briefen auf. „Denken Sie
mein geliebter Junge, mein Paul ist am 14. Dezember gestorben",
schreibt sie am 1.2.1928 an den in Jerusalem lebenden Philosophen

151

Schmuel Hugo Bergman. „Ich kann es kaum niederschreiben. Ich fühle, ich muß bald nach Jerusalem. Ich komme bald." (BR II, 115)

Es hat dann noch über sechs Jahre gedauert, ehe sie zum erstenmal nach Palästina fuhr. Aber die Vorstellungen, die sie mit ihrem Judentum verbindet, wandeln sich jetzt, und man gewinnt den Eindruck, daß auch ein neues Verhältnis zur jüdischen Überlieferung ihr die Kraft gibt, die schwerste Leidenszeit zu überstehen.

„Wie viel hat sich begeben seitdem wir uns zuletzt sahen", schreibt sie am 7.2.1928 an Pinkus, „Träume, die Wahrheit wurden und Wahrheiten, die dahinsäumten. Ich habe einen großen Kabalisten kennengelernt und Freitag sprechen wir wieder bei Kerzenschein. Ich habe von Lurja gelesen, der mir der allererste der Kabalisten scheint. Es leuchtete alles ein — was er sagt, aber unsere, ich meine der Menschen Milchweisheit reicht nicht bis zur Schläfe der Weisheit Gottes." (BR I, 155)

Die Zeilen, keine zwei Monate nach dem Tode des Sohnes geschrieben, deuten den Trost an, den die Dichterin jetzt in ihrer Hinwendung zur jüdischen Mystik findet. Aber es handelt sich dabei wohl kaum um ein systematisches Studium, und schon der Kerzenschein läßt ahnen, wie wenig ihr an einer intellektuellen Bewältigung der lurjanischen Kabbalah liegt. „Es leuchtete alles ein", schreibt sie, und das heißt bei Else Lasker-Schüler: es paßt in ihre Dichtung, es läßt sich einbauen in die symbolische Bildwelt, die sie in ihrem Werk gestaltet.

Einen großen Teil dieser Welt zeichnet sie in den Essays auf, die während der zwanziger Jahre in der Presse erscheinen, und auch das Erlebnis der Kabbalah geht in ihnen seine organische Verbindung mit dem Ausdruck ihrer dichterischen Sprache ein. Als Beispiel bietet sich ein später Text aus dem Jahre 1930 an, der kurz vor dem Schauspiel *Arthur Aronymus und seine Väter* entsteht. Schon von seinem Titel her ist er repräsentativ — Else Lasker-Schüler nennt ihn „Konzert", wie später den gesamten Essayband — und dort heißt es:

Vielleicht begehe ich eine Indiskretion, da ich das Geheimnis des Menschen und seiner Welt verrate. Der Leib ist nur Illusion. Und auch den Körper der Welt erdichtete die erste Menschenseele. Der ist zähe und jedem Stoß gefeit. Aber wenn du einmal ein Erdbeben verspüren solltest, ein vorübergehender Zweifel der Seele an ihrer Weltillusion, denke an mich und verschlingt dich auch der Erdleib,

um dich nach Augenblicken wieder auszuspeien. Das kindliche
Wechselspiel der noch jungen Seele hieß: Sich verkörpern und ent-
kernen! Der lallende Reim wurde blutiger Ernst. Aber so erklärt
sich das Wunder der Fakire, überhaupt aller Heiligen, des Balchem
und der anderen Wunderrabbiner, die durch Enthaltsamkeit den
bezwungenen Leib zu entbrennen vermochten. Die Kabala sagt:
„Der erste Mensch lag ein Schein über die Welt gebreitet." Die Ka-
bala ist der geistige Garten, etwa der göttliche Plan des Paradieses.
Darin wir heute auch noch leben, von leiblicher Vorspiegelung dun-
kel umfangen in Gestalt angenommener Edenwelt. Das ist die Ur-
tragik der Menschenseele, daß sein erdichteter Koloß sie gefährdet.
Ihn abzuwälzen, zögert selbst oft lange der Tod. Hüte deinen Palast
aus wachsender Illusion pochendem Fleische gut! Aber auch der
Dichter vermag schon bei Lebzeiten die hartnäckige Strophe von
seiner Seele zu streichen. Diesen Zustand nennt man: Inspiration:
Platzmachen für Gott!
(*Konzert,* „Konzert", GW II, 627-8)

Dem Anschein nach werden hier kabbalistische Gedanken vorgetra-
gen und kommentiert. Aber in Wahrheit ist es wohl eher Else Lasker-Schülers eigenste Poetik, die sie in den Begriffen jüdischer Überlieferung formuliert, als Ausdruck ihrer jüdischen Existenz. Von den
Übergängen aus dem Paradies in die irdische Welt spricht sie, von ihrer Scheinhaftigkeit, die jederzeit durch ein 'Erdbeben', durch einen
'vorübergehenden Zweifel der Seele an ihrer Weltillusion' aufgedeckt werden könnte — Worte, in denen noch nach dreißig Jahren die
Spuren des Kulturschocks zu erkennen sind, der sie schon um die
Jahrhundertwende aus der Scheinwelt des Bürgertums heraustreten
ließ.
    „Der Leib ist nur Illusion", schreibt sie, „und auch den Körper der
Welt erdichtete die erste Menschenseele"; ihre 'Urtragik' sei es, daß
dieser von ihr 'erdichtete Koloß' sie gefährde. Doch weil der Körper
erdichtet sei, vermöge es gerade der Dichter — wie Fakire und Heilige, wie der Baalschem und andere Wunderrabbiner — „schon bei
Lebzeiten die hartnäckige Strophe von seiner Seele zu streichen".
'Hartnäckige Strophe' nennt sie die vom Menschen erdichtete Körperwelt, die 'zähe' sei und 'jedem Stoß gefeit': Else Lasker-Schüler
beschreibt uns das Aufbrechen dieser scheinhaften Körperwelt, in
dem der Dichter seine Seele befreit, und sie gibt uns damit im Spie-

gelbild eine Beobachtung wieder, die wir beim Lesen ihrer Lyrik oft gemacht haben — das Aufbrechen eines weiten Raumes im Inneren ihres Körpers, der sich vor unserem Blick wie eine Schale öffnet. „Diesen Zustand nennt man: Inspiration: Platzmachen für Gott!" sagt die Dichterin, und die Worte schließen die Beschreibung eines schöpferischen Vorgangs ab, die sich wie ein in poetische Bilder verschlüsselter Kommentar zu ihren schon vor vielen Jahren entstandenen Versen „Mein Volk" liest.

Dieses Aufreißen der Körperhülle an der Grenze zwischen Paradies und Erde aber bezeichnet zugleich auch ihre Sehnsucht nach den nahen Menschen, die sie verloren hat. Das zeigt eine Stelle des Essays, an der es wenig später heißt:

> *Wieder schreitet das Meer über mich. Ich eile in mein Haus, zünde die Kerze an auf meinem Tisch, denn ich zittere vor der dämmernden Abendstunde. Ich glaubte eher zu sterben als mein Kind und hinterließ ihm der Reliquie Vers:*
>
> > *Es brennt ein feierlicher Stern...*
> > *Ein Engel hat ihn für mich angezündet.*
> > *Ich sah nie unsere heilige Stadt im Herrn,*
> > *Sie rief mich oft im Traum des Windes.*
> >
> > *Ich bin gestorben, meine Augen schimmern fern,*
> > *Mein Leib zerfällt und meine Seele mündet*
> > *In die Träne meines nun verwaisten Kindes,*
> > *Wieder neu gesät in seinem weichen Kern.*
>
> *Ich träume — Wellen dringen durch die Wände meines Zimmers, durch den Spalt der Türe. Ich eile an das Gewässer. Ein Seevögelpaar nimmt mich in seine Mitte — denn — ich habe keine Eltern mehr.*

(Konzert, „Konzert", GW II, 629)

Wieder ist das Bild des Meeres mit einer Sehnsucht verbunden. Das Seevögelpaar nimmt die verwaiste Dichterin in seine Mitte, und in den Versen für den Sohn klingt das Motiv Jerusalems an. Else Lasker-Schüler ist über sechzig Jahre alt, als sie den Essay schreibt, ihre Einsamkeit liegt über ihm. Sie hat nun keine Eltern mehr, und kein Kind.

154

Die Dichterin hatte geglaubt, früher zu sterben als ihr Sohn, und in Vorahnung ihres Todes schrieb sie die Verse, die hier eingefügt sind. In ihnen ist das Thema des Essays noch einmal aufgenommen: sie schildern den Zerfall ihres Leibes, die Befreiung ihrer Seele, die in die Träne ihres Kindes mündet — „Wieder neu gesät in seinem weichen Kern" — und die Verse werden nun von einem anderen Ton getragen. Das Bild vom 'Kern' verknüpft sich mit der Stelle des Textes, die den Eintritt der Menschenseele in die Welt als 'sich verkörpern und entkernen' bezeichnet. Aber auch Assoziationen mit ihrem frühen Werk klingen an: zehn Jahre zuvor hatte sie in „Gott hör. . ." die 'Bitternis in jedem Kerne' beklagt; jetzt, nach dem schwersten Schlag ihres Lebens, nimmt sie Verse in den späten Essay auf, die von dem 'weichen Kern' ihres gestorbenen Sohnes sprechen.

Der Härte ihres Schicksals setzt sie die Weichheit eines neuen Gefühls entgegen. Im Jahre 1926, als sie schon von der Krankheit ihres Sohnes wußte, schreibt sie in dem Essay „Die Bäume unter sich":

Ich vertraue meinen dichterischen Einfällen und frage nicht, warum ich immer wieder über die Pflanzen auf unserer Welt dichten muß. Heute früh belauschte ich ein Gespräch, das die Bäume lebhaft miteinander vor meinem Fenster führten. Seitdem nehme ich an, daß es sich, wie bei den Menschen und Tieren, auch bei den Pflanzen um eine persönliche bewußte Blutverwandtschaft handelt. Denn die behäbige Linde erinnerte mit großer Besorgnis die kleine schlanke Linde, sich grade zu halten: „Halt dich grade!" Derartiges Interesse pflegt nur eine Mutter für ihr Kind an den Tag zu legen. Mir fiel es schon einige Male schleierhaft, noch im Nebel der Sinne, auf, wie sich die Armäste der Mutter Linde besorgt zur Tochter herabbogen, und ich hörte den üppig belaubten Mutterbaum sie vernehmbar ermahnen; und auch ich muß mit Bedauern feststellen, der Stamm der jugendlichen Linde neigt zum schiefen Wachstum.

(Konzert, „Die Bäume unter sich", GW II, 605-6)

Das Bild, das hier gezeichnet ist, hat seinen unmittelbaren Anlaß sicher in dem Leid, das sie um ihren kranken Sohn erfüllt. Aber auch in der weiteren Perspektive ihres Werkes lassen sich die Entsprechungen finden. Die Familie wird nun zu einer deutlichen Grundstruktur ihrer Dichtung, und gemeint ist damit nicht mehr die phantastische, pseudo-orientalische Genealogie des Prinzen Jussuf, sondern ihre ganz konkrete, eigene Familie: später, in dem Essay „Konzert", verbindet sie den Tod ihres Sohnes mit dem um eine Generation zurückliegenden Tod ihrer Eltern, und auch vorher schon, an vielen anderen Stellen des Essaybandes — etwa in den Texten „Das Theater" (1924), „Der Versöhnungstag" (1925), „Das erleuchtete Fenster" (1926) — läßt sich diese Rückkehr zum Elternhaus verfolgen.

Auch ihr Essay „Der letzte Schultag" steht in diesem Zusammenhang. Das Kapitel über Else Lasker-Schülers Jugend in Westfalen hat sein Veitstanzmotiv hervorgehoben, das ihn mit der Dichtung *Arthur Aronymus* verbindet und dort eine poetische Verschlüsselung jüdischer Existenzangst ist. Jetzt, in der Perspektive ihrer letzten Jahre vor der Flucht aus Deutschland, wird der doppelte Sinn ihrer dichterischen Rückwendung zur Jugendzeit in Elberfeld deutlich: sie ist völlig vereinsamt, verliert zuletzt mit ihrem Sohn auch den liebsten Menschen ihrer Familie und füllt nun die Leere um sich, indem sie die Toten in ihrem Werk wieder zum Leben erweckt; zugleich aber spürt sie den wachsenden Judenhaß im Deutschland der Weimarer Republik, sie erlebt, wie ihre Angstvorstellungen zur drohenden Wirklichkeit werden, und sie macht die Figuren ihrer Familie, die ihr die Einsamkeit erleichtern, in *Arthur Aronymus* zu Erlösergestalten — für sich selbst, und für das deutsche Judentum, aus dem sie stammt. Im Urgroßvater Uriel und in ihrem eigenen Vater, dem von Juden und Christen geliebten Knaben, stellt sie den dunklen Bildern aus ihrem *Wunderrabbiner von Barcelona* noch einmal alle hellen Hoffnungen entgegen.

Fünftes Kapitel

Hebräerland

Der deutsche Antisemitismus, der zu Beginn des Jahrhunderts latent geblieben war, griff nach dem Zusammenbruch des Kaiserreiches wieder um sich. In der Weimarer Republik gewann er seine bedrohlichen Ausmaße und bildete einen unverkennbaren Hintergrund des Werkes Else Lasker-Schülers, das während dieser Jahre entstand. Schon im Kapitel über ihre Jugendzeit wurde die Erinnerung an den Mitschüler Willy Himmel erwähnt, der sie im Elberfeld der Stoecker-Bewegung mit Füßen getreten hatte; diese Erinnerung war erstmals gegen Ende des Weltkrieges erschienen und muß als ein früher Ausdruck der Pogromangst gelten, die seither in ihrer Dichtung spürbar wird.

Aber nicht nur im Werk, sondern auch im Leben Else Lasker-Schülers hat der beginnende Ausbruch der Barbarei seine Spuren hinterlassen. *„Kann ich nicht auch mal wieder vortragen hier im Funkhaus?"* schreibt sie am 4.2.1931 an den Kultusminister der Preußischen Landesregierung Adolf Grimme. „Immer gefällt mein Vortrag überall, auch kürzlich in Frankfurt Main (Frankfurter Zeitung Funkstunde) und meine Dichtungen am Frankf. Funkhaus. Ich fragte vergebens vor einiger Zeit hier an — hörte dann Bronnen der Nazileutnant säß dort — und — da ist mirs unangenehm zu fragen. Er ist doch Nazi. Er sagt sonst vielleicht, 'die Juden drängen sich.' Ich bin noch nicht geheilt von der Nollendorfschlacht. Noch eine Wunde am Oberarm und Unterfußgelenk, so hab ich mich geschlagen mit den Nazis u. der Gesellschaft noch draußen vor den Filmplakaten flogen Fäuste wie Granaten." (BR II, 130)

Schon im April 1933, wenige Wochen nach Hitlers Machtergreifung, floh Else Lasker-Schüler in die Schweiz, und unauslöschlich prägten sich die Ereignisse dieser Monate ihrem Gedächtnis ein. „Liebe Ines verehrteste", schreibt sie noch fünf Jahre später, am 22.8.1938, an ihre in Amerika lebende Verwandte Ines Asher, „ich habe ein kleistpreisgekröntes Schauspiel, ein Stück des Friedens und im Jahre 32 war es schon vom Intendanten Prof. Leopold Jessner in Berlin einstudiert für das Staatstheater... Dann kam – H. und wir alle auch Jessner mußten *über Nacht* wie ich fort. Zerschlagen kam ich blutend in Zürich an... Ich lag 6 Nächte am See hier versteckt, da Niemand *momentan* in Zürich, den ich kannte vom Krieg her." (BR II, 186)

Wie ein erdichtetes Abenteuer liest sich diese Schilderung ihrer Nächte am Zürichsee, aber sie beruht leider auf Wahrheit. Sie wird von Zeitgenossen bestätigt, und ein Vergleich mit den anderen Wendepunkten im Leben Else Lasker-Schülers läßt die Panik der Flucht wiedererkennen, die zum Grundzug ihrer Existenz geworden ist; so, ganz plötzlich, hatte sie sich schon als kleines Mädchen aus der Schule zurückgezogen, und auch das bürgerliche Haus ihres ersten Ehemannes Berthold Lasker hatte sie so verlassen. Nicht abenteuerliche Phantasie steht hinter ihrem Brief an Ines Asher, sondern die bittere Wirklichkeit, die die vierundsechzigjährige Frau nun zu bestehen hat. „Ach ich bin nun hier und bin sehr traurig", schreibt sie am 21.5.1933 an Paul Leppin, dem sie noch 1919, in ihrem Buch *Der Malik,* die Statthalterei von Irsahab angetragen hatte, „da *mirs* immer so ergeht; vielleicht – ergehen muß und – soll – nach höherem Lenken. Ich bin wie in einer kühlen großen Zelle immerzu." (BR II, 143)

Dieses déjà vu, als das Else Lasker-Schüler den Zusammenbruch und die Unwirklichkeit ihrer Umwelt erlebt, erschwert ihr das Emigrantendasein auf doppelte Weise. Auch vor ihrer Flucht schon hatte sich ihre Existenz nicht zu einem überschaubaren Ganzen gefügt, dessen Erinnerung sie hätte ins Exil retten können. Da sie niemals Anteil gehabt hatte am kollektiven deutschen Geistesleben – weder im Gefolge der bildungsbürgerlichen Tradition noch in einer kulturpolitisch kohärenten Opposition zu ihr – ging sie nun auch nicht als 'Kulturträgerin' in die Fremde, war keine Vertreterin jenes 'anderen Deutschlands', als das man die geistige Elite zu bezeichnen pflegt, die dem Hitlerregime ihren Rücken kehrte. Wie in Deutschland blieb Else Lasker-Schüler auch im Exil eine Außenseiterin.

Nichts macht ihre Verlorenheit deutlicher als Verse, die bald nach ihrer Flucht entstanden sind. Zuerst nannte die Dichterin sie „Das Lied der Emigrantin", aber später gab sie ihnen den Titel „Die Verscheuchte":

Es ist der Tag im Nebel völlig eingehüllt,
Entseelt begegnen alle Welten sich —
Kaum hingezeichnet wie auf einem Schattenbild.

Wie lange war kein Herz zu meinem mild...
Die Welt erkaltete, der Mensch verblich.
— Komm bete mit mir — denn Gott tröstet mich.

Wo weilt der Odem, der aus meinem Leben wich?
Ich streife heimatlos zusammen mit dem Wild
Durch bleiche Zeiten träumend — ja ich liebte dich.....

Wo soll ich hin, wenn kalt der Nordsturm brüllt?
Die scheuen Tiere aus der Landschaft wagen sich
Und ich vor deine Tür, ein Bündel Wegerich.

Bald haben Tränen alle Himmel weggespült,
An deren Kelchen Dichter ihren Durst gestillt —
Auch du und ich.

(GW I, 347; SG, 204)

So finden sich die Zeilen in *Mein blaues Klavier,* ihrem letzten Gedichtband, der 1943 in Jerusalem erschien. Als sie 1934 erstmals in
Klaus Manns Emigrantenzeitschrift *Die Sammlung* gedruckt wurden,
enthielten sie zusätzlich noch den Schlußvers:

Und deine Lippe, die der meinen glich,
Ist wie ein Pfeil nun blind auf mich gezielt...

Aus gutem Grund hat Else Lasker-Schüler diesen Schluß in der endgültigen Fassung des Gedichtes gestrichen. Die Lippen, die hier
einander gleichen, der Pfeil, der blind auf die Dichterin zielt — sie
sind poetische Bilder der plötzlichen Feindschaft, die zwischen
Deutschen und Deutschen aufgebrochen ist; aber sie beschränken
sich auf einen bestimmten Augenblick in der Geschichte und
schwächen das ungleich stärkere Bild der 'weggespülten Himmel'
ab.

In seiner letzten Fassung greift das Gedicht über den historischen
Augenblick seiner Entstehung hinaus, und auch die Veränderung
des Titels weist in die gleiche Richtung. Das „Lied der Emigrantin"

umreißt einen zeitlich und soziologisch abgegrenzten Begriff, die „Verscheuchte" dagegen bezeichnet eine elementare Situation, die solche Abgrenzungen nicht kennt. Ein unüberbrückbarer Abstand zur Welt – die 'kühle große Zelle', von der sie im Brief an Paul Leppin spricht – findet seinen Ausdruck in diesen Versen. Zeit und Raum, die Koordinaten erkennbarer Wirklichkeit, lösen sich im 'kalten Nordsturm' auf, den die Zukunft bringt, im 'Bald', das das Ende aller Himmel bedeutet, in 'Landschaft' oder 'Tür', die nur noch Chiffren sind für eine konturenlose Räumlichkeit. „Ich streife heimatlos zusammen mit dem Wild / Durch bleiche Zeiten träumend": die Heimatlosigkeit hat die Dichterin zur Kreatur gemacht, zum 'Wild', dem Zeit und Raum zerfließen.

Die Welt der äußeren Wirklichkeit – „Kaum hingezeichnet wie auf einem Schattenbild" – verwischt in diesen Zeilen; umso eindringlicher aber stellen sie uns die Welt der Dichterin vor den Blick. „Wie lange war kein Herz zu meinem mild... / Die Welt erkaltete, der Mensch verblich", schreibt Else Lasker-Schüler und läßt ein Grundmotiv ihres Werkes anklingen, das sich schon in ihren frühesten Versen findet: „Das Leben liegt in aller Herzen / Wie in Särgen", hatte es in „Weltende" geheißen, ihrem Gedicht von der Trauer um den vielleicht gestorbenen Gott, von ihrer Sehnsucht nach dem Geliebten – und hier, in den Versen ihrer Flucht, ist das Weltende gestaltet, das sie so viele Jahre vorausgeahnt hatte. Auch die alternde Frau noch faßt ihre doppelte, physisch-metaphysische Sehnsucht in Bilder von Gott und einem Geliebten. „– Komm bete mit mir – denn Gott tröstet mich", sagt sie zu diesem Geliebten, aber sie kann ihn in ihrer verlorenen Welt nicht mehr finden – und bald, am Ende ihrer Tränen, vielleicht auch Gott nicht mehr.

Die 'Landschaft', aus der sie sich mit 'scheuen Tieren' wagt, weitet sich ins Unendliche, weil der schweifende Blick der Dichterin nirgends einen Anhalt findet. Sie träumt durch 'bleiche Zeiten', schreibt Else Lasker-Schüler, und man wird an ein anderes Bild erinnert, das sie ein Vierteljahrhundert zuvor gedichtet hatte – an die 'buntgeknüpften Zeiten', in denen der süße Lamasohn seine Geliebte küßte. Auch in „Ein alter Tibetteppich" war ein unendlicher Raum in den Blick gerückt, aber er, 'maschentausendabertausendweit', war im Bogen des Himmels zusammengehalten worden, in dem die Liebenden sich gefunden hatten –

Strahl in Strahl, verliebte Farben,
Sterne, die sich himmellang umwarben.

Diese Unendlichkeit ist es, die in den Versen „Die Verscheuchte"
auseinanderbricht. Das Gewebe des Tibetteppichs ist zerstört, aus
bleichen Zeiten hebt Else Lasker-Schüler den Blick in die Höhe, in
der einst die verliebten Farben spielten — und jetzt sind alle Himmel
in Gefahr: die Himmel der Vertriebenen, und die Himmel derer, die
zurückgeblieben sind. Sie ist plötzlich keine Emigrantin mehr, sie
ist nur noch eine Verscheuchte, deren Exil nicht erst mit der Flucht
aus Deutschland beginnt und auch nicht enden wird, als das Schicksal sie später nach Palästina verschlägt.

Mit ihrer Flucht aus Berlin, der Stadt, in der sie den weitaus größten
Teil ihres Lebens verbracht hatte, erfuhr Else Lasker-Schüler noch
einmal den Schock der 'Weltillusion', von dem sie in ihrem Essay
„Konzert" spricht — jenes Gefühl eines Erdbebens, das die Seele an
aller Wirklichkeit zweifeln läßt. Es war ein Zweifel, den sie immer
aufs neue durchlebte, und auch ein anderes Trauma ihrer Existenz
brach in diesem Zweifel auf: plötzlich stand sie dem zeitgenössischen Judentum wieder feindselig gegenüber, mit aller Enttäuschung und Verbitterung, die sie so oft gegen ihr eigenes Volk erfüllte.
  'Über Nacht', wie sie später an Ines Asher schreibt, war sie in Zürich eingetroffen, und völlig mittellos. Abermals war sie von finan-
zieller Unterstützung abhängig, und Sylvain Guggenheim, ein jüdischer Seidenfabrikant in der Stadt, gehörte zu den Menschen, die ihr
über die schwerste Zeit hinweghalfen. Ihre Korrespondenz mit ihm
macht deutlich, wie sehr sie sich von der jüdischen Gemeinde in Zürich verletzt fühlt. „Die Gemeinde kann nicht mehr helfen", heißt es
am 18.9.1934. „Auch möchte ich auch nicht, denn sie hat die Un-
wahrheit gesagt, indem sie mir, auch das Geld für andere Menschen
in die Schuhe schiebt. Sie hat mir ein paar Monate die Miete bezahlt.
Aus besonderen Gründen wohnte ich im Hospiz: Augustinerhof.
ohne zu essen etc. dort. Ja was ich unserem Volk Ehre machte in
Deutschland weiß jedes Kind dort. Ich verlange ja keinen Dank, aber
Noblesse. Oft gehe ich durch die Straßen hier, voll Bangen meine Eltern könnten mich so abgehetzt — vom Himmel herab — sehen. Nie
war ich bitter, aber ich beginne es zu werden tatsächlich." (BR I, 262)
  Bald darauf — in einem Schreiben, das in manchem an den schon

zwanzig Jahre zuvor an Martin Buber gerichteten Brief erinnert —
beklagt sie sich ein weiteres Mal über die jüdische Gemeinde der
Stadt. Am 29.10.1934 heißt es an Guggenheim:

> *Ich kann nicht mehr die Einstellung finden, wie früher — zu der*
> *Grösse — der Juden. Und ich möchte sagen, ich bin nicht mehr He-*
> *bräisch des Judentums wegen, aber Gottes willen, der mein Herz*
> *prüfen kann und meinen Schmerz.*
> (BR I, 263)

Wenig später schreibt sie in dem gleichen Brief:

> *Man wird schon so scheu, dass man kaum einen Juden zu besuchen*
> *sich getraut. Immer meinen die Leute, man will was. Ich habe allen*
> *Juden Ehre gemacht, mich schlagen lassen in antisem. Vereinen,*
> *aber die Zuhörer wieder bekehrt, dass sie mich alle draussen be-*
> *gleiteten. Wie in Halle wo mich die Professoren einluden, einige*
> *beim Hören meiner hebräischen Balladen wild wurden und viele*
> *ansteckten.*
> (BR I, 264)

Und gleich darauf:

> *So fremd sind also wir die Juden zueinander, dass ein Jude nicht*
> *dem anderen sein bedrängtes Herz ausschütten kann ohne sich zu*
> *blamieren?*
> (BR I, 264)

In früheren Kapiteln haben wir einige Wege verfolgt, auf denen Else
Lasker-Schüler dem Leid ihres Judentums zu entkommen versuchte. Alle diese Wege, wie schon ihre Flucht vor dem Felsen im Gedicht „Mein Volk", hatten sich als illusorisch erwiesen, und es ist bezeichnend für ihre existentiellen Bindungen, daß sie sich nun, in den
Tagen ihrer tiefsten Entwurzelung, solchen Illusionen nicht mehr
hingibt. Gerade in Zürich, dessen jüdische Gemeinde sie so bitter
enttäuscht, wird sie noch einmal mit der Alternative des Christentums konfrontiert, die ihr niemals fremd gewesen ist. Aber Else Lasker-Schülers Lebensweg in ihren letzten Jahren läßt keinen Zweifel
daran — in Zeiten, da Tränen alle Himmel wegzuspülen drohten, hat-

te die Scheinlösung einer Konversion keine Anziehungskraft für sie.

Nach allem, was die Quellen ihres Lebens und ihrer Dichtung über sie sagen, ist das nicht verwunderlich. Es wird hier nur erwähnt, weil es seit ihren Jahren in Zürich auch die historisch ungenaue Darstellung des Schauspielers Ernst Ginsberg (1904-1964) gibt. Mittelpunkt eines Konvertitenkreises, mit dem sie in der Schweiz in Berührung kam, hat er Else Lasker-Schüler später in eine zum Christentum tendierende Dichterin verwandeln wollen.

Als Jude geboren und mit einer Protestantin verheiratet, war Ginsberg bis zu seiner Emigration unter anderem an mehreren Berliner Bühnen tätig gewesen — dort hatte er die Dichterin kennengelernt — und gehörte seit 1933 zum Ensemble des Zürcher Schauspielhauses. Im Jahre 1935 trat er gemeinsam mit seiner Frau zum Katholizismus über, und bald darauf war er führend an der Inszenierung des Stückes *Arthur Aronymus und seine Väter* beteiligt, das am 19.12.1936 seine Premiere erlebte, aber schon nach zwei Aufführungen wieder abgesetzt wurde.

Ob das aus politischen Gründen geschah oder infolge von Spannungen zwischen Else Lasker-Schüler und Mitgliedern des Ensembles, läßt sich heute nicht mehr einwandfrei feststellen. Klar ist, daß Ginsberg als Konvertit an diesem Schauspiel über die Versöhnung der Religionen ein tiefes Interesse gefunden hatte. Doch gerade deshalb deckte sich seine Interpretation des Stückes nicht unbedingt mit den Absichten der Dichterin: wo Ginsberg eine Verbrüderung von Bischof und Juden sah, wollte Else Lasker-Schüler den Knaben Arthur Aronymus vor dem Zugriff der katholischen Kirche durchaus gewahrt wissen.

Erst nach dem Zweiten Weltkrieg, als die Dichterin gestorben war und sich nicht mehr wehren konnte, setzten sich Ginsbergs christlich gefärbte Interpretationen durch. Er war maßgeblich an ihrer Wiederentdeckung in der Bundesrepublik beteiligt und hat 1951 im katholischen Kösel-Verlag einen Sammelband veröffentlicht, den er *Dichtungen und Dokumente* nannte. Dort legte er zum Teil recht fragwürdig edierte Ausschnitte ihres Werkes vor und ließ auch viele ihm gleichgesinnte Zeugen zu Worte kommen, die Else Lasker-Schüler als eine auf dem Weg zum Christentum befindliche Jüdin darstellten, die sie nie gewesen ist.

Ernst Ginsberg hat seine Rolle in der Nachkriegsrezeption der Dichterin gespielt, als ein ganzes Spektrum solcher aus dem

Wunschdenken ihrer Interpreten geborenen Bilder Else Lasker-Schülers entstand. Weder in ihrem historisch nachweisbaren Leben noch in ihrer Dichtung aber findet sich eine Tendenz, die sie unter bestimmten Umständen dem Christentum zugeführt hätte. Eine solche Tendenz konnte es bei ihr gar nicht geben; ihr Verhältnis zum Judentum war eben deshalb so schmerzlich, weil es unlösbar war.

Das beweist dann auch der bereits zitierte Brief vom 29.10.1934, in dem sie sich bei Sylvain Guggenheim bitter über die jüdische Gemeinde in Zürich beklagt. Dort bekennt sie sich trotz allem zum Judentum um 'Gottes willen, der mein Herz prüfen kann und meinen Schmerz'. Wie tief dieser Schmerz war, geht aus den Anfangszeilen des Briefes hervor, die Else Lasker-Schülers Züricher Jahre in ihre volle Perspektive stellen:

> *Hochverehrter Herr Sylvain Guggenheim.*
> *Ich schreibe mit der Maschine meiner Hand wegen, die mir weh tut.*
> *Verzeihen Sie bitte. Ich bin so unglücklich, dass es mir wieder*
> *schlecht geht. Ich kann nichts dafür, denn ich gebe mir alle Mühe*
> *und es ging auch eine Weile. Ich kann nicht so oft einsenden aus*
> *vielen Gründen, aber, dass ich meine Geschichte nicht schreiben*
> *konnte über Palästina, das die Palästineser beglücken würde, ich*
> *eine dichterische Tat täte,* sondergleichen, *liegt wohl an meiner*
> *masslosen Erbitterung wie man handelt gegen mich, die ich Dichterin der Juden doch bei guten Zeiten stets hochverehrt wurde und*
> *nun zum gemeinsten Bettler herab gezwungen werde.*
> (BR I, 263)

Es ist die Tragik ihrer Existenz — während sie sich maßlos über ihre jüdischen Zeitgenossen erbittert, ist sie doch gleichzeitig darum bemüht, ein Werk über Palästina zu schreiben und damit eine 'dichterische Tat' für das jüdische Volk zu vollbringen. Denn als sie ihren Klagebrief an Guggenheim richtet, hat sie bereits ihre erste Palästinareise hinter sich und arbeitet an dem Buch, das 1937 unter dem Titel *Das Hebräerland* herauskommen wird.

Diese Reise und ihr Buch verdienen unsere volle Aufmerksamkeit. Im März 1934 fuhr sie auf Einladung Margret Pilavachis, der aus Deutschland gebürtigen Frau eines reichen Griechen, nach Ägypten, und schon auf dieser ersten Etappe der Reise stoßen ihre

Wunschvorstellungen mit der historischen Wirklichkeit zusammen. In Alexandrien, wo sie bei ihren Gastgebern wohnte, hoffte sie, das Geld für die Weiterreise mit einer Reihe von Vorträgen zu verdienen, aber die politischen Entwicklungen hatten sie bereits überholt: die Eltern von Rudolf Heß lebten als Auslandsdeutsche in der Stadt, und die öffentliche Sympathie für die Nationalsozialisten machte ein Auftreten der Dichterin unmöglich. Im April — wie so häufig mittellos — traf sie in Jerusalem ein und blieb für zwei Monate.

Es ist ein tief erregendes Erlebnis für Else Lasker-Schüler. Zum erstenmal sieht sie die Stadt, die als Symbol über so vielen ihrer Dichtungen steht, und sie kann den Eindruck nicht sofort bewältigen. In *Das Hebräerland,* dessen Niederschrift sie erst ein Jahr nach ihrer Rückkehr in die Schweiz abschließt, heißt es darüber:

> *Die Zeit, geraume Zeitweile, ermöglicht den Zauber des Neuerlebten mit dem Zauber des Talents zu verbinden und zu verbünden. Da nach längerem Verweilen im Heiligen Lande der Dichter beginnt zu dichten seine Hymne, der Maler zu malen sein Gemälde, der Musiker zu komponieren seinen Psalm. Aber auch der kürzeste Besuch tut dem Künstler künstlerisch gut; Jerusalem der stärkendste Badeort für seine Muse. Wirken auch diese Bäder, wie die leiblichen es zu tun pflegen, nach geraumer Zeit.*
> *Helle Wolken, ja durchsichtige, ziehen auch wieder durch mein Gemüt; es zeigt sich mein Komet in meiner Schläfe. Ich beginne mein „Hebräerland" zu schreiben. Schon prangt sein Name auf der ersten Seite meines Manuskripts. Und auch Bilder entstehen, meine Dichtung zu schmücken, doch längst in der Schweiz arriviert. In ihrer schönsten Stadt Zürich! Die erwürdigen Chassidimpriester, zur Klagemauer schreitend. Und die lieben Kolonisten, am Schabbattabend in die Stadt Jerusalem pilgernd, und tags darauf heim in ihr Emek.*
> (*Das Hebräerland,* GW II, 944-5)

Else Lasker-Schüler beschreibt die heilende Wirkung, die Jerusalem auf ihre Seele hat, das Erstarken ihrer schöpferischen Kräfte nach dem Besuch im Heiligen Land; aber zugleich spricht sie auch von der Zeit, die vergehen muß, ehe sie ihre Erlebnisse gestalten kann. Es ist nicht der unmittelbare Eindruck ihrer Palästinareise, den sie in *Das Hebräerland* niederlegt, sondern ein Kunstwerk, das erst entsteht, als sich der 'Zauber des Neuerlebten mit dem Zauber des Talents zu verbinden und zu verbünden' beginnt. Wie stark sie in diesem Kunstwerk ihre Erlebnisse stilisiert, zeigen schon die Ausdrücke, mit denen sie es ankündet: der Dichter dichtet seine 'Hymne', heißt es, schon 'prangt' der Titel des Werkes auf der ersten Manuskriptseite, und es entstehen Bilder, ihre 'Dichtung zu schmücken'.

Eines dieser Bilder stellt die 'lieben Kolonisten' dar, 'am Schabbattabend in die Stadt Jerusalem pilgernd, und tags darauf heim in ihr Emek'; gemeint sind die jüdischen Landarbeiter in Palästina, die aus ihrem Tal, ihrem Emek, am heiligen Sabbat zur Höhe Jerusalems aufsteigen. Das Bild findet sich wiederholt in Else Lasker-Schülers Buch, und auch an einer anderen Stelle sind es Berge und Täler, die die Landschaft ihrer 'Kolonisten' beherrschen:

> Aber die jungen Judenbauern, die Söhne europäischer Juden und ihre Töchter setzen sich immer von neuem in ihren Pflanzungen großen Gefahren aus. Um unerschrocken, wahrhaft heldenmütig, die sie nächtlich überfallenden Bergvölker, im Grunde arglosen, doch aufgestachelten Araber, für das geheiligte Werk ihrer Emeksiedelungen zu gewinnen, mit ihnen in Freundschaft zu leben. Wenn die Orangen reif und die Brote gebacken, machen sich etliche der Kolonisten todesmutig auf den steilen Weg bergan zu ihren Widersachern. Laden sie in ihre Plantagen ein zum Mahle, ins Tal in die reife Kolonie. Es entstehen wirkliche Freundschaften unter den semitischen Stiefbrüdern, zwischen den hebräischen Bauern und den wildesten arabischen Nomadenvölkern. Bepackt mit der Frucht des 'guten Bruders', kehren die finsterbebärteten Männer beschenkt zu ihren Weibern zurück in die Felsstädte. Im Auge Tränen, verläßt der bescherte Bergaraber die gastliche Kolonie des jüdischen Bruders. Der elementarste arabische Asiate neigt, wie der noch wildeste der Hebräer, zur Sentimentalität. Oft entspringt sie einer Dankbarkeit.
> (Das Hebräerland, GW II, 869-70)

Die Welt, die hier dargestellt wird, ist offensichtlich nicht ein historisches Palästina, das damals schon von den wachsenden Spannungen zwischen Arabern und Juden beherrscht wurde. Es sind wilde Brüder — die 'wildesten arabischen Nomadenvölker', der 'wildeste der Hebräer' — die ihren Frieden schließen, und sie erinnern an die 'wilden Juden' einer mythischen Vorzeit, denen wir in Else Lasker-Schülers Dichtung schon begegnet sind: Juden, die wie der Prinz von Theben nicht unbedingt Juden zu sein brauchen und auch im arabischen Gewande auftreten können.

Es ist die Landschaft ihrer Dichtung, die Else Lasker-Schüler in *Das Hebräerland* gestaltet. Sie schildert eine Busfahrt von Jerusalem nach Tel Aviv, auf der sie in Erinnerungen an ihre Schulzeit versinkt. Dann wird sie plötzlich in die 'zauberische Gegenwart' zurückgerufen:

> *Aus meinen lieben Schulträumen weckten mich jäh die Freunde in die zauberische Gegenwart zurück; sie zeigten auf das ferne Araberstädtchen, hoch im Fels gebaut, mitten im Sandmeer. An seinem steinernen Fuß der edle, scharrende Hengst. Ich zeichnete auf dem Bütten meines Hirns das unsagbar altmeisterhafte Gemälde. „Da kommt der Esau!" rufen im Chor die Reisenden. Die Jagdwaffe über die Schulter geschnallt, eilte der Wüstensohn von der Bergkuppel zur Ebene, die Füße im schillernden Eidechs, Urwald im Auge... Die Geier flüchteten.*
> *(Das Hebräerland, GW II, 888-9)*

Es ist das Land der wilden Juden, in dem Else Lasker-Schüler ihre Reise macht. Als der Autobus wenig später in Tel Aviv eintrifft, wartet dort der Dichter Uri Zwi Greenberg an der Haltestelle — und auch ihn beschreibt sie in den Farben ihrer Träume, bedankt sich in Bildern ihrer dichterischen Phantasie für den Geburtstagsartikel, den er Jahre zuvor über sie geschrieben hatte:

> *Wir Insassen verlassen gemeinsam die geräumige Kutsche an der Haltestelle der Meercity. Da steht, als ob er uns erwarte: Der Uri, der Uri-Zwi, der berühmte hebräische Dichter, der Sohn des innigen Wunderrabbiners von Lemberg. Aufflammt Uris kupferrotes Haupthaar, und sein Indianerauge blutet ähnlich wie draufgängerisches Morgenrot über Urwälder. Die Palästinenser schätzen das Dichtwerk meines Freundes; es läuft auf Goldgeräder hebräischer Zeiten. Wir betreten, begleitet von ihm und einer Schar Judenindianer, eine Gartenwirtschaft. Aus Kannen und Gläsern fließt Milch, Tee und Honig.*
> *(Das Hebräerland, GW II, 892)*

Das Hebräerland ist kein Reisebuch im üblichen Sinne des Wortes. Aber gerade weil es keine äußere Wirklichkeit reflektiert, ist es interessant für uns. Wieder begegnen wir Else Lasker-Schülers Innenraum, und nicht nur die phantastischen Elemente ihrer Dichtung, sondern auch viele der tieferen, ihrem Gesamtwerk zugrundeliegenden Motive werden in ihm sichtbar.

Eines dieser Motive findet sich bereits in dem mythischen Bild von den hebräischen Landarbeitern, die ihre wilden Bergnachbarn mit den Früchten des Tales beschenken. Sie tun es, heißt es dort, um die 'im Grunde arglosen, doch aufgestachelten Araber, für das geheiligte Werk ihrer Emeksiedlungen zu gewinnen'. Mit dem Wort vom 'geheiligten Werk' spricht die Dichterin einen zentralen Gedanken ihres Palästinabuches aus — daß der Wiederaufbau des Heiligen Landes durch das jüdische Volk im Dienste einer höheren Macht geschehe, in Befolgung eines göttlichen Auftrags. An ihrer religiösen Interpretation des Zionismus läßt schon die Titelseite des Buches keinen Zweifel, wo sie auf hebräisch und auf deutsch als Motto den Bibelspruch zitiert, der die göttliche Grundlage der mosaischen Gesetzgebung bildet: „Ihr aber sollt mir sein ein Reich von Priestern, ein heiliges Volk." (2 Mose, 19,6)

Es ist nicht so, daß ihr der Gegensatz von Ideal und Wirklichkeit völlig entgeht. „Aber es treffen auch Juden ein in das Heilige Land, um von ihm zu kosten", heißt es an einer Stelle. „Von ihm 'erst' zu probieren, wie von einem altbewährten, noch nie genossenen Gericht. Ich erröte. Viele von ihnen kaufen sich ein Grundstück — auf alle Fälle — und kehren dann mit gutem Gewissen nach Europa zurück. Es steht Palästina nichts so schreiend zu Gesicht wie Lässigkeit!" (GW II, 919) Aber das läßt sie nicht an der Gültigkeit des göttlichen Auftrages zweifeln, und immer sind es Bilder einer Gottverbundenheit, von der *Das Hebräerland* getragen wird. An einer Stelle etwa heißt es über ihre 'Kolonisten':

Der hebräische Pionier erweckte Palästina aus seinem tausendjährigen biblischen Sagenschlaf. Er hob das verlorene gelobte Land, ein Becher, empor! Füllte ihn mit der Rebe seines Blutes, opferte sein Leben Gott, es neu zu gewinnen — in höherer Form. Die Pioniere, die ersten Kolonisten sind es, die das Fieber der kühlen Wasser auf sich nahmen; etliche starben. Sie gruben nicht nach Gold, aber nach Gott!   *(Das Hebräerland,* GW II, 793)

Und an einer anderen Stelle, wo sie die jüdischen Landarbeiter 'Chaluzim' nennt, was auf hebräisch 'Pioniere' bedeutet:

Der Herr küßt jeden der Monde, die am Grünblatt zwischen den Büschen reifen, und feiert mit seinem Chaluzim das Erntefest. Wo der Chaluzim säet und erntet, wird immer Bibel sein; Gott lächelt aus jeder sich neu rötenden Frucht; wir wollen sie mit Andacht genießen. Gottes Lächeln bewegt die Natur, Gott belebt die ganze Welt, alle seine Menschen, euch, dich und mich. Unbeschienenes Erdreich fault. Euch Bauern, unter euren Füßen gedeiht das Land, denn Gottes Lächeln tränkt seinen Boden.
Ein Stern malt mit buntem Licht das Bild Josephs auf die Leinwand der gelblichen Sanderde. Gelehnt an dieser Einfalt Träumerei, ruht meine Seele vom Tag aus.
(*Das Hebräerland*, GW II, 924)

Solche Bilder als Else Lasker-Schülers Wunschdenken zu belächeln oder als Hymne ohne jeden Wirklichkeitsgehalt beiseite zu schieben, wäre voreilig. Das würde den messianischen Charakter übersehen, den der Zionismus als nationale Selbstbefreiung für das in vielen Teilen Europas unterdrückte jüdische Volk hatte; es hieße das hohe Maß an Selbstverwirklichung zu unterschätzen, das die antikapitalistischen Kibbuzim in Palästina erreicht hatten; und es ließe den tiefen Einfluß unerklärt, den etwa der Philosoph Aharon David Gordon (1856-1922) auf die Rückkehrbewegung der Juden in ein eigenes Land ausübte — wie schon Moses Hess lange vor ihm lehrte auch er, daß die Rettung des jüdischen Volkes nur dort gelingen könnte, wo es einen Ausweg aus der im industriellen Zeitalter sich selbst entfremdeten bürgerlichen Gesellschaft Europas fände. Als Fremdlinge in den verschiedenen Teilen der Erde seit Jahrtausenden von jeder Landarbeit abgeschnitten, müßten die Juden einen Rückweg zur Natur suchen; erst in der tätigen Fruchtbarmachung des Gelobten Landes würde sich ihnen der göttliche Sinn ihrer Existenz offenbaren.

In einer seiner Hauptströmungen ist der Zionismus immer auch ein religiöser Sozialismus gewesen. Ob sich Else Lasker-Schüler dessen bewußt war und ob sie auch nur den Namen Gordons kannte, sei dahingestellt. Bezeichnend aber ist es, daß sich für ihre von ganz eigenen Motiven getragene Dichtung überall dort Parallelen in der jüdischen Geistesgeschichte finden, wo die Bereitschaft zur Assimilation hinter dem Willen zur Freisetzung eines eigenständigen Judentums zurücktritt. Wie Uri Zwi Greenberg einst aus der Affinität seiner Verzweiflung heraus das Leid dieser deutsch-jüdischen Dichterin verstanden hatte, so verstand jetzt Else Lasker-Schüler einen wesentlichen Aspekt der jüdischen Renaissance in Palästina aus der Affinität ihrer Sehnsucht.

Die Bilder der Verzweiflung verwandeln sich ihr unter dem Eindruck des Heiligen Landes zu Bildern einer neuen Hoffnung. Vor Jahren, in dem Gedicht „Gott hör. . .", hatte sie in jedem Kerne der Schöpfung eine Bitternis gespürt; doch jetzt, im Aufbauwerke Palästinas, ist der Herr wieder in seine Schöpfung eingekehrt: „Gott lächelt aus jeder sich neu rötenden Frucht", schreibt die Dichterin; es „gedeiht das Land, denn Gottes Lächeln tränkt seinen Boden."

Und im göttlichen Erntefest der Chaluzim feiert Else Lasker-Schüler zugleich das Ziel, dem sie mit ihrem Buche *Das Hebräerland* dienen will: sie feiert eine eigene Versöhnung mit dem jüdischen Volk. Immer hatte sie in der Gestalt des Joseph auch den Verrat der Brüder symbolisiert; aber hier, auf der Erde Palästinas, entsteht ihr sein Bild noch einmal — und der Traum des Pharao, der seine Arme zu drohenden Säulen erhebt, verwandelt sich in eine Einfalt zurück, in der die Seele ihren Frieden findet: „Ein Stern malt mit buntem Licht das Bild Josephs auf die Leinwand der gelblichen Sanderde. Gelehnt an dieser Einfalt Träumerei, ruht meine Seele vom Tag aus."

Und noch andere, weiterreichende Motive ihrer Dichtung nimmt Else Lasker-Schüler in die Bilder ihres Palästinas auf. Der hebräische Pionier, heißt es an einer bereits zitierten Stelle, fülle das Gelobte Land 'mit der Rebe seines Blutes'; im Gleichnis des Weines klingt schon eine Assoziation mit den Versen „Mein Volk" an, und gleich darauf variiert die Dichterin auch den Gottesschrei, mit dem die frühen Verse enden — die Pioniere, schreibt sie, *'gruben nicht nach Gold, aber nach Gott!'*

Immer wieder finden sich die Spuren dieses Gedichts in ihrem Buch über Palästina. Angedeutet ist das schon dort, wo sie die Bilder verspricht, die ihre Dichtung schmücken sollen — neben 'lieben Kolonisten' in Jerusalem auch 'ehrwürdige Chassidimpriester, zur Klagemauer schreitend. Wir wollen die Szene näher betrachten, in der die Chassidim Else Lasker-Schülers ihren Weg durch die Stadt nehmen:

Den noch erhaltenen Teil der Klagemauer aus Gesetztafeln verwit-
terter Gottesgesetze küßt der Jude inbrünstig. Ich sah die vereinten
einigen Chassidimväter, achtzig ehrwürdige Rabbiner in Synago-
gentücher gehüllt, ein einziges Schaubrot, ein heiliger, einiger, ge-
benedeiter Leib mit den Lederriemen der Tefillin geschmückt, den
Jaffaroad herab zur Klagemauer schreiten. Diesen Gobelin aus
ewigen Fasern und Adern und seidigem Greisenhaar uralten Ju-
denstammes tätowierte die Zeit großzügig in die Haut meiner
Schläfen. Mitten über dem Damm, in langen Fransentüchern und
Röcken aus berauschenden Nuancen gewebt, in sonntäglichen
kleinen Schuhen Kastaniettenschritt, begeben sich die spanioli-
schen Frauen in Begleitung der Señors zur Mauerstätte des Gebets.
Ihnen folgen, von der Höhe der goldverbrämten Straße nahend, die
Kolonisten, die hebräischen Bauern und ihre tapferen Bäuerin-
nen und — Jerusalem weint bei ihrem ergreifenden holden Lied
Freudentränen. Vor wenigen Stunden verließ der Chor der säenden
und erntenden Menschen ihr Emek, gen Jerusalem zu ziehen, ge-
meinschaftlich mit allen anderen Juden der gelobten Stadt Pfing-
sten zu feiern. Die ineinander verschlungenen Arabesken meines
Teppichs grüßen über dem Geländer meines Balkons die Singen-
den. Als letzte Pilgerin folge ich, allein, fernab und doch ein tau-
sendjähriges Volk, eine treue Leibgarde des Herrn, den hebrä-
ischen Prozessionen.
Ich bin nicht Hebräerin der Hebräer willen, aber — Gottes Willen!
Doch dieses Bekenntnis schließt die Liebe und Treue unerschütter-
licher Ergebenheit zu Seinem Volke ein. Zu meinem kleinsten Volk
unter den Völkern, dem ich mit Herz und Seele angehöre.
(Das Hebräerland, GW II, 815-6)

Die Nähe dieser Bilder zu dem Gedicht „Mein Volk" ist nicht zu
übersehen. In seinen Versen hatte sich der Körper der Dichterin als
Hülle für ihr ganzes Volk erwiesen, und hier wird ein umgekehrter
Vorgang sichtbar: die zur Klagemauer schreitende Menschenmenge
verwandelt sich in einen 'heiligen, einigen, gebenedeiten Leib'. Den
'Chassidimvätern' schließen sich die 'spaniolischen Frauen in Begleitung der Señors' an, und gleich darauf die 'Kolonisten, die hebräischen Bauern und ihre tapferen Bäuerinnen': so wird das Zusam-
menwachsen von Teilen dargestellt, die geographisch in aschkena-
sisches und sephardisches Judentum, gesellschaftlich in konservati-

ves und sozialistisches Judentum auseinandergebrochen waren und nun in der 'Klagemauer aus Gesetztafeln verwitterter Gottesgesetze' ihre organische Mitte finden.

Else Lasker-Schüler beschreibt die 'Sammlung der Zerstreuten', die Rückkehr der Juden aus der Diaspora. Und auch sie selbst schließt sich dieser Heimkehr an, läßt die Erinnerung an „Mein Volk" jetzt fast wörtlich anklingen: „Als letzte Pilgerin folge ich, allein, fernab und doch ein tausendjähriges Volk, eine treue Leibgarde des Herrn, den hebräischen Prozessionen."

Im Gedicht „Die Verscheuchte" hatten sich die Farben ihres Tibetteppichs in 'bleiche Zeiten' aufgelöst, in eine verlorene Wirklichkeit, in der es keinen Raum und keine Zeit mehr gab. Im Hebräerland, angesichts der erhofften Heimat, gewinnt ihre auseinanderfallende Welt jetzt die metaphysische Bindung zurück – Else Lasker-Schüler stellt ihr zur Klagemauer schreitendes Volk wieder im Gewebe eines Teppichs dar, als einen 'Gobelin aus ewigen Fasern und Adern und seidigem Greisenhaar uralten Judenstammes'.

Das Erlebnis ihres Judentums ist für sie immer auch ein metaphysisches Erlebnis, und in den Zeiten, da Tränen alle Himmel wegzuspülen drohen, gibt es ihr einen neuen Halt. Deshalb darf der Satz, den sie über ihre jüdische Zeitgenossen an Sylvain Guggenheim geschrieben hat, nicht in seiner Einseitigkeit stehen bleiben. „Ich bin nicht Hebräerin der Hebräer willen, aber – Gottes Willen!" heißt es auch in ihrem Palästinabuch. Aber sogleich wird sie sich der Nähe Gottes zu den Hebräern bewußt, und eines Satzes aus der Bibel (5 Mose 7,7-8): „Doch dieses Bekenntnis schließt die Liebe und Treue unerschütterlicher Ergebenheit zu Seinem Volke ein. Zu meinem kleinsten Volk unter den Völkern, dem ich mit Herz und Seele angehöre."

Der Text des Buches *Das Hebräerland* läßt noch einmal die Tragik erkennen, unter der Else Lasker-Schülers Verhältnis zu ihrem Judentum steht. Während sie ihre bittere Klage gegen Zürichs jüdische Gemeinde führt, ist sie wirklich und in tiefem Ernst um eine 'dichterische Tat' bemüht, wie sie an Guggenheim schreibt – aber nicht nur für die Juden, sondern auch für sich selbst. Wegen ihres Judentums ist sie zu einer Verscheuchten geworden, und aus ihrem Judentum sucht sie nun den Himmel wieder zu errichten, den sie zu verlieren droht.

An einer bereits zitierten Stelle spricht die Dichterin von der heilenden Wirkung, die Palästina auf ihre Seele hatte, und wir haben sie in einigen Beispielen kennengelernt, im 'geheiligten Werk' der Emeksiedlungen, im göttlichen Auftrag der Pioniere, in der metaphysischen Verbundenheit der jüdischen Menge auf ihrem Weg zur Klagemauer. Aber nicht nur die Menschen sind es, die ihrer Seele wieder Frieden schenken, sondern mehr noch Palästina selbst — das Land, das sie im Titel als das Thema ihres Buches nennt.

Als sie aus Deutschland flieht, tritt ihr die Welt entseelt entgegen, und heimatlos, gemeinsam mit den Tieren, streift sie durch ihren Nebel. Man vergleiche nun die trostlose Landschaft aus dem Gedicht „Die Verscheuchte" mit der Schilderung, die sie von Palästina gibt. Sie beschreibt Rehavia, einen Stadtteil Jerusalems, und fährt dann fort:

Von der Kolonie Rehavia, hat man Mut, kommt man sofort, um exakt zu berichten und ohne falsche Zeitangabe, auf den Mond! Vom Ende der Woche an nimmt er beträchtlich wieder ab, dann kann man einsteigen in seinen goldenen Kahn. Wagerecht *fährt die Mondsichel in Palästina am Rand des Himmels entlang. Ihr horizontales Vorwärtsbewegen habe geographische Ursache, die den Sternographen zu ergründen sicherlich mehr interessiere als eine Dichterin.* In Palästina gibt es keine Dämmerung. *Also vom Ursprung der Welt her keinen Einbruch bleischwer in den lichten Tag. Ein göttlicher Beweis für die Erzheiligkeit Palästinas schon auf dem Plan der Schöpfung. Die Liebe Gottes war es, die ausschaltete beim Malen des Auserwählten Landes das Grau auf der Wolkenpalette. Mit zauberhafter Schnelligkeit wechselt das Hell des Tages mit dem Dunkel der Nacht. Und die Schwermut der Dichter und ihre Erdangst erzeugen andere Ursachen als das schleichende Erbleichen des Tageslichts. Von unermeßlichem Gestein umgeben, akrobatisch gehalten empor, zu gleicher Zeit hart gefangen und wieder von unübersehbaren Abgründen und Bergestiefen gerufen, ja magisch gelockt, glaubt man zuerst vor Furcht und Weh aufschreien zu müssen. Man sehnt sich nach dem Schoß der Mutter. In den Nächten pflegen viele der neu Angekommenen in Palästina den üblichen Fliegertraum zu träumen. Auch ich fiel so oft im Traum erbarmungslos aus allen Höhen zur Erde herab. Und doch hält Adoneu Seinen starken Arm, unübersteigbare betreuende Mauer, um*

Israel. Endlich schließe ich mit dem kleinsten, ebenso mit dem ge-
waltigsten Stein der Klüfte und mit jedem Sandkorn der Wüsten-
pfade Freundschaft. Wir duzen uns, wenn wir allein sind.
(Das Hebräerland, GW II, 813-4)

Das Grau — die Farbe, hinter der die Landschaft in den Versen „Die
Verscheuchte" unsichtbar wird — hat Gott beim 'Malen des Auserwählten Landes' von seiner Palette genommen; Palästina kennt das
'schleichende Erbleichen des Tageslichts' nicht, in dem Else Lasker-
Schüler das Leid ihres Flüchtlingsdaseins symbolisiert. Übergangslos bricht die Nacht herein und bringt das befreiende Erlebnis des
Mondes mit sich. „Vom Ende der Woche an nimmt er beträchtlich
wieder ab, dann kann man einsteigen in seinen goldenen Kahn",
schreibt sie. „Wagerecht fährt die Mondsichel in Palästina am Rand
des Himmels entlang."

In Palästina ragt die Mondsichel nicht auf wie über nördlicheren
Teilen der Erde; sie liegt wie ein goldener Kahn im Meer der Nacht
und lädt Else Lasker-Schüler zur Himmelfahrt ein. Wieder wird man
an die Schiffe erinnert, die Uri Zwi Greenberg in ihrem Werk entdeckt hat, doch nicht ins Heilige Land führt diesmal der Kahn, sondern darüber hinaus. Man hat das Gefühl, einem Aufbrechen der
'Weltillusion' beizuwohnen, von dem sie in ihrem Essay „Konzert"
spricht: mit ihrer Flucht aus Deutschland hat sie das Erdbeben erlebt, das die Welt als Illusion entlarvt; es hat ihre Sinne betäubt, und
jetzt muß sie den Horizont dieser illusorischen Welt durchbrechen,
um ihrer Seele neuen Raum zu gewinnen.

Die entseelte Welt, der sie nach ihrer Flucht aus Deutschland begegnet, droht ihren Himmel zu verlieren; erst im Hebräerland erhält
sie ihre Transzendenz zurück. Ein 'Platzmachen für Gott' nennt Else
Lasker-Schüler das Aufbrechen der Weltillusion in ihrem Essay
„Konzert", und wir erleben nun, wie sie das meint. Auch in Palästina
gebe es eine 'Schwermut' und eine 'Erdangst' der Dichter, vor den
'unübersehbaren Abgründen und Bergestiefen' glaube man zuerst,
'vor Furcht und Weh aufschreien zu müssen'; wieder läßt Else Lasker-Schüler die Landschaft ihrer Seele vor uns erstehen, sie beschreibt die Fallträume, die wir schon aus dem Turmerlebnis ihres
Essays „Der letzte Schultag" kennen, sie spricht von der Sehnsucht
nach dem 'Schoß der Mutter' — und wieder sind es nicht nur ihre eigenen Ängste, die sie ausspricht, sondern auch die Ängste des jüdi-

schen Volkes. Als Gott schließlich eingreift, umfängt er nicht nur sie allein, er umfängt ihr ganzes Volk: „Und doch hält Adoneu Seinen starken Arm, unübersteigbare betreuende Mauer, um Israel."

Als ihr der einzige Sohn gestorben war, hatte sie in den Traditionen der jüdischen Mystik Zuflucht gesucht. „Die Kabala ist der geistige Garten", hieß es in ihrem Essay „Konzert", „etwa der göttliche Plan des Paradieses. Darin wir heute auch noch leben, von leiblicher Vorspiegelung dunkel umfangen in Gestalt angenommener Edenwelt." (GW II, 628) Jetzt, nach dem Schock ihrer Flucht aus Deutschland, gestaltet sie ihr Hebräerland zu einem solchen Stück Edenwelt, auf dem sich das Diesseits und das Jenseits überschneiden. „Palästina, als *Vorhimmel* des Himmels gedacht, als Grenze zwischen Ewigkeit und Zeitlichkeit, steht schon im Zeichen des Raum- und Zeitlosen", heißt es einmal (GW II, 901), und an einer anderen Stelle schreibt die Dichterin:

> *„Wie ist es in Palästina?" „Anders, meine Lieben!" antworte ich. „Ganz anders wie in allen anderen Ländern unserer Erdteile. Trägt unser Gelobtes Land auch den harten, steinernen, aus Furchen gedrehten Knoten, wie Tibet, am Hinterhaupt, so doch um die Stirne im Haar den unvergleichlichen holden Orangenblütenkranz. Die auserlesene Erde des Einigen, Einzigen Gottes, auch nur im Gedanken, mit einem Seiner Schöpfungen Lande paaren zu wollen, berührt wie religiöser Dilettantismus. Denn Palästina ist nicht von dieser Welt! Sein Jerusalem spielt mit dem Himmelreich einträchtig. Bereiste ich auch nicht eine jede Zacke unserer Sterne, so doch im Schlummer der Nacht. Dafür sorgte schon fürsorglich die Ewigkeit.*
> (Das Hebräerland, GW II, 896)

Und es ist merkwürdig — noch das eigentümlichste Motiv ihrer Dichtung, so esoterisch es anmuten mag, kann im Lichte jüdischer Tradition eine überraschende Erklärung finden. In der zur Klagemauer schreitenden Menschenmenge hatte sie die 'Sammlung der Zerstreuten' dargestellt, die Heimkehr der Juden aus der Diaspora; eine Überlieferung der jüdischen Aggadah aber besagt, daß ihrer Heimkehr der Wiederaufbau Jerusalems folgen wird, im Himmel wie auf Erden: dieses 'himmlische Jerusalem' gewinnt in Else Lasker-Schülers Buch Gestalt. Es ist ein Bild, das die Juden zu allen Zeiten

ihres Exils entworfen haben — zum erstenmal im Babylon des Deu-
terojesaja — und die Dichterin weitet es hier auf ihr ganzes Hebräerland aus.

Aber der Trost und die Furcht liegen bei Else Lasker-Schüler immer
dicht beieinander. Auch das neue Zutrauen zu der Landschaft Palästinas überwindet ihre Ängste nicht, läßt sie die Sehnsucht nach dem
Schoß der Mutter nicht vergessen, die sie auf allen Wegen ihres zerrissenen Lebens begleitet. Das macht eine Szenenfolge des Buches
deutlich, die im Hause des hebräischen Schriftstellers Schmuel Josef
Agnon (1888-1970) spielt. Die Dichterin hatte ihn schon in den
zwanziger Jahren kennengelernt, als er zeitweilig in Deutschland
lebte, und sie blieb bis an ihr Lebensende mit ihm befreundet; er war
es, der das Kaddisch-Gebet sprach, als sie im Januar 1945 auf dem Ölberg in Jerusalem bestattet wurde.

Er hat sie eingeladen, einen Sabbat bei ihm zu verbringen, und
Else Lasker-Schüler schildert nun ihren ersten Eintritt in sein Haus:

> Der Dichter Agnon und seine liebe Gewerett erwarteten mich an der
> Wagenhaltestelle ihrer Kolonie. Und wir schritten gemeinsam das
> kurze Ende, die leicht ansteigende Chaussee empor, in ihr weißes
> Haus. Das liegt an einer Wiese, einer ganz nackten, die ich mir im
> grünen Graskleid hätte gut vorstellen können, mit kindlichen Li-
> laglöckchen und Butterblümchen geschmückt und Schafgarben.
> Eine Hütte steht am Rand des Platzes; und es kam mir unvermittelt
> und unvermutet der Gedanke:
> Vielleicht wohnt der liebe Gott in der schlichten Laube? Den Kin-
> dern beim Spielen zuzuschauen. Er hört ja auch so gerne, wenn am
> Freitagabend die Kleinsten ihrer Eltern zu ihm die Gebete sprechen.
> Aus ihren rührenden, unschuldigen Händen empfängt der liebe
> 'große' Adoneu bewegt seine ihn preisenden Psalmen. Wir lehnten
> bei Tische so lieb aneinander; neben dem helläugigen kleinen Bru-
> der das braunäugige Schwesterlein. Und neben ihm der dichtende
> Papa; und die feine Mama neben dem elfjährigen Sohn. Dann kam
> ich, mir zur Seite der andere Feiertagsgast. Vom Pfeiler des Fensters
> bemerkte ich schon, vor meinem geblümten Teller, den kostbar ge-
> gossenen Silberbecher stehn, den nun der Dichter Agnon gerade im
> Begriff, zu füllen.
> (Das Hebräerland, GW II, 833)

Es ist ein vielschichtiges Bild, das Else Lasker-Schüler hier entwirft. Wieder bricht das Jenseits in das Palästina ihres Buches ein, aber sie läßt uns diesmal einen Blick hinter die Kulissen werfen, gibt das 'Paradies', das sie gestaltet, als eine Vorstellung ihrer Phantasie zu erkennen — und öffnet damit den doppelten Boden für uns, auf dem ihre Seele nach Heimat sucht.

Die Wiese, die sie sich 'im grünen Graskleid hätte gut vorstellen können', ist in Wirklichkeit nackt: keine 'Lilaglöckchen und Butterblümchen' stehen auf ihr und laden zum Kinderspiel ein, dem Gott in seiner Laube zuschaut; und im nächsten Augenblick ändert sich auch schon der Hintergrund, auf dem Else Lasker-Schüler die Kinder in der Obhut Gottes sieht — jetzt sprechen 'am Freitagabend die Kleinsten ihrer Eltern zu ihm die Gebete', und aus 'ihren rührenden, unschuldigen Händen empfängt der liebe 'große' Adoneu bewegt seine ihn preisenden Psalmen'.

Die Bilder von Gott und den Kindern scheinen außerhalb der Erzählung zu stehen, sie scheinen den Besuch der Dichterin in Agnons Haus nicht zu betreffen. Es ist daher schwierig, die folgenden Sätze sofort einzuordnen. „Wir lehnten bei Tische so lieb aneinander", heißt es, „neben dem helläugigen kleinen Bruder das braunäugige Schwesterlein." Wer sind die Mitglieder dieser Familie, die hier beschrieben ist? Ist es ihre eigene Familie, die so 'lieb aneinander' lehnt? Ist sie selbst, jüngste Tochter des Hauses Schüler, die 'Kleinste ihrer Eltern', die zu Gott betet? Haben wir hier eine der Erinnerungen an das eigene Elternhaus vor uns, zu denen die Dichterin in der Einsamkeit ihres Alters Zuflucht nimmt?

Erst der 'andere Feiertagsgast' und der 'Silberbecher' machen schließlich klar, daß wir uns an Agnons Tisch befinden. Während Else Lasker-Schüler die Bilder ihrer Phantasie entstehen ließ, die Bilder Gottes und der Kinder, ist auch die Zeit der Erzählung nicht stehengeblieben, die Dichterin ist eingetreten, der Sabbattisch ist schon gedeckt — und plötzlich erkennt der Leser, wie deutlich sie ihn das Erdichtete an ihrer Geborgenheit im Heiligen Lande sehen läßt: auch dieser Sabbatabend im Jerusalem ihres Hebräerlandes, scheinbar verankert in der Wirklichkeit einer Stadt, eines Hauses, einer Familie, ist nur das Wunschbild einer Heimatlosen, wie das 'grüne Graskleid' der nackten Wiese, wie Gott in seiner 'schlichten Laube', wie die Erinnerung an ihre längst vergangene Jugendzeit.

Der 'andere Feiertagsgast', der die Erzählung aus imaginären

Räumen und Zeiten in ihre Wirklichkeit zurückführt, ist es dann auch, der die Idylle am Sabbattisch stört. Ein auf die Formen des religiösen Rituals eingeschworener Gesetzesfrommer, nimmt er Anstoß an dem unorthodoxen Verhalten der Dichterin, als sie den Sabbatwein 'auf das Glück des Hauses' trinkt. „Ein strafender Seitenblick", heißt es darauf, „traf mich aus dem Auge meines Nachbars, der mich erinnern sollte, ich sitze beim Heiligen Schabattmahle und nicht an einer Geburtstagstafel." (GW II, 833-4)

Wenig später — und mit voller Absicht, das läßt sich leicht erkennen — bricht Else Lasker-Schüler ein weiteres Mal die religiöse Etikette. Der 'Talmude', wie sie ihren Widersacher nennt, hätte sie gerne ihrer „schlechten Judenschaft gerügt", es gärte in ihm; doch in mir, „ihn eines Besseren zu belehren", schreibt sie. „Das ehrfürchtigste Gebet der Juden, das 'Schmah' — wohlwissend dem Tische des Schabbatts nicht einverleibt — stürzte plötzlich und schäumte in hohen Intervallen über die Düne meines Mundes, aus seinem Bett getretener Strom." (GW II, 835)

Im 'Gären' und 'Schäumen', das ihr die frommen Worte über die 'Düne' des Mundes treibt, kehren die Chiffren ihrer jüdischen Existenz wieder, die Bilder des Weines und des Meeres. Das an falscher Stelle gesprochene Gebet aber empört den Talmuden, es 'kränke Seine Heiligkeit durch alle Seine Himmel', behauptet er. Da verteidigt Else Lasker-Schüler sich auf eine Weise, die wie so oft in ihrem Werk eine ganz eigene Auffassung vom Judentum zu erkennen gibt, und zugleich den tiefsten Grund ihrer Poetik:

Und ich war doch so stolz, das herrliche Gebet fehlerlos gesprochen zu haben zu Gott. Das bestätigte nach eigener Erwägung mein empörter Nachbar wohl, aber das sei auch mein einziges Verdienst. Ich erlaubte mir, mich wiederum im Gleichnis zu verteidigen: „Es war einmal eine Hirtin im Volke Israel, die, wenn sie nicht die Lämmer hütete, Verse dichtete an den Herrn. Eines Morgens dürstete sie sehr und sie neigte sich tief über einen Brunnenrand, um zu trinken. Als über dem Quell ein Tropfen des Wassers der unzähligen Tropfen emporstieß, in dem sich die ganze Schöpfung widerspiegelte, der Schöpfer Selbst. Und die Hirtin ging eine Schale zu suchen, die unaussprechliche Kostbarkeit zu bergen; aber sie fand nicht eine einzige, die der Schönheit des kleinen geschliffenen Wassers entsprach, weder in den Nischen der Tempel noch in den Gärten der

Paläste. Da spann sie aus den roten Fäden ihres durchsichtigen
klaren Herzens einen Kelch, kristallen im Klang und von holder
Dunkelheit seiner Darreichung, und legte die bebende Ewigkeit,
verwahrt in einem winzigen Tropfen, den Demant *der Gebete, das*
'Schmah' — zwischen den gesponnenen Wänden ihres gottgeopfer-
ten Herzens. Das 'Schmah', der heilige Hieroglyph auf dem Plan
der Schöpfung, überlebt die Welt."
(Das Hebräerland, GW II, 835-6)

„Hör Israel, der Herr, unser Gott, ist einzig", lautet das *Sch'ma,* das
die Hirtin in ihr Herz geschlossen hat. Regelwidrig ist es über Else
Lasker-Schülers Lippen geströmt, und in ihrem Gleichnis beschreibt
sie es nun als einen Wassertropfen, 'in dem sich die ganze Schöpfung
widerspiegelte, *der Schöpfer Selbst'.* Wieder öffnet sich ein Mensch —
eine 'Hirtin im Volke Israel', die 'Verse dichtete an den Herrn' — löst
die Illusion des Körpers auf und empfängt ein Stück Edenwelt, in
dem der Schöpfer und seine Schöpfung auf Allzeit verbunden bleiben: einen heiligen Hieroglyphen, der die Welt überlebt.

Es ist ein Stück Ewigkeit, das seinen genau umrissenen Inhalt hat
für Else Lasker-Schüler, das *Sch'ma,* das monotheistische Glaubensbekenntnis, der kürzeste Satz, der die Lehre des Judentums enthält
— es ist der göttliche Imperativ, der den Juden aufgegeben ist und in
dessen Zeichen auch sie ihr schweres Schicksal überleben. Die Verzweiflung des Gotteschreis in den Versen „Mein Volk", die erbitterte
Klage in den Versen „Gott hör. . ." ist in der Gottverbundenheit ihres Hebräerlandes wieder zum *Hör Israel* geworden.

Die Dichtung Else Lasker-Schülers gilt der Sehnsucht des jüdi-
schen Volkes, und fast will es scheinen, als hätte in dem Lande seiner
Sehnsucht auch ihre eigene Seele Frieden gefunden. Aber es ist ein
Frieden, der nur im Gleichnis besteht. In der Wirklichkeit dieses
Sabbatabends im Hause Agnons geht er ihr bald wieder verloren.

Das zeigt eine kurze Szene, die dem Gleichnis über die Hirtin folgt.
Doch bevor sie zitiert wird, soll uns die Erzählung vom *Sch'ma* noch
aus einer anderen Perspektive interessieren — im Vergleich mit der
Dichtung eines zweiten deutsch-jüdischen Emigranten, die in dieser
Zeit entsteht.

Nach Hitlers Machtergreifung ging auch Karl Wolfskehl (1869-1948) in die Schweiz. Dort nahm er im gleichen Jahr an der Beerdigung eines Mannes teil, der nun ebenfalls zu den Emigranten gehört hatte: Stefan George war gestorben, und mit ihm die Illusion eines Geistes, der der Barbarei Einhalt gebieten wollte. Wolfskehl, prominentes Mitglied des George-Kreises, fand sich außerhalb der Grenzen Deutschlands, dessen literarische Schätze er zu Beginn des Jahrhunderts gesammelt hatte, und wenig später verließ er das Abendland, dessen Kultur ihm die Gewähr seiner geistigen Existenz gewesen war.

Sein Spätwerk, das er zum großen Teil in Neuseeland schrieb, ist schon vom Titel her für den Schock des assimilierten deutschen Judentums bezeichnend. Er nennt es *Hiob oder Die Vier Spiegel* und läßt diese von Gott geprüfte Gestalt als Israel und Simson auftreten, als Prophet und schließlich als Erlöser; Hiobs Leid, so dichtet Wolfskehl, sei die Vorbedingung der messianischen Endzeit.

In den vierziger Jahren schreibt er die Verse, die er seiner Hiob-Dichtung als „Vorspruch" beigibt:

> *Tränen sind der Seele herber Wein,*
> *Fließend aus des Leids uralter Trotte.*
> *Lauter dann, von Erdentrübe rein,*
> *Glänzt der Wein, heißts, Spiegel Unserm Gotte.*
>
> *Winzer Leid, dich grüß ich, meiner Trauben*
> *Überschwere Beeren seien dein.*
> *Herbste! Lang schon gilben meine Lauben:*
> *Späte Lese bringt den vollsten Wein.*
>
> *Daß es kühl in deinen Kellern gärt!*
> *In der großen Flut gönn eignen Tiegel*
> *Meinem Wein, Leid, bis er, ausgeklärt,*
> *Ganz demanten, wert ist Gottes Spiegel.*

(*Hiob oder Die Vier Spiegel,* Hamburg 1950, S. 7)

Die Motive dieser Zeilen stehen in deutlicher Nähe zu dem Gleichnis Else Lasker-Schülers. Auch hier spiegelt sich Gott in Tropfen, und bis ins wörtliche Detail lassen sich die Parallelen verfolgen — Wolfskehl spricht von einem 'demantenen' Gottesspiegel, Else Lasker-Schüler nennt das *Sch'ma* den 'Demant' der Gebete. Nicht weniger deutlich aber sind die Unterschiede in der Behandlung, die das

Motiv des Tropfens bei beiden Dichtern erfährt: Else Lasker-Schüler läßt ihn der dürstenden Hirtin aus dem Brunnen entgegenquellen, und beglückt von seiner Schönheit schließt sie ihn in ihr Herz, macht ihn sich als ein Gebet zu eigen; Wolfskehl meint die Tränen, die seiner Seele entrinnen, Tropfen also, die nicht in seinen Körper eindringen, sondern ausfließen in die Keller des Leids, wo sie zu Wein gären sollen, um später einmal Gott zu spiegeln.

Wo Else Lasker-Schüler den Körper und die Welt als Illusion empfindet und ihre Grenzen auflöst, um sie ineinander übergehen zu lassen, geschieht bei Wolfskehl das genaue Gegenteil: er schafft die Illusion eines Leides, das von außen an ihn herantritt, er spricht es als einen 'Winzer' an, den er mit dem Keltern seiner Tränen beauftragt, und ohne es zu wollen, veräußert er damit sein Gefühl auf eine Weise, die wirkliches Leid zu theatralischem Pathos herabsinken läßt.

Es ist weniger die Schwäche seiner Dichtung als das Kennzeichen seiner Situation. Der assimilierte Jude Karl Wolfskehl hatte sich sein Leben lang mit einem deutschen Geist vollgesogen, der ihm nun zerbröckelte. Er mußte erst ausstoßen, was ihm seine vermeintliche Sicherheit gegeben hatte, mußte sich freimachen für den Rückweg zum Judentum, den er in den Jahren seines Exils fand. Die Welt, die sein Inneres erfüllte, war zusammengebrochen, und wie für viele andere deutsche Juden konnte Hiob deshalb auch für ihn zu einer Symbolgestalt werden.

Schon bald nach dem Krieg, im Jahre 1946, ist die Aktualität der biblischen Leidensfigur in Margarete Susmans *Das Buch Hiob und das Schicksal des jüdischen Volkes* dargestellt worden. Und es ist bezeichnend für Else Lasker-Schülers Sonderstellung in der deutschjüdischen Geistesgeschichte, daß gerade sie, deren Werk so oft aus der Bibel schöpft, sich nie mit Hiob identifiziert und sein Unglück nirgends zum Thema ihrer Dichtung macht. Denn das Leid bricht nicht plötzlich über sie herein wie über ihr zeitgenössisches Judentum, das nicht mehr im Exil zu leben glaubte, weil es in Deutschland seine neue Heimat gefunden hatte; und es tritt auch nicht von außen an sie heran, sondern es füllt wie alles bei ihr den Innenraum ihrer Welt, begleitet sie von Anfang an wie der Gottesschrei ihres Volkes, der zuweilen — in einem erdichteten Hebräerland, im *Sch'ma* ihrer Hirtin — eine Antwort findet, niemals aber einen letzten Frieden.

Als Else Lasker-Schüler von dem Gleichnis ihrer Hirtin in die Wirklichkeit des Sabbatabends zurückkehrt, den sie im Hause Agnons verbringt, wird das sehr deutlich. Übergangslos hatte sie den Bildern Gottes und der Kinder das Bild der Familie am Feiertagstisch folgen lassen, und übergangslos, in unmittelbarem Anschluß an die Erzählung vom *Sch'ma,* beschließt sie nun die Schilderung dieses Abends:

> *Die lieben Kinder des Dichters lagen schon im Schlummer, als mich ihre liebevolle Mutter, da mir so bange, mich wie eines ihrer Kinder zu Bette brachte. Ich hatte doch — Angst vor dem lieben Gott auf dem nackten Platz hinter unserem Hause. Und schämte mich, es der Gewerett zu gestehen. „Ist es denn nicht traulich hier in der Stube?" tröstete die Liebe mich. Aber das war es ja! Der große Gegensatz innen und draußen erzeugte das ungestüme Gefühl.*
> *(Das Hebräerland,* GW II, 836)

Bei der ersten Beschreibung des Sabbattisches wußte der Leser nicht gleich, ob er die Kinder des Dichters Agnon vor sich hatte oder die Familie der kleinen Else Schüler in Elberfeld. Hier nun, ganz bewußt, wird beides miteinander vereint: Agnons Frau — Else Lasker-Schüler nennt sie 'Gewerett', das heißt 'Dame' auf hebräisch — bringt sie 'wie eines ihrer Kinder zu Bette', und die Dichterin ist dankbar dafür, spricht auch schon von 'unserem' Hause, dem sie nun angehört. Nur ihre Angst 'vor dem lieben Gott auf dem nackten Platz' gesteht sie nicht, und die Erklärung dafür wirft noch einmal alle Problematik ihres Lebens auf: der 'große Gegensatz innen und draußen' meint die traute Stube und die kahle Wiese, es ist wieder die Sehnsucht nach dem 'Schoß der Mutter', die sie in der Felsenlandschaft Palästinas bei aller Gottesnähe erfüllt; aber zugleich ist auch das Innere der Dichterin selbst gemeint, der Gegensatz von einem Gott, den sie in ihrem Herzen trägt wie ihre Hirtin, und einem Gott, der draußen drohend auf sie wartet.

Und vielleicht ist es auch die Angst vor dem Tode, die sie zögern läßt, ihrem Gott ohne Mutter entgegenzutreten. Als Else Lasker-Schüler diese Worte schreibt, ist sie sechsundsechzig Jahre alt, sie steht im letzten Jahrzehnt ihres Lebens, und wie so oft in ihrer Dichtung sucht sie Schutz bei den Gestalten ihrer Jugend. Das Bild ihres Hebräerlandes, in dem sie nach der Flucht aus Deutschland wieder

Halt gewinnt, schenkt ihr erst seine Kraft, als es sich mit anderen Wunschbildern ihrer Seele verbindet. „Eines Morgens neigte sich meine unvergeßliche Mutter über mich Erwachende und lächelte," schreibt sie gegen Ende ihres Buches und setzt dann fort:

> *Nach diesem Lächeln habe ich mich seit ihrem Heimgang zu Gott gesehnt. Es erwärmte und kräftigte mich als Kind schon, und seitdem ich dieses Wunderlächeln hier in Jerusalem erleben durfte, begann ich eine niegekannte Freude und ein tiefes Verständnis zum Heiligen Lande zu empfinden, zu unserem lieben Heiligen Lande. Es paßte urplötzlich hinein in meinen winzigen Pupill, ein Edelstein inmitten seiner braunen Emaille. Meine Füße schreiten über die Scharlachteppiche der roten Erde, in welchem Lande ich auch sein werde. Es sprechen die Gipfel der höchsten Steine mit mir und beugen sich über mich lächelnd wie meine Mutter.*
> *(Das Hebräerland,* GW II, 961)

Noch einmal erleben wir, wie Else Lasker-Schüler die äußere Wirklichkeit in einen Teil ihrer inneren Welt verwandelt. Eine erdichtete Familienlegende hatte ihr geholfen, die Jahre der wachsenden Vereinsamung zu ertragen, ein erdichtetes Hebräerland gewann ihr das Gefühl von Heimat zurück, und jetzt wachsen die Bilder der Mutter und des Landes in eines zusammen. „Es paßte urplötzlich hinein in meinen winzigen Pupill", schreibt sie über Palästina, „ein Edelstein inmitten seiner braunen Emaille." Die bleichen Zeiten der Verscheuchten füllen sich wieder mit Farbe, es knüpft sich wieder das Gewebe ihrer Kunst — und das Hebräerland ihrer Dichtung läßt Else Lasker-Schülers Füße noch einmal über die Scharlachteppiche der roten Erde schreiten.

Sechstes Kapitel

Deutsche Jüdin: *IchundIch*

I

Die schweren Schläge, die Else Lasker-Schüler in den letzten Jahrzehnten ihres Lebens trafen, haben in ihrem Werk unverkennbare Spuren hinterlassen. Nach dem langen Sterben ihres Sohnes wandte sie sich jüdischer Mystik zu, verschmolz sie im Essay „Konzert" mit Empfindungen und Vorgängen, die sich schon in ihren frühesten Versen finden; und als sie aus Deutschland geflohen war, dichtete sie ihr Hebräerland, um in einem himmlischen Jerusalem ihre entseelte Welt zu neuem Leben zu erwecken.

Aber erst die Zeit, so hatte sie über die Entstehung ihres Palästinabuches geschrieben, 'ermöglicht den Zauber des Neuerlebten mit dem Zauber des Talents zu verbinden und zu verbünden'. Nicht das historische Jerusalem im Jahre 1934 schenkte Else Lasker-Schülers Seele seine Kraft, sondern ein Jerusalem ihrer eigenen Schöpfung. Gemeinsam mit anderen Bildern ihrer dichterischen Phantasie bewahrte es sie vor dem Unglück der Wirklichkeit.

Hier liegt vielleicht der tiefste Grund dafür, daß Else Lasker-Schüler, die ein Leben lang von Jerusalem geträumt hatte, bereits nach einem kurzen Aufenthalt von zwei Monaten in die Schweiz zurückfuhr. „Ich sterbe am Leben und atme im Bilde wieder auf", hatte es in ihrem frühen Briefroman *Mein Herz* geheißen, und auch in ihrem Buch *Das Hebräerland* war es noch so. Das Bild Jerusalems stärkte Else Lasker-Schülers Seele, nicht Jerusalem selbst, und dieses Bild war im sicheren Abstand der Schweiz leichter zu gestalten als in der umkämpften Stadt, auf der schon die Drohung nahender Katastrophen lag.

Im Juni 1937 fuhr die Dichterin zum zweitenmal nach Palästina. Auch diesmal blieb sie nur für zwei Monate. Im gleichen Jahr war *Das Hebräerland* im Züricher Oprecht-Verlag erschienen, sie wollte sich Inspirationen für die Bilder eines weiteren Buches verschaffen, das sie über das Heilige Land zu schreiben plante. „In den *Baseler Nachrichten* steht in der Weihnachtsbeilage liter. Beilage der Anfang meines zweiten Buches: Tiberias", heißt es am 28.12.1937, schon wenige Monate nach ihrer Rückkehr, an Sylvain Guggenheim (BR I, 275). Und am 21.2.1941 schreibt sie an Georg Landauer, einen Beamten der Jewish Agency, die ihr während ihrer letzten Jahre in Jerusalem einen Teil der Lebenskosten bezahlte: „Ich habe in etwa 10 Tagen mein 2. neues Buch: Jerusalem fertig gedichtet. So: 250 Seiten." (BR II, 199)

Fast dreieinhalb Jahre liegen zwischen diesen beiden Briefen, aber das zweite Palästinabuch, das sie in Aussicht stellen, ist niemals fertig geworden. Else Lasker-Schüler nennt es „Tiberias" oder „Jerusalem", und auch den provisorischen Titel „Die heilige Stadt" hat es getragen. Schon in den verschiedenen Namen deuten sich die Schwierigkeiten an, mit denen sie bei seiner Ausarbeitung zu kämpfen hatte, und von den 250 Seiten, die sie Georg Landauer ankündigt, sind uns nur wenige Bruchstücke erhalten.

Eines dieser Bruchstücke hat Werner Kraft in den Nachlaßband aufgenommen, den er im Jahre 1961 für den Kösel-Verlag herausgab. Das Fragment trägt den Titel „Auf der Galiläa" und lohnt die Betrachtung, weil es ein Licht auf die Problematik der letzten Lebensjahre Else Lasker-Schülers wirft.

'Galiläa' hieß das italienische Schiff, auf dem die Dichterin zum zweitenmal nach Palästina fuhr, und der Text gibt ein Gespräch wieder, das sie während der Reise mit einem Arzt und seiner Ehefrau führt. Sie schildert ihnen einen lange zurückliegenden Weihnachtsabend, an dem ihr König David in ihrem Berliner Hotelzimmer erschienen war. Der Arzt, von der Echtheit der Visionen überzeugt, stellt seine Zwischenfragen nur im Namen der Wissenschaft; so möchte er zum Beispiel die genaue Größe des Königs erfahren, und die Dichterin erwidert ihm darauf:

> „*In übergroßer Menschengestalt, wie durch die Lupe gesehen. Und ich beteure, er trug ein langes faltenschweres Trauergewand und sein Haupthaar umschloß ein hoher breiter Turban in der dunklen Farbe seines Kleides.*"
> *Der Doktor:* „*Sprach er mit Ihnen?*"
> „*Nein. Aber er kündete mir, wie ich kurz nach seinem hohen Besuch den Beweis — erlitt, grenzenloses Leid an.*"

Der Doktor: „Außer seiner dunklen Gewandung noch mit Gesten?"
„Er saß unbeweglich, ich erzählte es Ihnen schon, mir schräg zur
Seite, auf einem niederen Schemel, der sonst nicht in meinem Zim-
mer zu sein pflegte und auch mit dem königlichen Dichter ent-
schwand. Nie vergesse ich Davids große klagende verglühende Au-
gen. Wie Asche verglühend... und nur meine von mir angebetete
Mama betrachtete mich oftmals in ahnender banger Traurigkeit
mit gleichem Weh."
(„Auf der Galiläa", GW III, 53)

Else Lasker-Schüler schildert ein Erlebnis, das zu ihren tiefsten Erinnerungen gehört. Der hier zitierte Text ist zu Beginn der vierziger
Jahre entstanden, aber seine Bilder sind uns schon früher begegnet.
„Das Herz ist das Herz Davids", hatte es in einem Brief vom
30.11.1927 an Paul Goldscheider geheißen, „der mir erschien, einmal
lange Zeit vor drei Weihnachtsabenden vor meinem Bett an einem
Tisch saß im Turban und im langen Mantel. Er sah sehr ernst und ergeben aus, seine Augen waren eingesunken wie meine nun." (BR I,
189)
Bis ins Detail der Kleidung und der Augen gleichen sich diese Bilder, die Jahrzehnte auseinanderliegen. Wir haben den Brief als einen
Teil der merkwürdigen Korrespondenz kennengelernt, die Else Lasker-Schüler in der Sterbezeit ihres Sohnes mit dem Wiener Medizinstudenten führt, ohne ihn den wirklichen Grund ihres Unglücks wissen zu lassen; jetzt hilft er uns, das Gespräch auf der Galiläa zu verstehen. David, sagt die Dichterin zum Arzt, „kündete mir, wie ich
kurz nach seinem hohen Besuch den Beweis — erlitt, grenzenloses
Leid an": gemeint ist der Tod ihres Sohnes, der hier einen göttlichen
Sinn erhält — in der Bindung an die Erlösergestalt des biblischen Königs, aus dessen Geschlecht nach jüdischer Überlieferung einst der
Messias kommen wird.
Daß die Erscheinung Davids mit dem Tode ihres Sohnes verbunden ist, geht auch aus der Fortsetzung des Gespräches hervor. „Die
Erscheinung der Engel", fragt der Arzt die Dichterin, „von der Sie
uns im ersten Palästinabuch im Hebräerland kurz erzählen, hat Sie
hauptsächlich zum Nachdenken veranlaßt?" (GW III, 58)
Er bezieht sich auf eine Stelle in *Das Hebräerland*, an der Else Lasker-Schüler — gegen den Rat des deutschen Oberrabbiners Dr. Leo
Baeck, wie sie sagt — ein 'letztes Geheimnis' preisgibt.

Das letzte Geheimnis solle man nicht erzählen, sagte der Großpriester der Juden in Berlin, Dr. Baeck. Er zweifelte nicht an der Wahrheit meiner Gesichte. Ich mußte dem schlichten, großen Rabbuni immer wieder sagen, wie David ausgesehen, wie er gekleidet gewesen. Und ich glaube mich nicht zu versündigen, 'das letzte Geheimnis' diesem mir frommen Buche zu verraten, mein himmlisches Gesicht dieser Dichtung einzuverleiben. Besselige ich auch nur — ein paar Menschen, ja nur einen einzigen mit der Kunde der Engel. Ich sah, entrückt dieser Welt, nahe am heiligen Hügel meines teuren Kindes — die Engel. So wahr mir Gott helfe! Amen!
(Das Hebräerland, GW II, 877)

Das letzte Geheimnis ihres Buches über das Heilige Land erfährt sie nicht in Jerusalem, sondern am Grabe ihres Kindes. Hier, am Ort ihres tiefsten Leides, wird Else Lasker-Schüler auch das höchste Glück zuteil: ein himmlisches Jenseits offenbart sich ihr für einen Augenblick und schenkt ihr Kraft für die schweren Jahre nach dem Tode Pauls und ihrer Flucht aus Deutschland. Das zeigt noch die Antwort, die sie dem Arzt auf der Galiläa gibt:

„Immerhin eine 'himmlische' Gunst, die mir zuteil wurde. Und ich gab mir pietätvolle Mühe, dieses Engelsgesicht in schlichten zurückhaltenden Worten zu schildern. Schrieb nichts Sensationshaschendes, vereinfachte es sogar. Ich erlebte damals die 'vollständige' Entkörperung meiner Seele und ihre Spaltung, denn ich befand mich zu gleicher Zeit vor dem teuren Hügel meines Kindes und auf dem Pfad, der zu dem Hügel führt."
Der Doktor, nach einer Weile: „Wie fühlten Sie sich nach dieser himmlischen Auszeichnung, liebe Dichterin?"
„Erschüttert und gedankenvoll zugleich. — Vor allem überreich! Ja, ich hätte mit dem Besitz eines Krösus nicht getauscht. Ich vernahm die Frage: 'Wenn ich dir nun unzählbar irdisches Glück für dieses Himmelsgesicht geben würde. . .?' Mir war, ein böser Geist wolle mich verführen, und ich wandt ihm den Rücken."
Der Doktor: „Und bebten Sie nicht vor den Gestalten des Himmels?"
„Ich glaube, ich befand mich selbst nicht mehr auf Erden."
(„Auf der Galiläa", GW III, 58-9)

Die 'Entkörperung' ihrer Seele, die die Dichterin am Grabe des Sohnes erlebt, nimmt das Motiv aus dem Essay „Konzert" wieder auf. Die Seele ist ein Teil der Ewigkeit für sie und kann zu ihrem Ursprung nur zurückfinden, wenn sie sich aus dem Gefängnis des Körpers befreit. Wir erfahren, was diese Offenbarung für Else Lasker-Schüler bedeutet – sie fühle sich 'überreich', heißt es, kein 'irdisches Glück' wiege ihr das 'Himmelsgesicht' auf – und können daher das Gespräch auf der Galiläa auch als einen späten Kommentar zu *Hebräerland* lesen, der an einem Detail noch einmal die Aufgabe bezeichnet, die das Buch für sie erfüllte: es war eine metaphysische Kompensation für die Welt der Verscheuchten gewesen, deren Tränen alle Himmel wegzuspülen drohten.

Das Gespräch ist aber noch mehr als ein Kommentar, der das Offensichtliche bestätigt. Was Else Lasker-Schüler mit dem Arzt erörtert, hatte in *Das Hebräerland* ein 'letztes Geheimnis' gebildet, von dem sie nur mit heimlicher Scheu sprach; hier dagegen, in ihrem zweiten Palästinabuch, stellt sie es ganz deutlich in den Mittelpunkt. „Ich glaube, ich befand mich selbst nicht mehr auf Erden", erklärt sie dem Arzt und sagt damit gleich zu Beginn, was sie bisher nur mit großer Vorsicht anzudeuten wagte.

In ihrem neuen Buch schien die Dichterin voraussetzen zu wollen, was sie sich nach ihrer Emigration in *Das Hebräerland* mühsam zurückgewonnen hatte – eine metaphysische Gewißheit, mit der sie nun die Gottessehnsucht ihrer Seele endgültig zu stillen hoffte. Das war das Ziel, mit dem sie auf der Galiläa wieder nach Palästina fuhr, und sie hat dieses Ziel nicht erreicht. Es ist Else Lasker-Schüler nicht gelungen, ihr zweites Buch über das Heilige Land zu beenden, und unter den historischen Bedingungen ihrer letzten Lebensjahre konnte es ihr auch nicht gelingen. Aber gerade deshalb ist es faszinierend, die Mittel zu beobachten, mit denen die alternde Frau um die Erfüllung ihrer tiefsten Wünsche kämpft.

Ihre zweite Palästinareise hat nicht die erhofften Folgen gehabt. Die Bilder, die sie zu gestalten plante, kamen nicht zustande, und schon wenige Monate nach ihrer Rückkehr in die Schweiz dachte sie an einen dritten Besuch im Heiligen Land. „Lieber Dichter", heißt es am 10.3.1938 an den in Jerusalem lebenden Schalom Ben-Chorin, „Dank für Ihr Gedenken und für die schöne Karte. Ich komm bald! Ich hab am 20. März Vortrag im Cinema dessen Couvert ich Ihnen sende.

Noch etwas hier zu tun dann komm ich wieder." (BR I, 284-5)

Es dauerte noch über ein Jahr, ehe sie wiederkam. Auf einer Karte aus Jerusalem, die den Poststempel des 5.4.1939 trägt, meldet sie ihrer Nichte Edda Lindwurm-Lindner die Ankunft in Palästina:

> *3. oder 4. April. Liebe Edda. Ich bin, da ich* plötzlich *mitgenommen über Marseille nach hier gefahren: Schwer krank gewesen in Marseille* und *Schiff — nun 2 Tage hier. Noch* zu *erschöpft. Traumhaft anstrengende Fahrt. 6 Personen in Kabine. Chinesenbedienung Ich schreibe mehr, übermorgen* genau. *Ich* mußte *fort, für 3 Monate, bleibe paar Monate. Alwine soll Adresse von S. schreiben. Ich grüße Euch herzlich, Erika, Fee. Ich bin aufgerieben!!! Diesmal Jerusalem Vienna Briefe werden mir nachgesandt*
> *Ich schreibe genau*
> (BR II, 189)

Die Dichterin wußte es damals noch nicht, aber so — *'plötzlich',* wie vieles in ihrem Leben — fand ihr endgültiger Abschied von Europa statt. Sie dachte auch diesmal nur an einen Aufenthalt von wenigen Monaten, doch im September 1939 brach der Zweite Weltkrieg aus und hielt sie bis zu ihrem Tode im Januar 1945 in Jerusalem fest. Ihre letzten Lebensjahre verbrachte Else Lasker-Schüler in der Stadt ihrer Sehnsucht, ohne es gewollt zu haben.

Wie eine Nachzeichnung des Gedichtes „Mein Volk" wirkt dieses überraschende Ende, wie eine unerwartete Rückkehr zu dem Felsen, der den Innenraum ihrer Welt beherrscht. Einst hatte ihre Entdeckung des Felsens sie mit Schauer erfüllt, und auch jetzt macht die dritte Reise nach Jerusalem sie nicht glücklich. Schon ihre Karte an die Nichte läßt die seelische Zerrüttung erkennen, mit der Else Lasker-Schüler zum letztenmal in Palästina eintrifft — ohne das Datum zu wissen, nach schwerer Krankheit, aufgerieben. Aber als sie dann nicht mehr fort kann aus dem Land der Väter, nehmen auch die Scharlachteppiche der roten Erde, die sie im Hebräerland ihrer Dichtung gewoben hatte, eine drohendere Färbung an; über das Jerusalem ihrer Dichtung legt sich der Schatten der Wirklichkeit, und die metaphysische Gewißheit, mit der sie ihr zweites Palästinabuch schreiben wollte, weicht einer neuen Angst.

Das zeigt sich bereits am Ende des Fragmentes „Auf der Galiläa".

Das Schiff nähert sich schließlich der Küste Palästinas, und die Dichterin schreibt:

> *Wir schwimmen weiter auf offener See. Seltsame Gebilde formen die seligblauen Wellen, die von Griechenland her unser liebes Schiff begleiteten. Lauter Circen . . . Aber dunkler steigt der Edelstein des Wassers, hebräisch düster hervor aus dem Grund.*
> *(„Auf der Galiläa", GW III, 66)*

Am Ende des Gespräches mit dem Arzt, das Else Lasker-Schülers himmlische Offenbarungen beschreibt, reflektiert dieses Bild vom düsteren Edelstein nun schon die Bedrückung der Wirklichkeit Jerusalems, in der die Dichterin ihr zweites Palästinabuch zu schreiben versuchte. In hohem Alter — sie war gerade siebzig geworden, als sie zum drittenmal in Jerusalem eintraf — sah sie sich noch einmal unfreiwillig an ihr Judentum gekettet, und ihre alten Wunden brachen schnell wieder auf.

Als Beispiel soll noch einmal ihr Kontakt mit Martin Buber dienen, der sich jetzt erneuerte. Der Philosoph war bis zum Jahre 1938 als ein geistiger Repräsentant des Judentums in Deutschland geblieben und lebte seither als Professor an der Hebräischen Universität in Jerusalem. In einer Synagogengemeinde, die der aus Dortmund stammende Rabbiner Kurt Wilhelm eingerichtet hatte, begegneten sich beide wieder, und das erste Schreiben, das die Dichterin an ihn richtet, ist sehr kurz: „Herr Professor Buber", heißt es am 11.7.1940, „mir scheint, hier Jerusalem ist nicht geeignet für Boxkämpfe oder irgendwie zu unfairen Angriffen. Else Lasker-Schüler." (BR I, 124)

Worum es bei dieser Beschwerde ging, zeigt ein Brief, den sie wenig später, am 19.8.1940, an Rabbiner Wilhelm richtete. Wie sie es bei Landsleuten aus der alten Heimat oft zu tun pflegte, schrieb sie auch dem Dortmunder in einem plattdeutschen Dialekt:

Der Martin schon in Buber/tät
War tum Messias früh bereet,
Im Posischen —! Sinne Wiege steht on Milchgerät.
Tuerscht gloobte er durch lyrelei und Lyrik,
Tu imponieren meck em Oogenblick —
Noher, da ömm dat nich gelang,
Zwang er dat Publikum to lacken öwer meck em Prozenium
Pfui Deiwel! Öwer meck!

Eck ewwer, — großartiger Fant,
(In all Bescheedenheit,) den Ausweg fand.
On sagte noch für ihn so ehrenhafte Schlager.
On draußen wurd ich an Gewicht ganz mager.
Eck geh nu nich mehr in die Synagoge,
Wo ich am Schabbat hingeflooge,
eck gloob nich mehr dem Rabbinat,
Ach wär ich doch der einzige Jude in der heiligen Stadt!
(BR I, 292-3)

Selbst im Dialekt wird verständlich, daß es sich hier wie auch früher schon um einen Zusammenstoß entgegengesetzter Erlösungsvorstellungen handelt. Die Folge ist wieder Else Lasker-Schülers Rückzug aus der Gemeinde und die Absage nicht allein an Martin Buber, sondern zugleich an das gesamte Judentum, dem sie in Jerusalem begegnet.

Dann haben sich die Beziehungen zeitweise gebessert. Buber versuchte einzulenken, lobte ihre Verse, und am 14.1.1941 schreibt die Dichterin an ihn: „Ich hatte Sie wieder sehr gern, mag Sie leiden, Adon Professor, als ich Ihre feinen lobenden liebreichen Zeilen las." (BR I, 124) Um die Jahreswende 1941-42 gründete Else Lasker-Schüler einen literarischen Verein, den sie ’Kraal’ nannte; sie bat Buber, den Eröffnungsvortrag zu halten, und er nahm die Einladung sehr freundlich an.

Aber lange ließen sich die Gegensätze zwischen der Dichterin und dem Philosophen nicht überbrücken. Am 23.12.1942 reagiert sie in einem längeren Schreiben auf einen seiner Vorträge:

Sehr großer und lieber Bibelerzähler.
Ich war so — (ich weiß nicht wie ichs erklären soll?) benommen ge-
stern abend, ich sagte gewiß unverständlich wie ich Ihnen dankte
für Ihre Erzählung. Aber ich meinte, ich war wie im Kaleidiskop —
wie man so eins Kindern schenkt zum Durchgucken. Ja manchmal,
da ich noch krank und übermüdet, fielen mir die Augen zu. Aber
das paßte zu der ’Wanderung’ die Sie, Adon Bibelerzähler anführ-
ten. Als ob ich mich wo unterm Feigenbaum oder unter einer Ceder
etwas schlafen legte, erwachte und weiter wandelte, ohne Sie und
alle verloren zu haben. Ihr Erzählen verließ mich auch im Schlaf
nicht. Im Gegenteil, frisch hörte ich weiter.
(BR I, 127)

Bubers Vortrag scheint ein christliches Thema berührt zu haben, und in ihrem Brief kommt Else Lasker-Schüler nun auf einen Gegensatz zwischen Paulus und Jesus zu sprechen, in dem sie den Gegensatz zwischen Philosophen und Dichtern verschlüsselt:

> *Wie Sie sicher wissen, Adon, Paulus war ein römischer Teppichweber. Und sein Sprechen gleich Weben oder Wirken, so dachte ich früh heute — so seltsam, verstrickt und endend in Fransen und Quasten. Schwer zu folgen in allen Maschen und Farben. Die Heiden trennten sich viele von ihn und dann sagte er: „Könnt Ihr mich nicht etwas lieb haben?" Sie glaubten unkompliziert, Jesus von Nazareth war pflanzlicher. Er drang die Menschen nicht und wenn wir nur von seiner einfachen Lehre wüßten, gäbe es heute noch Judenchristen und das wäre eine Brücke zwischen Juden und Christen. Jesus ein Dichter, Paulus etwa Talent zu ein Wissenschaftler genialischer, „Deine Rede macht dich wahnsinnig" sagt Barnabas in Cypern zu ihm.*
> (BR I, 127-8)

Hinter dem Beruf des Teppichwebers hatte die Dichterin vielleicht ein poetisches Talent vermutet, aber zwischen den 'Fransen und Quasten', den 'Maschen und Farben' der paulinischen Philosophie war es ihr verlorengegangen. „Jesus ein Dichter", schreibt sie, „Paulus etwa Talent zu ein Wissenschaftler genialischer": die Syntax ihres Satzes bricht hier wohl deshalb auseinander, weil es ihr schwerfällt weiterzuschreiben. Sie will den Unterschied, der doch auch zwischen ihrer Dichtung und Martin Bubers Philosophie besteht, nicht gerne ausspinnen.

Schnell wendet sie ihren Blick dann von Buber wieder ab und rückt nun ihre eigene Schwäche in den Vordergrund. Am Ende des Briefes heißt es:

> *Adon Professor, ich bin keine Zionistin, keine Jüdin, keine Christin; ich glaube aber ein Mensch, ein sehr tief trauriger Mensch. Ich war ein einfacher Soldat Gottes; ich kann mich aber nicht mehr uniformieren. Ich ströme mit einem Tag nach dem anderen hin. Vielleicht glaubt Gott der Ewige an mich, ich weiß nicht in meiner Menschlichkeit wie ich an den Ewigen denken* kann glauben.?

Und liege doch vielleicht in Seiner Unsichtbaren Hand. Wir alle
weinend.   *Ihr Prinz Jussuf*
(E L-Sch.)
(BR I, 128)

Sie spricht von ihrer tiefen Trauer, von der Schwierigkeit, als Mensch
einen Weg zu Gott zu finden — und übt vielleicht auch hier schon
wieder unterschwellige Kritik an Bubers Philosophie des mensch-
lich-göttlichen Dialogs. Lange hat sie sich dann auch nicht mehr
zurückgehalten. Auf einer Postkarte vom 18.7.1943 entschuldigt sie
sich für ihre schlechten Manieren in einem Vortrag von ihm — „Mir
macht es auch noch Kummer, da ich Sie vor 14 Tagen unterbrach im
Vortrag — doch *nicht* aus leichtsinnigen Gründen" (BR I, 128) — und
wenig später scheint es zum endgültigen Bruch gekommen zu sein.
Am 13.8.1943 schreibt die Dichterin an den Philosophen:

> *Adon! Ich danke für die Aufklärung, und wieder un-*
> *getrübt, ganz wie gesiebt, send' ich — Euch Grüße und*
> *Verehrung*
> *„Gefährlich ists aufs Neu, das Publikum zu wecken."*
> *Vor mir gelang's ihm nie sich zu verstecken!*
> *Wir jedoch hier in Palestine*
> *Wollen weißer noch wie Flügel sein.*
> *Ich grüße Gewereth!*
> *Prinz Jussuf.*
> *Ich hab mit einem Glase Palästinawein*
> *Herab gespült*
> *Das Leid— und gieß mir noch eins ein.*

(BR I, 129)

Über drei Jahrzehnte lassen sich die Spuren des gespannten Verhältnisses zwischen Else Lasker-Schüler und Martin Buber verfolgen.
Aber in Jerusalem gewann diese Spannung nun eine weitere Dimension, die erst nach dem Tode der Dichterin deutlich wurde. Buber,
für viele nach Palästina geflohene deutsche Juden ein unanfechtba-
rer Mentor, hat sich niemals mehr öffentlich über Else Lasker-Schüler geäußert und nahm dem Jerusalemer Kreis, der sie später in der
Bundesrepublik wieder bekannt machen wollte, die Rückendeckung

seines Namens. Daß der im Nachkriegsdeutschland populärste Exponent des Judentums sich so aus der Affäre zog, hat seine Folgen für das Bild gehabt, das dort von der Dichterin kreiert wurde: bald sind die jüdischen Elemente dieses Bildes hinter christlichen und deutschen zurückgetreten, die einen entscheidenden Teil der Problematik ihres Lebens und ihres Werkes verdeckten.

An der Wirklichkeit Jerusalems ist Else Lasker-Schülers Plan gescheitert, eine zweites Palästinabuch zu schreiben. Aber die Wunden ihres Judentums, die am Verhältnis zu Martin Buber wieder aufreißen, sind nur ein Teil dieser Wirklichkeit. Es ist erstaunlich — auch im Weltkrieg, in den dunkelsten Jahren ihres jüdischen Volkes, gestaltet die alte Frau noch einmal poetische Bilder von einer seltenen Kraft.

Schon sehr früh ließ sich eine Neigung Else Lasker-Schülers beobachten, ihr Alter zu verbergen; seit ihrer zweiten Ehe mit Herwarth Walden gab sie 1876 als ihr Geburtsjahr an und fand sich im Kreise der Expressionisten mit Menschen zusammen, die jünger waren als sie. Diese Neigung brach in Jerusalem noch einmal durch, nahm aber nun recht merkwürdige Formen an. „Noch eine Bitte", schreibt sie am 15.9.1940 an Samuel Wassermann, später ein Mitbegründer des 'Kraal', „da immer alle Menschen sich eher nach meinem Alter als sich nach meinen Versen erkundigen. Ich rechne darauf, Sie geben bei *event.* Frage keine Antwort! „Ich weiß es nit!!" Ich weiß es tatsächlich selbst nicht." (BR II, 194)

Merkwürdig scheint vor allem der Grund, aus dem niemand in Jerusalem ihr Alter wissen sollte: die körperlich und seelisch kranke Frau hatte sich noch einmal verliebt — in Ernst Simon, einen um dreißig Jahre jüngeren Dozenten an der Hebräischen Universität, der sie als Dichterin verehrte und ihren Gefühlen mit großem Takt begegnete.

Die Episode wird hier erwähnt, weil sie in Else Lasker-Schülers Spätwerk deutliche Spuren hinterlassen hat. Mosche Spitzer, der in Berlin bis 1939 den Schocken-Verlag geleitet hatte, brachte 1943 in seinem Jerusalemer Tarsis-Verlag ihren letzten Lyrikband *Mein Blaues Klavier* heraus, und der Band enthält auch einen Gedichtzyklus unter dem Titel „An Ihn", der ihrer späten Liebe Ausdruck gibt. Eines der Gedichte in diesem Zyklus heißt „Ich liebe dich. . . . .":

Ich liebe dich
Und finde dich
Wenn auch der Tag ganz dunkel wird.

Mein Lebelang
Und immer noch
Bin suchend ich umhergeirrt.

Ich liebe dich!
Ich liebe dich!
Ich liebe dich!

Es öffnen deine Lippen sich. . . . . .
Die Welt ist taub,
Die Welt ist blind

Und auch die Wolke
Und das Laub —
— Nur wir, der goldene Staub
Aus dem wir zwei bereitet:
— Sind!

(GW I, 364; SG, 211)

Der unbeirrbare Rhythmus, der diesen Zeilen ihre Wirkung sichert
und noch das älteste aller Gefühlsklischees, die Worte 'Ich liebe
dich', zu ergreifenden Versen macht, erwächst aus der ganzen Tiefe
des dichterischen Werkes Else Lasker-Schülers. Auch am Ende ihres
Lebens singt sie in Jerusalem von Liebe und nimmt noch einmal die
Motive aus „Sulamith" auf, ihrem ersten Jerusalemer Liebesgedicht:
die Suche, das Finden, den Tod. „Mein Lebelang/Und immer noch/
Bin suchend ich umhergeirrt", schreibt die Dichterin, treibt ihre Suche über die Grenzen des Lebens in eine jenseitige Welt hinaus —
und erst dort findet die Suche Erfüllung. Der Staub, Methapher für
die Sterblichkeit des Menschen, verwandelt sich in goldenen Staub
und wird zum Symbol für die Unsterblichkeit, in der die Liebe den
Tod überwindet: „— Nur wir, der goldene Staub/Aus dem wir zwei
bereitet:/— Sind!"
   Das zweite Palästinabuch will ihr nicht mehr gelingen. Aber auch
in Jerusalem noch kann Else Lasker-Schüler die Bilder einer erlösten
Welt in Verse ihrer Dichtung bannen, und wiederum ist es ein Lie-

bespaar, das ihre Hoffnungen trägt. Der Titel des Zyklus „An Ihn" mag biographisch auf Ernst Simon zurückzuführen sein; die Gestalt aber, die hier angesprochen wird, steht über dieser tauben, blinden Welt wie viele andere Geliebte ihres Werkes, wie der Lamasohn im Tibetteppich, wie der Mann, auf den die Dichterin im Sternenmantel wartet, wie der Freund der Sulamith.

Es sind seltene Augenblicke, in denen es der Dichterin vergönnt ist, aus der Bedrückung des wirklichen Jerusalems noch einmal in die metaphysische Geborgenheit ihres Hebräerlandes zurückzufinden. Aber als 1943 der letzte Gedichtband erschienen war, wurde die Bedrückung immer schwerer für sie. In diese Zeit fällt ihr Bruch mit Martin Buber, und auch andere Quellen lassen den Lebensabend der Dichterin in einem beklemmenden Licht erscheinen.

In Haifa lernte sie Friedrich Sally Grosshut und seine Frau Sina kennen, die dort ein Buchantiquariat führten. Am 5.4.1943, nach einem Besuch bei ihnen, eröffnet Else Lasker-Schüler einen Brief an das Ehepaar mit der Anrede „Liebe Indianer!" und schreibt:

> *Es war so schön bei Ihnen, mir: als ob ich geträumt habe. Und Sie müssen mir beide gut sein und bleiben, damit ich eine Heimat habe in der heimatlosen Welt, die verfinsterte.*
> (BR I, 304)

Als ein traumhaftes Erlebnis bezeichnet sie ihren Besuch, und man wird an die Familienszene erinnert, die sie in *Das Hebräerland* am Tische Schmuel Josef Agnons beschreibt; auch dort hatte die Verscheuchte sich im Hause ihres Gastgebers eine neue Heimat erträumt. Aber ihre Welt ist nun verfinstert und läßt das Licht nicht mehr ein, das über dem Hebräerland ihrer Dichtung strahlte. In ihrem Brief an das Ehepaar Grosshut heißt es gleich darauf:

> *Wir leiden alle. Nachmittags spät, war ich wieder so traurig, mir war: meine Schläfen bluteten. Ich eilte durchs Regenwetter weinend mit dem Himmel über mir. Nun zehn Uhr und ich bin müde und nicht mehr traurig sehr. Ich schreibe Ihnen beiden ja einen Brief und sitze mit Ihnen wieder auf Ihrem Schiff und wir essen Orangen und wollen uns nur Liebes sagen. Ich glaube alle Menschen sind erkaltet und entfaltet. Manche können sich nicht mehr heften — wie ich oft.* (BR I, 305)

Das Bild des Schiffes, in das sie das Haus der Grosshuts umgestaltet, läßt noch einmal ein Motiv ihres Wunschdenkens wiedererkennen, doch der Grundton des Briefes ist hoffnungslos. 'Erkaltet und entfaltet' erscheinen die Menschen um sie, 'können sich nicht mehr heften – wie ich oft '. Es entsteht der Eindruck eines Auseinanderbrechens, den auch die Zeitgenossen bestätigen. Der aus Deutschland stammende Dichter Jehuda Amichai, der später viele ihrer Verse ins Hebräische übertragen hat, war damals ein Kind in Jerusalem und beschreibt, wie die Straßenjungen der Stadt sie mit Steinen bewarfen; der Maler Miron Sima hat die zwergenhafte, gekrümmte Gestalt der alten Frau festgehalten, der keiner die Verse „Ich liebe dich....." zugeschrieben hätte.

Aber dieses Auseinanderbrechen nahm nun auch weitere, erschreckendere Formen an. Grosshut war ein ausgebildeter Rechtsanwalt, und am 8. oder 9.10.1943 schreibt die Dichterin an ihn:

> *Lieber verehrter Adon Doktor.*
> *Ich bitte Sie, da Sie ja Anwalt sind, hierher sofort bitte bitte zu kommen! Ich habe Ihnen und Gewereth Sina nie erzählt, wie geradezu gefährlich schlecht, ja bös die Frau ist, bei der ich wohne. Nun 2¹/₂ Jahre fast schon. Zimmer mit (Laternenlicht) nicht zu finden, alles eben solche Höllen wie die meine. Ich wäre so gern wieder Hôtel Vienna gezogen, aber noch Monate (event.) alle besetzt: Soldaten, Tel Aviver Gäste etc. Die Frau bei der ich wohne direkt eine Verbrecherin! Ich bitte bitte bitte kommen Sie.*
> (BR I, 316)

Wie die Hinwendung eines verängstigten Kindes zu seinem Vater liest sich das wiederholte 'bitte bitte' dieses Briefes. Der offensichtlich regressive Gefühlsausbruch richtet sich gegen Else Lasker-Schülers Zimmerwirtin, Frau Weidenfeld, und das ganze Ausmaß ihrer seelischen Not zeigen dann die Zeilen, mit denen der Brief endet:

> *Zuerst war sie so zur eignen 15jährigen kleinen lieben Tochter, die die Nacht durch jammerte. Mich schlug sie mit dem Besen, eine Wunde am Kopf. Nur, da sie vorgab, mich nicht leiden zu mögen.*
> (BR I, 316)

Und auf die Ränder dieses Briefes schreibt sie:

Kommt! Telegraphiert! Alle Ausgaben zurück!! Euer Jussuf. Bitte
nur nichts brieflich unternehmen! Denn *ich muß noch bleiben we-*
gen Amerika. Ich erzähle genau! Die Frau gehört Nervenanstalt
oder Zelle.
(BR I, 317)

Es ist bezeichnend, daß die alte Frau ihr Leid mit dem angeblichen
Leid der fünfzehnjährigen Tochter ihrer Hauswirtin identifiziert.
Diese Tochter, Mira Weidenfeld, hat als erwachsene Frau in einem
Interview des israelischen Rundfunks von ihren Erinnerungen an
Else Lasker-Schüler erzählt, und eine Jerusalemer Lokalzeitung, *Kol
Ha'ir,* druckte sie zum 37. Todestag der Dichterin ab. Die Erinnerun-
gen bilden eine aufschlußreiche Gegenaussage und werden hier in
deutscher Übersetzung gebracht:

> *Wenn sie mich in ihr Zimmer rief, zitterte ich vor Furcht. Sie hatte*
> *den ganzen Raum mit Spielfiguren aus Holz und Pappe angefüllt*
> *und sammelte Goldpapier, um es Pharaonenbildern aufzukleben,*
> *die sie gemalt hatte. Ich saß da und hörte ihren Erzählungen zu, de-*
> *nen ich nicht immer traute. Die Leute sagten damals schon, daß sie*
> *nicht mehr ganz richtig im Kopf sei und Stimmen hörte, die sie quäl-*
> *ten. Sie beklagte sich auch über alle Menschen im Haus. Sie lag*
> *ständig mit ihnen im Streit und wollte mich oft auf kindische Weise*
> *gegen sie aufstacheln.*
> *(Kol Ha'ir,* Jerusalem, 22.1.1982; S. 46)

Vieles deutet darauf hin, daß Else Lasker-Schüler in ihren letzten Lebensjahren den Kontakt mit der Wirklichkeit verloren hat, und vieles
wird dazu beigetragen haben: ihr fortgeschrittenes Alter, ihre Entfremdung von einer Umwelt, deren Sprache ihr nicht geläufig war,
die Schrecken des Zweiten Weltkrieges, in dem ihr jüdisches Volk
die schwerste Zeit seiner langen Geschichte durchstand.

Zugleich aber verdichten sich hier auch Symptome, denen wir
vereinzelt und in größeren Zeitabständen schon früher begegnet
sind. Ein Beispiel bietet ihr Briefwechsel mit dem Ehepaar Grosshut, das im entfernten Haifa wohnt; bei ihm sucht sie eine Heimat in
der heimatlosen Welt und schafft sich in der Korrespondenz das Gefühl einer Beziehung, das ihr bei den Menschen ihrer täglichen Umgebung fehlt. Ähnlich hatte sie sich schon vor über dreißig Jahren

verhalten, als ihre zweite Ehe mit Herwarth Walden in die Krise trat und sie zahllose Briefe an den in England lebenden Jethro Bithell schickte. Und deutlicher noch: 'Liebe Indianer' nennt sie das Ehepaar — wie einst in vielen Briefen den in Wien lebenden Medizinstudenten Paul Goldscheider, während ihr Sohn im Sterben lag.

Sie sei nicht mehr traurig, heißt es an ihre Freunde in Haifa, denn sie 'schreibe Ihnen beiden ja einen Brief und sitze mit Ihnen wieder auf Ihrem Schiff'. Mit dem Schreiben des Briefes tritt Else Lasker-Schüler aus der Wirklichkeit in eine Phantasiewelt hinüber, und das Bild des Schiffes erinnert an die Beobachtungen, die Uri Zwi Greenberg schon zwanzig Jahre zuvor über die Dichterin gemacht hatte. „Tage des Hungers und der Armut in Berlin", hatte er über ihre Begegnung im Jahre 1923 geschrieben. „Ich erinnere mich an den breiten Tisch, an dem gebeugt Prinz Jussuf saß und blau-gold-blutrot den 'Bund der wilden Juden' malte, in das Buch von der Verwandlung Else Lasker-Schülers, mit armutklammen Fingern' — ich hab's mit eigenen Augen gesehen."

Schon die Wunschvorstellung vom Prinzen Jussuf war ja aus ihrer Neigung entstanden, die Wirklichkeit hinter sich zu lassen, und auch ihr frühes Werk *Das Peter Hille-Buch* stellte eine Flucht vor der seelischen Not dar, die im schauerlichen Gottesschrei ihres Gedichtes „Mein Volk" widerhallte. Vieles läßt sich bei Else Lasker-Schüler aus diesem Gegensatz von Wunsch und Wirklichkeit verstehen, und nicht zuletzt der Gedanke von der Weltillusion, der ihrer Poetik zugrundeliegt — in der Dichtung zerbreche die Illusion der Welt, und ebenso die Not, mit der die Welt die Seele peinigt.

So begegnen wir noch einmal den schöpferischen Quellen ihres Werkes. Aber als die Dichterin in ihren späten Lebensjahren die Verbindung mit der Wirklichkeit zu verlieren droht, gewinnen auch diese Quellen eine dunklere Perspektive. Wer sich dem letzten Schauspiel zuwendet, das Else Lasker-Schüler in Jerusalem geschrieben hat, darf dieser Perspektive nicht ausweichen.

II

IchundIch nannte sie ihr Stück, das erst 1970 veröffentlicht wurde, ein Vierteljahrhundert nach dem Tode der Dichterin. Sie hat es 1940 entworfen und nach allen uns vorliegenden Quellen Anfang 1941 abgeschlossen. Die Daten sind nicht unwichtig, wenn man nach Beziehungen zwischen dem Schauspiel und den tragisch verworrenen späten Jahren Else Lasker-Schülers in Jerusalem fragt; zwar erhebt der Titel die Bewußtseinsspaltung zum Thema ihres letzten größeren Werkes, aber ihre endgültige seelische Zerrüttung trat erst 1943 ein, als das Stück längst fertig war.

Das Werk wird durch ein Vorspiel eingeleitet, in dem die Dichterin und ein Begleiter auftreten, der sie zur Aufführung des Stückes ins Theater bringt. Auf dem Weg beschreibt sie sich als einen Vogel, erzählt vom Leid der Emigration und schließlich von der höheren Welt der Dichtung:

Die Dichterin: . . .*Mich führte in die Wolke mein Geschick* — . . .
Du wunderst dich, daß nach dem Silbertrank
Ich heimgekehrt in euren Erdenschrank.
Für eines Dichters unbegrenzten Traum
Hat wahrlich eure Welt gezimmerte nicht Raum.
Verzeih die Überhebung, mein Begleiter,
Ich führe ja ein höheres Leben —
Lichtlose Nächte zünden sich an meinem Glück!
Es gehen die Sterne auf in meinem Blick —
Vor Sternenjahren weilte ich auf Erden schon!
Und nur mein Vers war keine Illusion!
(*IchundIch*, 8)

Der Abstieg aus der Wolke zeichnet eine Bewegung nach, die sich in den Emigrationsjahren Else Lasker-Schülers tatsächlich beobachten läßt; nach dem Höhenflug ihres Buches *Das Hebräerland* zwingt sie der Weltkrieg, in Palästina zu bleiben, sie muß jetzt in der Wirklichkeit des Landes leben, und statt des himmlischen Jerusalems, das sie bedichtet hatte, steht ihr das irdische Jerusalem vor Augen.

Als aber ihr Schauspiel beginnt, stellt sie uns im ersten Akt ein Jerusalem auf die Bühne, das wieder — wie in *Hebräerland* — an der Grenze zwischen dem Diesseits und dem Jenseits zu liegen scheint. Der Akt beginnt mit einer merkwürdigen Szenenanweisung:

In der Nähe des Davidturms, von alteingesessenen Palästinern benamten Höllengrund. In der steinern abgebröckelten alten Königsloge sitzen auf Prunksesseln unheimlich bewegungslos, bunt

und golden angemalt wie die Figuren eines Panoptikums, die
Könige Saul, David und Salomo. In der Direktorenloge Direktor
Max Reinhardt, aus Hollywood nach Jerusalem zur Inszenierung
gebeten. Ihm gegenüber the three american Komiker brothers Ritz.
Der Theaterarzt setzt sich gerade noch frühzeitig auf seinen Platz.
Die Kritik armverschränkt. Sie begrüßen sich vor dem Spiel.
(IchundIch, 11)

Neben ihren Zeitgenossen läßt Else Lasker-Schüler auch Israels Kö-
nige auftreten, aber nicht in ein himmlisches, sondern in ein hölli-
sches Jerusalem verwandelt sie diesmal die Stadt; Schauplatz des
Dramas ist das Hinnomtal, wo dem Moloch zu biblischer Zeit das
Kindesopfer dargebracht wurde – im Neuen Testament heißt es Ge-
henna.
   „Und nur mein Vers war keine Illusion!" sagt die Dichterin im
Vorspiel zu ihrem Begleiter und deutet damit ein Grundmotiv ihrer
Poetik an. Als sie jetzt auch dem Publikum erklärt, weshalb sie aus
der höheren Welt noch einmal auf die Erde gekommen sei, führt sie
dieses Motiv weiter aus:

> *Die Menschenseele kann aus Gottes Gründen*
> *(Ja, alle Seelen, die sich noch im Hause*
> *   leiblicher Gefangenschaft befinden,)*
> *Nicht im Himmel Ruhe finden,*
> *(Der gar nicht von der Erde allzuweit),*
> *Sehnt sich doch auch des Dichters Inspiration im*
> *   Raum des kalten Wortes Ton*
> *Zur blauen Wolke wieder aufzusteigen.*
> *(IchundIch, 12)*

Schon der Beginn ihres letzten Schauspiels macht deutlich, wie sehr
sie auch hier um die metaphysische Fragen bemüht bleibt, die sie
seit der Arbeit an ihrem zweiten Palästinabuch beschäftigen. Dem
Wiedereintritt der Seele in die Edenwelt muß ihre Entkörperung vorausgehen – und diese Entkörperung ist es, die das Drama *IchundIch*
einleitet. So beschreibt es die Dichterin:

> *Höret, Publikum, die Mordgeschichte,*
> *Die ich an mir in finsterer Nacht vollbracht!*

Und da die Wahrheit ich berichte, wenn ich dichte,
Laßt allen Zweifel außer Acht!
Es handelt sich nicht etwa um Gesichte,
Da ich mich teilte in zwei Hälften kurz vor
Tageslichte,
In zwei Teile: IchundIch!
(IchundIch, 12)

Die Nähe zur Thematik ihres zweiten Palästinabuches läßt sich hier nicht mehr übersehen. Daß die entkörperte Seele sich spaltet, hatte Else Lasker-Schüler auch an einer anderen Stelle geschrieben. Sie war als Teil dieses Buches geplant, und wir haben sie bereits kennengelernt: „Ich erlebte damals", erzählte die Dichterin dem Arzt auf der Galiläa über die himmlische Erscheinung am Grabe ihres Sohnes, „die 'vollständige' Entkörperung meiner Seele und ihre Spaltung, denn ich befand mich zu gleicher Zeit vor dem teuren Hügel meines Kindes und auf dem Pfad, der zu dem Hügel führt." (GW III, 58)

Was diese Spaltung aber für Else Lasker-Schüler bedeutet, zeigt erst die Fortsetzung der 'Mordgeschichte', die sie ihrem Publikum in *IchundIch* erzählt:

Wenn dem en face begegnet sein Profil,
Und dem Profil begegnet sein en face.
Ich blute noch im Rahmen exclusiv,
Denn ich erhörte mich, da ich nach mir zeitlebens rief,
Und bin von grenzenloser Einsamkeit befreit!
Da ich und ich im Leben nie zusammenkamen,
Erreichten meine beiden Hälften dieses kühne
Rendez-vous in kurzer Zeit.
Wir haben, wie mein Publikum erfahren wird,
Zu mimen ungeheuerlich Genie,
Und da vermischt im dunklen, engen Leibe nie,
So auf der weiten Bühne werden wir uns finden,
Zwischen Tugenden und Sünden,
Geklärt zum Schluß sich ich und ich verbinden!
Wie es bestimmt doch einmal so in aller Stille
Nach höherem Testamentes Wille!
(IchundIch, 12-13)

Als *Das Hebräerland* erschienen war, fuhr Else Lasker-Schüler wieder nach Jerusalem. Sie wollte das Buch von ihrer endgültigen Erlösung schreiben, und wir haben die Schwierigkeiten gesehen, gegen die die Dichterin dabei zu kämpfen hatte. Sie ist schließlich an ihnen gescheitert, aber hier, in ihrem letzten Schauspiel aus den Jahren 1940-41, erleben wir noch einmal, wie sehr sie sich bemüht hat, ihr Ziel zu erreichen. Da die Teile ihrer zerrissenen Seele im 'dunklen, engen Leibe' nie zueinanderfanden, stellt sie sie aus sich heraus auf eine 'weite Bühne', auf der 'Geklärt zum Schluß sich ich und ich verbinden'; in dieser letzten Vereinigung mit sich selbst befreit sie sich von ihrer 'grenzenlosen Einsamkeit', an der sie leidet; so erfüllt sie das göttliche Gebot, dem ihre Dichtung dient: „Wie es bestimmt doch einmal so in aller Stille/Nach höherem Testamentes Wille!"

Und wie schon in *Das Hebräerland* steht auch hier das Bild der Mutter über ihrer erlösten Welt:

> *Attention!*
> *An meine teure Mutter diese Zeile,*
> *Der Goethehochverehrerin: sie ist*
> *Die Patin meiner beiden Hälftenteile.*
> *(IchundIch, 13)*

Während die Dichterin das Thema von Ich und Ich entfaltet, gerät das Publikum in Aufruhr; es versteht nicht, wovon die Rede ist. Ein Zeitungsmann, Adon Swet, fordert sie auf, sich bündiger auszudrücken, und sie beendet ihren Auftritt mit einer deutlichen Vorwegnahme der Erlösungsbotschaft ihres Stückes:

Die Dichterin: *Adon Swet, Sie haben sich geirrt in dem, was ich noch nicht gesagt: Satanas aller Teufel Teufel hat kapituliert! Jawohl! Jedoch vor Gott dem Herrn, im vierten Akt!*
König David (erhebt sich unbewegt): *Gelobt seist du Ewiger, — König der Welt — Baruch atto adoneu melech haolom. . .*
   (IchundIch, 14)

König David ist es, der die letzten Worte der Szene spricht. Von ihm hatte Else Lasker-Schüler dem Arzt auf der Galiläa erzählt, und hier bestätigt er die Dichterin. Er erhebt sich und sagt den Satz, mit der der Jude seinen Herrn preist.

Dann beginnt das eigentliche Schauspiel – mit einem Bild, das den Leser überrascht:

> *Der Vorhang fällt, geht aber sofort wieder auf.*
> *Das eigentliche Spiel beginnt.*
> *Mephisto lehnt am roten Weingerank der Terrasse seines Höllen-*
> *palastes.*
> Mephisto: *Schrieb ich auch nicht in Jamben und Trochäen meine teufli-*
> *schen Ideen, so bin ich es gewesen, der sie inszeniert.*
> Doktor Faust gleichgültig.
> Mephisto: *Hab ich dich etwa vor den Biedermeiern damalig blamiert,*
> *Herre Doktor Faust? Sag an, was wars, Heinrich, das dir mißfiel?*
> *Vielleicht der übertriebene Stil der teuflischen Kulisse? –*
> *Setz dich, mein Freund, ich bin nervös, und endlich Zeit wird es, daß*
> *ich die Gründe deines Ingrimms wisse.*
> Faust: *Die Teufel, die Ihr auf die Welt gesandt, berichten, mein Drama er-*
> *sten Teil und auch den zweiten, hat man in Weimar auf dem Markt-*
> *platz johlend ein für alle Mal verbrannt.*
> Kleine Pause.
> Mephisto: *Ich roch es, armer Freund, ich rieche gern verkohlte Büchersei-*
> *ten, und die mit deinem Vers genieß ich schon von weitem.* (Nach
> kurzer Pause) *Kein Grund zum Grübeln, Doktor Faust, das Testa-*
> *ment, von* Gott *geschrieben, brannte ebenfalls, der erste und der*
> *zweite Teil der Bibeln.*
> Faust: *Ja, bis in den Nächten spät beschäftigt mich, verzeiht mir, im Ge-*
> *bet, ob Erd und Himmel und die Hölle wirklich Gott erschaffen,*
> *sich nicht gebildet irgend vorbildlich –*
> Mephisto (zynisch): *Äußerst dauerhaft –*
> Faust: *Im Menschgenie gar nur besteht, ich mein, die Welt — — Was glaubt*
> *das Publikum? Es wär phantastisch, in der Menschenphantasie?*
> *In der Menschenphantasie?*
> Mephisto: *Die obdachlosen Kinder Adams lebten schon, vertrieben aus*
> *der Edenwelt, in ihrer Weltenillusion!*
> *(IchundIch,* 14-15)

Als der Vorhang über diesem Bild aufgeht, werden manche Einzelheiten deutlich, die bisher unklar geblieben sind. Man versteht jetzt, warum die Dichterin als Schauplatz ihres Dramas das Jerusalemer

Hinnomtal gewählt hat, den 'von alteingesessenen Palästinesern benamten Höllengrund', und auch die Einführung der Mutter als 'Goethehochverehrerin' erhält ihren Sinn. Schon in ihren Jugenderinnerungen hatte Else Lasker-Schüler das Bild der Mutter mit dem Bilde Goethes verknüpft, aber als sie sich in hohem Alter dem zentralen Werk der deutschen Literatur zuwendet, wird diese Verknüpfung zum Symbol ihres tragischen Doppelwesens; sie ist nicht nur eine Jüdin, sie ist in dieser schweren Zeit auch eine deutsche Jüdin, und ihre Mutter ist die Patin ihrer 'beiden Hälftenteile'.

Wie sie es dem Publikum verkündet hat, öffnet die Dichterin ihren Leib und stellt Figuren auf die Bühne, die einen letzten, überraschendsten Blick in den Innenraum ihrer Welt gewähren: Faust und Mephistopheles stehen uns plötzlich vor Augen, und zugleich der Gegensatz, der Goethes Dichtung von dem Werke Else Lasker-Schülers trennt. Die Jüdin hat sich ein Leben lang nach der Erlösung gesehnt, die von Gott kommen soll; Goethes Faust dagegen — auch er ein Mensch, dem die Erde zu eng ist — sucht seinen Ausweg aus dieser Enge nicht mit Hilfe Gottes, sondern er schließt einen Pakt mit dem Teufel, der den tiefsten Motiven der Poetik Else Lasker-Schülers widerstrebt. Doch dieser Pakt steht im Zentrum der deutschen Kultur, aus der die Dichterin stammt, und deshalb wird er das Ziel, um das es ihr in ihrem letzten Schauspiel geht — sie will ihn in einen Teil ihrer Dichtung verwandeln und so die metaphysische Kluft überbrücken, die zwischen den beiden Hälften ihres Ichs liegt.

Die Mittel, die sie dafür einsetzt, werden schon in diesem ersten Bild des Dramas sichtbar. Faust sei nachdenklich geworden, heißt es, weil man Goethes Werk 'in Weimar auf dem Marktplatz johlend ein für alle Mal verbrannt' habe. Das ist historisch zwar nicht richtig — die nationalsozialistische Germanistik hatte Hitlers Barbarei längst als Ausdruck faustischen Menschentums gedeutet — es erfüllt für Else Lasker-Schüler aber eine wichtige Funktion: indem sie Goethe unter die verbrannten Dichter einreiht, macht sie ihn zu ihresgleichen und schafft gleich darauf auch eine Assoziation zwischen seinem Werk und der tiefsten Quelle ihrer eigenen Dichtung: „Kein Grund zum Grübeln, Doktor Faust", sagt Mephisto, „das Testament, von *Gott* geschrieben, brannte ebenfalls, der erste und der zweite Teil der Bibeln."

Schon in den nächsten Zeilen schließt sie dann die Identifikation ab, die beide — Faust und Mephistopheles — zu Trägern ihrer eigenen Weltanschauung macht. Gleich zu Beginn gibt sie Faust als gottgläubig zu erkennen; 'im Gebet' beschäftige ihn die Frage, ob Gott die Welt erschaffen habe oder ob sie nur 'in der Menschenphantasie' bestehe — Else Lasker-Schülers Gedanke von der menschlichen Weltillusion also, hinter der eine ewige Edenwelt liegt. Sie hat diesen Gedanken im Vorspiel ausgesprochen und vor dem Publikum erklärt, und gleich darauf bestätigt ihn auch Mephistopheles selbst: „Die obdachlosen Kinder Adams lebten schon, vertrieben aus der Edenwelt, in ihrer Weltenillusion!"

Es ist erstaunlich, wie wenig Raum sie braucht, um die beiden Partner des Paktes organisch in ihre Welt zu verpflanzen. Die Hälften ihres Ichs, verkündete die Dichterin dem Publikum, hätten zu 'mimen ungeheuerlich Genie', und im Laufe des Schauspiels erfahren wir, wie sie sich wieder vereinigen: sie mimen die Rollen des Faust und des Mephisto, die sich schließlich aus ihrer Hölle befreien und gemeinsam in das Eden aufsteigen, das hinter aller Weltenillusion liegt.

Früh läßt Mephisto durchblicken, daß auch er einst ein Teil der göttlichen Welt war. Ein 'ungeklärtes Überbleibsel' der Schöpfung nennt er sich *(IchundIch,* 17), und einmal, als er mit Faust beim Schachspiel sitzt, spricht er von der Hölle als 'Exil'. Das führt zu folgendem Dialog:

Faust: *Euch Eure Hölle ein Exil?*
Mephisto: *Nur Ewigkeit ist kein Exil. Zu ihr zu finden, Heinrich, durchstreiftest du das Erdental — nicht immer tugendhaft, doch immer unbefleckt das Land der — Sünden.*
(IchundIch, 42)

Mephistopheles spricht den Satz aus, der alle Dichtung Else Lasker-Schülers zusammenfaßt: „Nur Ewigkeit ist kein Exil." Er hätte das Motto ihres zweiten Palästinabuches bilden können, wenn es ihr vergönnt gewesen wäre, es zu schreiben.

Die Sehnsucht, die hier leise anklingt, bricht gleich darauf ganz deutlich durch. Zu Beginn des Stückes hatte Mephisto mit dem Gedanken gespielt, Hitlers Truppen mit Petroleum zu beliefern. Aber inzwischen ist er nachdenklich geworden; er kann sich nicht mehr auf das Schachspiel konzentrieren, und plötzlich sagt er zu Faust:

Mephisto: *Recht hat Doktor Faust, ich bin nicht bei der Sache. Die Staatsbank in der obigen Welt, sie stürzt auch meine Welt in Schwierigkeit, ich fürchte, daß ich bald verkrache. Doch überstand der Teufel schwierigeres Leid, zumal er weiß und schwarz spielt mit der Zeit — zu gleicher Zeit.* (Er ergreift zerstreut eine der Schachfiguren.) *Und was mich bang und bänger stimmt, wie Staat und Stern liegt hinter diesen Kriegs- und Wirtschaftsdingen. Wir hörten doch den guten Engel Gabriel singen — es war am Ruhetag des Herrn.*
Faust bewegt.
Mephisto: *Engeltöne, die sich schwer an mir vergingen...*
Faust: *Vergingen?*
Mephisto: *Mir hilft kein Ringen! Teuflisches Element drängt zur göttlichen Moral.*
(IchundIch, 44-5)

Wie ein Echo des Gottesschreis, der Else Lasker-Schülers Dichtung erfüllt, klingen diese Worte des Mephistopheles. Es ist ein tiefes Geheimnis, das der Teufel hier preisgibt, und bald führt das offene Gespräch ihn zu weiteren Geständnissen. Er erzählt Faust, weshalb er sich ihm einst genähert hätte:

Mephisto: *Erkannte doch in deinem trunknem Knabenlied den Ursprung*
wieder, Eingebung und Sinn,
Du stammst, wie ich der Teufel — aus der Vorerinnerung!
Und weiß, daß wenn du sprichst, ich selbst es aus der Kindheit bin.
Du sahst von fern voll Ungeduld die wilden Wolken nahn,
Und bändigtest den Sturm, den Wetterstier in seinen Wahn.
Und irrtest dennoch zwischen Ewigkeit und bürgerlicher Sitte,
Legtest schließlich dich in ihrer Mitte.
Ich rüttelte gewaltig, Brudermein, an deiner Tür!
Du nennst zum Danke 'Teufel'! mich dafür.
Wie jeder Mensch und jedes Menschenvieh
Bewillkommnet mich nach seiner eingesessenen Melodie.
(IchundIch, 48)

Es sind die wiederkehrenden Motive ihres Werkes, die Else Lasker-Schüler hier anklingen läßt. Faust hatte Mephisto an seinen eigenen, göttlichen Ursprung erinnert, aber er hatte zwischen Ewigkeit und

Bürgertum geschwankt, zwischen Edenwelt und Weltenillusion; Mephisto hatte ihn herausreißen wollen aus dem Bürgertum und seinen Illusionen, aber Faust hatte ihn abgewiesen, wie 'jeder Mensch und jedes Menschenvieh': 'nach seiner eingesessenen Melodie'.

In der 'Vorerinnerung', aus der Faust und Mephisto stammen, ist aber auch schon das Thema der beiden Hälften begründet, die erst in die höhere Welt ihres Ursprungs zurückkehren müssen, um wieder zueinander zu finden. Es ist das Thema von Ich und Ich, und wenig später kommt es zur Sprache:

Mephisto: *Und flieht man doch den Teufel und man holt ihn wieder aus dem Mist, wo nur ein Menschenherz zu bösem Tun geeignet ist. Leg in ein Enveloppe mein brüchiges Haar, das ehemals ein lockig Ringelreien war —*
Du wecktest, Bruder mein, mein Herz und meine Adern, meine Venen,
Und wären meine Augen nicht versteint — nie geweint! —
Es weinte ich, der Satan, Tränen —
Faust: *Gebt mir einen kleinen Tröpfchen Zeit,*
Lobzupreisen unsere Einigkeit,
Inniglich umhüllt in keuscher Minne.
Ich stürbe gern den Opfertod für — dich, mein teurer Weggeleit.
(IchundIch, 54)

In den Tränen deutet sich die Reue an, mit der Mephisto wieder ins Paradies zurückkehren will, und auch ein christliches Motiv wird in dieser jüdischen Umarbeitung einer deutschen Tragödie spürbar: Faust will den Opfertod für Mephistopheles sterben, will seine Sünden auf sich nehmen und ihm so den Weg in die Edenwelt bahnen.

In der letzten 'Einigkeit' von Faust und Mephistopheles endet schließlich das Schauspiel. Eine Erinnerung an den Gesang des 'guten Engel Gabriel' war es gewesen, die Mephistos Sehnsucht nach der Edenwelt geweckt hatte, und wie oft bei Else Lasker-Schüler zieht auch dieses in Ewigkeit vereinte Paar nach seinem gemeinsamen Tode gemeinsam in die Unsterblichkeit:

Faust: *Die Himmel weben, fürsorgliche Engel,*
Um uns — Flügelkleide. . .
Bald sind wir auf der blauen Weide —
Und blicken noch auf die von uns verlassene Welt.

Mephisto: *Wie man bestattet dich, mein Herzgenoß, und mich*
Faust: *Uns beide — stillvereint im Leibe: IchundIch.*
Mephisto: *Und sich berauscht an unserem edelen versöhnten Leide die*
    Geistlichkeit in ihrer Ursprach althebrit.
Faust: *Und sind doch mit dem Erdenleben quitt!*
    (IchundIch, 65-6)

Else Lasker-Schüler hat den Teufelspakt in einen Ausdruck ihrer Erlösungsbotschaft verwandelt und mit Motiven ausgestattet, die ihre
Dichtung seit vierzig Jahren bestimmen. Der Übergang von der Zeit
in die Ewigkeit stand schon im Mittelpunkt der Verse „Sulamith",
und auch Mephisto erkennt den jüdischen Ursprung des Paradieses,
in das er nun eingeht: die Geistlichkeit, sagt er zu Faust, berausche
sich an dieser letzten Versöhnung von Ich und Ich 'in ihrer Ursprach
althebrit'.

Eine merkwürdige Wendung ist eingetreten. Einst hatte ein Teil
des Judentums geglaubt, sein Heil liege in der Annäherung an den
deutschen Geist, und die Flucht aus dem Unglück führe in die höhere, deutsche Kultur. Jetzt, in der dunkelsten Stunde ihrer beiden
Völker, weist Else Lasker-Schüler den umgekehrten Weg. Während
der deutsche Geist zusammenbricht, nimmt sie das höchste Produkt
dieses Geistes und deutet es im Lichte ihres Judentums.

Es ist der Nationalsozialismus gewesen, der zum Zusammenbruch
Deutschlands geführt hat, und das Schauspiel trägt ihm Rechnung.
Erst als Mephistopheles nicht mehr dazu bereit ist, Hitlers Truppen
zu unterstützen, beginnt sein Aufstieg aus der Hölle; seine endgültige Erlösung fällt mit dem Untergang des Nationalsozialismus zusammen. Bevor Mephisto in die Edenwelt aufsteigt, versinkt Hitler in der
Hölle Else Lasker-Schülers, und der befreite Teufel kommentiert es
mit den folgenden Worten:

Mephisto (legt väterlich seinen Arm um Faustens Schulter): *Er vergif-*
    tete das deutsche Rebenblut.
    Ihm fehlte, in den Kampf zu ziehn selbst der Opfermut.
    Er stiftete die Jugend an zum Mord! Er!
    Ein feiger Mißton in der Menschheit kreisenden Akkord!
    Er hinterläßt nicht Asche, nicht das kleinste Häufchen Schutt!
    Es folgt ein unerlöster Tod dem Antichrist und Antijud!
    (IchundIch, 64)

Die Wirklichkeit aber, in die Else Lasker-Schüler aus der Welt ihres Schauspiels zurückkehrte, sah bedrückender aus. Sie wußte es, und sie hat es auch in *IchundIch* nicht verheimlicht. Das Drama wirft sein Licht auf ihren Lebensabend in Jerusalem, doch auch die Dunkelheit der letzten Jahre dringt am Ende in die Dichtung ein.

Als Faust und Mephistopheles erlöst sind, verläßt die Dichterin das Theater und tritt im letzten Akt des Stückes in den Garten eines Jerusalemer Augenarztes. Dort begegnet ihr eine männliche Vogelscheuche, die ihr ihren Hunger klagt:

Die Vogelscheuche: *Mir munden Rüben, Blattsalate und Radies und überdies bin ich versessen auf alle Arten Kressen. Was denkt sich bloß die Frau des großen Augenarzts, die Vogelscheuch braucht nichts zu essen? Und Tag und Nacht dazu auf Wacht in greller Sonn und ohne Augenglas – und ohne Regenschirm, kommt erst Novembernaß.*
Die Dichterin: *Ich will dir gern Gesellschaft leisten.*
Die Vogelscheuche: *Am allerbesten, wir verreisten die Ostertage? Entgehen dem Klatsch, – ich bin romantisch eingestellt, und die Welt, sie würde mir zur Sage.*
Die Dichterin: *Sind wir doch arme Kinder Israels beid, in gleicher Lage. Und traben heut noch durch den Wüstensande.*
(IchundIch, 67-8)

Nach ihrer Flucht aus Deutschland hatte die Verscheuchte sich in das himmlische Jerusalem ihres Hebräerlandes gerettet; aber im irdischen Jerusalem am Ende ihres letzten Schauspiels fühlt sie sich zur Vogelscheuche hingezogen, die in Palästina hungert. Beide traben durch den Wüstensand wie einst die Kinder Israel und haben auch nach Jahrtausenden ihr Gelobtes Land noch nicht erreicht.

Wieder stehen Ich und Ich sich gegenüber, und nicht nur in ihrem heimatlosen Judentum gleichen sich die Dichterin und die Vogelscheuche. Bald wird auch der deutsche Teil des Doppelwesens sichtbar, das sich hier begegnet:

Die Vogelscheuche: *Erlaube mir zu fragen, wo warst du vorher all die Zeit, wie es noch hell?*
Die Dichterin: *Sehr freundlich lud mich ein im Switzerlande, bevor ich herfand, Wilhelm Tell.*

Die Vogelscheuche: *Und mich verbarg Madame von Stein in Weimar un-*
ter ihrem Kleidgestell.
Die Dichterin: *Wie drollig!*
Die Vogelscheuche: *Jedoch alsbald spazierte ich zu Fuß mit Wolfgang,*
meinem Intimus –
Die Dichterin: *Durch den östlichen Divan?*
Die Vogelscheuche: *Durch den öst- und westlichen Divan, entre nous,*
ma petite chérie.
Die Dichterin: *Mit Wolfgang von Goethe verreisten Sie?*
Die Vogelscheuche: *Ich erröte über deinen Zweifel. In Sommertagen,*
ach wie oft, streiften er und ich durch das Tal der Eifel.
(IchundIch, 68)

Ein ironisches Bild zeichnet Else Lasker-Schüler hier von
Deutschlands Kultur, auf die das Judentum einst so große Hoffnungen gesetzt hatte; es zeigt noch einmal, wie wenig Illusionen diese
von Paradiesen träumende Dichterin in Wirklichkeit hatte. Und
ironisch ist auch die Fortsetzung des letzten Aktes: bald kommt
Adon Swet der Dichterin nachgelaufen – der Zeitungsmann, der
endlich wissen möchte, was sie mit ihrem Stück sagen wollte – und
als er die Vogelscheuche durch den Garten schwanken sieht, spricht
er sein bürgerliches Urteil über sie:

Die Dichterin: *Er schwankt, der Arme, wie vom starken Wein erfaßt. Ich*
hab Angst, er bricht sich noch ein Hosenbein.
Adon Swet: *Im Kaufhaus Schwarz bekommt er neue Besen.*
Die Dichterin: *Sie sehen doch, er ist ein höheres Wesen... war er auch nie*
wie wir mal klein.
Adon Swet: *All right! Und niemand ihn einmal vermißt. Ruiniert vom*
Herbst, wirft man den Burschen auf den Mist.
(IchundIch, 72)

Mit der Erlösung Fausts und seines Teufels hat Else Lasker-Schüler
ihre Welt noch einmal poetisch verklärt. Doch als der Teufelspakt im
Paradies seine Lösung findet, zeigt sie uns in einem zweiten Schluß
des Stückes ein anderes Spiegelbild des Goethedeutschlands – neben dem himmlischen auch das irdische Ende, das es in Zeiten der
Barbarei mit der Kultur zu nehmen pflegt.

Und am Schluß des letzten Aktes, unter den Händen ihres Ebenbildes, der Vogelscheuche, stirbt auch die Dichterin ihren traurigen Tod. Er gestaltet voraus, wie Else Lasker-Schülers eigenes Leben enden sollte.

Zwei Jahre später, als *Mein Blaues Klavier* erschien, war sie eine alte, ausgebrannte Frau. „Liebe Indianer!" schreibt sie am 29.10.1943 an die Grosshuts in Haifa. „Nach schweren Tagen: Grüße. Es ist zu schwer für mich unterm Volk hier. David wär — auch abgereist." Aber sie konnte nicht abreisen. Der Weltkrieg hielt sie in einer bitteren Wirklichkeit fest, über die auch die Korrespondenz mit den Grosshuts nicht mehr hinweghalf. „Ich bin verzweifelt in der Einsamkeit! Euer Jussuf", heißt es am 10.7.1944 an das Ehepaar, und am 1. Oktober: „Ich bin erschöpft." (BR I, 317, 318)

Es war das letzte Lebensjahr der Dichterin. Die Postkarte vom 22.6.1944, die sie am Tisch des Jerusalemer Cafés Imperiàl an Werner Kraft schrieb, gibt Auskunft darüber:

> *Werner Krafft, manchmal sitz ich so einsam am Fenster im C. Imperial und denke: Es ist nicht möglich. Dann: daß ich länger die Schmerzen im Körper aushalte, die Traurigkeit dann die Art hier, dann, daß Sie ein Dichter mit mir so verfuhren. Ich weiß nur, daß ein Meineid. in Elberf. gewesen, den alle schräg nicht ansahen vor Verachtung. Ich bin am Ende, so litt ich — hier im Volk für das ich mich schlug — seit — Kind. Alles, ja alles vorbei in mir, auch für E. leider: Liebe, Freundschaft sind Hände. Meine eigenen gebrochen.*
> *Jussuf*
> (BR II, 212)

Am 22. Januar 1945 starb Else Lasker-Schüler. Sie war fast sechsundsiebzig Jahre alt, aber das wußte niemand, am Ende vielleicht auch sie selbst nicht mehr. Bei der Beerdigung der Dichterin sprach Rabbiner Wilhelm ihre eigenen Verse:

> *Ich weiß*
>
> *Ich weiß, daß ich bald sterben muß*
> *Es leuchten doch alle Bäume*
> *Nach langersehntem Julikuß —*

212

Fahl werden meine Träume —
Nie dichtete ich einen trüberen Schluß
In den Büchern meiner Reime.

Eine Blume brichst du mir zum Gruß —
Ich liebte sie schon im Keime.
Doch ich weiß, das ich bald sterben muß.

Mein Odem schwebt über Gottes Fluß —
Ich setze leise meinen Fuß
Auf den Pfad zum ewigen Heime.

(GW I, 350; SG, 205-6)

Die Verse enthalten noch einmal viele der Erlösungsbilder Else Lasker-Schülers. Rabbiner Wilhelm hatte sie vielleicht gewählt, weil sie in *Mein Blaues Klavier* stehen, ihrem letzten Gedichtband, der in Jerusalem erschienen ist.

Im Nachlaßband findet sich ein anderes Gedicht aus diesen Jahren. Auch seine Verse, wie alle Dichtung Else Lasker-Schülers, werden von ihrer Erlösungssehnsucht getragen, und von einem letzten Gottesschrei:

Hör, Gott, wenn du nur etwas lieb mich hast,
Send mir aus deinen lichten Reichen,
Das Licht der Liebe mir zu Gast.
Bei meiner weißen Kerze glaub ich fast,
Die Grenze der Erleuchtung zu erreichen,
Es wachsen alle Sterne hoch am Wolkenast
Und wurden strahlende Geschwister, Gott, in deinem Zeichen. . .
Nur unsere Erde ist verblaßt —
Und ihre Seele schreit zu dir aus Leichen.

(GW III, 81; SG, 256-7)

Else Lasker-Schüler wurde am 23. Januar 1945 auf dem Ölberg in Jerusalem bestattet. Das deutsche Judentum, aus dem ihre Dichtung lebt, war bereits ausgelöscht.

Anhang

Personenregister

Werkregister

Gedichte

1. Sammlungen

2. Einzelne Gedichte

217

Schauspiele

Arthur Aronymus und seine Väter 40, 47-55, 62, 63, 86, 99, 106, 108,
109, 112, 120, 143, 144, 147, 148, 152, 156, 157, 163
Die Wupper 141
IchundIch 199-211

Briefe *(nach Empfängern geordnet)*

Abkürzungsverzeichnis

Das Werk Else Lasker-Schülers wird nach der leicht zugänglichen Ausgabe
des Kösel-Verlages zitiert. Dabei ist auf die Vollständigkeit der Zitate geach-
tet worden; eine Reihe von Punkten bedeutet kein Auslassungszeichen, und
auch die Hervorhebungen finden sich im Original. Ebenso wurde die oft eigenwillige Orthographieund Interpunktion der Dichterin beibehalten.
Bei der Quellenangabe werden die folgenden Abkürzungen verwendet:

GW I   *Gedichte 1902-1943,* Hrsg. von Friedhelm Kemp,
          Kösel-Verlag, München 1959
GW II   *Prosa und Schauspiele,* Hrsg. von Friedhelm Kemp,
          Kösel-Verlag, München 1962

GW III	*Verse und Prosa aus dem Nachlaß,* Hrsg. v. Werner Kraft, Kösel-Verlag, München 1961
BR I	*Lieber gestreifter Tiger,* Briefe von Else Lasker-Schüler, Erster Band, Hrsg. von Margarete Kupper, Kösel-Verlag, München 1969
BR II	*Wo ist unser buntes Theben,* Briefe von Else Lasker-Schüler, Zweiter Band, Hrsg. von Margarete Kupper, Kösel-Verlag, München 1969
SG	*Sämtliche Gedichte,* Hrsg. von Friedhelm Kemp, Kösel-Verlag, München 1966
IchundIch	*IchundIch, Eine theatralische Tragödie,* Hrsg. und mit einem Nachwort versehen von Margarete Kupper, Kösel-Verlag, München 1980
BKK	*Briefe an Karl Kraus,* Hrsg. von Astrid Gehlhoff-Claes, Kiepenheuer & Witsch, Köln-Berlin (1959)

Peter Härtling

Vergessene Bücher

Das <u>andere</u> Lesebuch ~
Autoren zum Wiederentdecken

253 S., geb., 34.—, ISBN 3-88652-060-9

*„Wie war es möglich, daß wir sie vergessen konnten, die Män-
ner und die Frauen, die ihrer Gesinnung wegen ins Exil gehen
mußten. „Was man liebt, kann nie vergehen", sagt Härtling.
Ihm verdanken wir, daß die verstaubten Juwele der deutschen
Literatur wieder all denen zugänglich gemacht werden, die
nicht nur konsumieren wollen, sondern „Entdecken".*"
(Badische Neueste Nachrichten)

Literatur bei
von Loeper

Kiefernweg 13 · 7500 Karlsruhe 31